Hora de Nanar

Durante o processo de edição desta obra, foram tomados todos os cuidados para assegurar a publicação de informações técnicas, precisas e atualizadas conforme lei, normas e regras de órgãos de classe aplicáveis à matéria, incluindo códigos de ética, bem como sobre práticas geralmente aceitas pela comunidade acadêmica e/ou técnica, segundo a experiência do autor da obra, pesquisa científica e dados existentes até a data da publicação. As linhas de pesquisa ou de argumentação do autor, assim como suas opiniões, não são necessariamente as da Editora, de modo que esta não pode ser responsabilizada por quaisquer erros ou omissões desta obra que sirvam de apoio à prática profissional do leitor.

Do mesmo modo, foram empregados todos os esforços para garantir a proteção dos direitos de autor envolvidos na obra, inclusive quanto às obras de terceiros e imagens e ilustrações aqui reproduzidas. Caso algum autor se sinta prejudicado, favor entrar em contato com a Editora.

Finalmente, cabe orientar o leitor que a citação de passagens da obra com o objetivo de debate ou exemplificação ou ainda a reprodução de pequenos trechos da obra para uso privado, sem intuito comercial e desde que não prejudique a normal exploração da obra, são, por um lado, permitidas pela Lei de Direitos Autorais, art. 46, incisos II e III. Por outro, a mesma Lei de Direitos Autorais, no art. 29, incisos I, VI e VII, proíbe a reprodução parcial ou integral desta obra, sem prévia autorização, para uso coletivo, bem como o compartilhamento indiscriminado de cópias não autorizadas, inclusive em grupos de grande audiência em redes sociais e aplicativos de mensagens instantâneas. Essa prática prejudica a normal exploração da obra pelo seu autor, ameaçando a edição técnica e universitária de livros científicos e didáticos e a produção de novas obras de qualquer autor.

Deborah Moss

Hora de Nanar

A influência dos hábitos no sono de bebês e crianças

MANOLE

Copyright © Editora Manole Ltda., 2022, por meio de contrato com a autora.

Editora: Ana Cristina Garcia
Projeto gráfico: Departamento editorial da Editora Manole
Diagramação: HiDesign Estúdio
Capa: Plinio Ricca
Imagens de capa: iStock
Ilustrações: HiDesign Estúdio

CIP-BRASIL. CATALOGAÇÃO NA PUBLICAÇÃO
SINDICATO NACIONAL DOS EDITORES DE LIVROS, RJ

Moss, Deborah
Hora de nanar : a influência dos hábitos no sono de bebês e crianças / Deborah Moss. - 1. ed. - Barueri [SP] : Manole, 2022.

ISBN 9786555763386

1. Lactentes - Sono. 2. Crianças - Sono. 3. Lactentes - Cuidado e tratamento. 4. Pais e filhos. I. Título.

21-73716 CDD: 649.122
CDU: 613.79-053.3

Camila Donis Hartmann - Bibliotecária - CRB-7/6472

Todos os direitos reservados.
Nenhuma parte deste livro poderá ser reproduzida,
por qualquer processo, sem a permissão expressa dos editores.
É proibida a reprodução por xerox.

A Editora Manole é filiada à ABDR – Associação Brasileira
de Direitos Reprográficos

Edição 2022

Editora Manole Ltda.
Al. América, 876 – Tamboré
06543-315 – Santana de Parnaíba – SP – Brasil
Tel.: (11) 4196-6000
www.manole.com.br
https://atendimento.manole.com.br/

Impresso no Brasil
Printed in Brazil

Dedico este livro aos meus filhos, Ariel, Patrick e Alicia. Vocês me ensinaram a ser a mãe que cada um precisava ter, não a mãe que eu idealizava ser. Obrigada por tornarem o sonho da maternidade o mais real possível.

AGRADECIMENTOS

Nunca imaginei ser capaz de escrever um livro. No meu imaginário infantil, escritores eram seres dotados de um dom especial, e suas ideias e pensamentos desciam com fluidez, direto do cérebro até as mãos. Eu os imaginava naquelas cabanas simples, com vista para um lindo rio, sentados por horas, sozinhos, em frente a uma máquina de escrever. A minha realidade era bem diferente. Com três filhos, tendo de cuidar da logística da casa e do trabalho, eu nunca consegui ficar sozinha. A simples cabana à beira do rio teve de ser substituída por um pequeno escritório (*home office*) e a máquina de escrever obsoleta, por um *laptop*. Santa tecnologia, que poupou muito papel e tinta. Por fim, ainda bem que eu não estava sozinha. Que bom que pude contar com a ajuda e o apoio de muitos ombros amigos e mentes brilhantes que ajudaram a minimizar minha ansiedade e me permitiram construir e reconstruir uma escrita fluida e organizada.

Primeiro, quero agradecer aos meus pais, Simone e Bernard Moss. Vocês são exemplos de vida para mim. Me ensinaram que, para conquistar sonhos e objetivos, é necessário esforço e dedicação.

Aos meus irmãos, Philip e Stephanie Moss. Perto ou longe, vocês sempre acreditaram nas minhas escolhas. Seu carinho e apoio são muito importantes para mim.

Ao Nelson, pai dos meus filhos, serei eternamente grata por tudo que vivemos juntos.

Ao Eduardo Villela, editor e *book advisor* incrível. Sem você não teria sido possível sair do "modo sonho" e tornar este livro uma realidade viável. Como mãe de primeira viagem, todo o seu suporte e rede de apoio me fizeram sentir acolhida e segura para seguir em frente com este "filho" em forma de livro.

Ao Joaquim Botelho, agradeço por me ajudar a transformar ideias, palavras desordenadas e textos soltos em capítulos leves e organizados.

À Malka Toledano, a quem serei sempre grata pela amizade e pela rica contribuição com este livro.

À Yeda Timerman, gratidão por todos os anos de amizade, além do apoio e do incentivo durante a elaboração deste livro.

À querida Maria Helena Castro. Seus conselhos e indicações valiosas me ajudaram a seguir em frente com este projeto e chegar até aqui.

À Ivonete Lucírio (*in memoriam*). Você foi a primeira pessoa a ler os esboços iniciais. Sua empolgação e incentivo estiveram presentes em mim durante toda a elaboração deste livro.

Não posso deixar de agradecer à Simone Pereira, meu braço direito por tantos anos, que cuidou dos meus filhos como se fossem seus e, assim, permitiu que eu me dedicasse com mais empenho e menos culpa a este projeto.

À Edileusa, que entrou recentemente na minha vida e já se tornou parte dela, cuidando da minha casa e das crianças como se estivesse há anos conosco.

Ao Dr. Paulo Breinis, agradeço toda a sua contribuição técnica, mas o carinho e a gratidão vão muito além do âmbito profissional.

Ao Dr. Claudio Ejzenbaum, obrigada pelas valiosas informações contidas no livro, na área de odontologia infantil.

À Monica Seincman, cuja escuta terapêutica foi imprescindível para me manter, dentro das minhas possibilidades, implicada e focada neste intenso e árduo projeto.

À Elizabeth Polity, pelo lindo prefácio.

A todos os meus amigos e familiares. São tantos que seria injusto não citar cada um de vocês. Saibam que sou muito grata por ter vocês em minha vida.

A toda a equipe da Editora Manole, por acreditar neste sonho e permitir que se tornasse realidade.

Por fim, sou eternamente grata a todas as famílias que confiaram em meu trabalho e conseguiram transformar noites de pesadelos nos mais lindos e doces sonhos.

SOBRE A AUTORA

Deborah Moss é formada em Psicologia pela Pontifícia Universidade Católica de São Paulo (PUC-SP). Mestre em Psicologia do Desenvolvimento pela Universidade de São Paulo (USP). Especialista em Neuropsicologia pelo Centro de Estudos em Psicologia da Saúde (Cepsic/HC). Consultora do Sono, certificada pelo International Maternity & Parenting Institute.

RECADO PARA OS LEITORES

O objetivo desta obra é ajudar os pais a lidar com as dificuldades de sono de seus filhos. Muito cuidado foi empregado na elaboração de seu conteúdo.

Ao longo do livro são apresentados diversos exemplos, situações e casos vivenciados pela autora no atendimento às famílias. Para preservar a privacidade das pessoas envolvidas, os nomes foram trocados e foram realizadas adaptações nas histórias.

SUMÁRIO

PREFÁCIO

Em algumas cantigas de ninar (como "Nana, neném/Que a Cuca vem pegar..."), a hora de dormir muitas vezes está associada ao medo e ao perigo. Não estranhamos, portanto, que possa ser sentido como um momento desafiador e inquietante. Mas há uma maneira de enfrentá-lo?

Quero iniciar falando da minha alegria e entusiasmo pelo convite de Deborah para apresentar este livro. Aceitá-lo levou-me a buscar na memória repertórios arquivados das histórias de muitos anos atrás, quando minha casa era povoada por pequenos seres em crescimento, por noites nem sempre bem-dormidas e por muitas dúvidas que então me assolavam: como colocar em prática o "nana nenê"?

Muitos estudos, muitas experiências e muita sensibilidade colaboraram para que Deborah pudesse nos presentear com esta obra rica, instigante e tão necessária. Em suas palavras, "... minha proposta é me concentrar na minha experiência prática e na vivência direta com as famílias que atendi e atendo. Sem deixar de lado, é claro, as técnicas, os métodos e as contribuições da ciência em relação ao sono de bebês e crianças".

Encantou-me no livro a maneira sutil e ao mesmo tempo consistente com a qual ela trata as questões relacionais entre os membros da família (ou adultos cuidadores), a criança e a hora de dormir, esse momento tão único e inquietante para muitos pais.

Nos primeiros capítulos, a autora apresenta conceitos e reflexões que norteiam e embasam a maneira como a prática será construída. Desde a chegada da maternidade, ela afirma, o manejo com o sono e as sonecas se faz importante.

Sabemos que filho vem inscrito no desejo dos pais e que ambos precisam de um tempo para se acostumar uns com os outros e com as mudanças que uma criança traz ao núcleo familiar. Trabalhar as expectativas e ajudar a construir uma rotina com o sono são desafios que Deborah nos convida a entender no Capítulo 4.

Ao longo da narrativa a autora vai tecendo considerações acerca de como trabalhar a autonomia da criança, sempre considerando sua capacidade cognitiva e emocional. Com muito bom humor, ela propõe a troca de um "*kit* dependência" *versus* "*kit* autonomia" (Capítulo 7). Ou, em outros termos, ajudar a criança a conciliar o sono sozinha e aprender a dormir.

Mais à frente, ela nos fala da relevância de entender a diferença entre *sumir* e *se despedir* na hora de deixar o bebê no berço, referindo-se ao momento delicado de separação, incluindo aí reflexões sobre a chupeta e os objetos de apego, como a naninha.

Em outro trecho, Deborah traça importantes relações entre o sono e a alimentação. Além das considerações de ordem emocional, ela enriquece sua narrativa com pareceres médicos e odontológicos, ampliando assim o diálogo e dando a oportunidade de pensarmos o tema sob diferentes perspectivas.

Uma parte do livro especialmente marcante refere-se ao olhar criterioso que a autora reserva aos pais. Acolhedora e extremamente cuidadosa com estes, ela dá continência à angústia materna/paterna para evitar que fiquem reféns do choro e aprendam, sem muito sofrimento, a sustentar o limite estabelecido (como bem exemplificado no caso do menino com a chave, no Capítulo 4). Ajuda a elaborar o medo de traumatizar a criança e a entender o choro como uma maneira de se comunicar.

Penso que um dos grandes méritos desta narrativa consiste em entender que o sono e a hora de dormir podem e devem ser aprendidos como mais uma etapa do desenvolvimento humano. Ao nos lembrar da importância vital que dormir tem para o ser humano, Deborah reforça a ideia de que "a privação de sono é um problema sério e que resolver isso não pode ser adiado".

Nos capítulos finais, somos presenteados com os relatos das experiências das quais a autora participou, aliviando e mudando a percepção de muitos pais sobre essa hora tão delicada que é a Hora de nanar. Nesses textos, ela mostra como orientou e conduziu diferentes situações, enfatizando a particularidade de cada um e o trabalho que pode ser feito em equipe, entre pais parceiros. "Três Cs ajudam nessa empreitada: coerência, consistência e continuidade", afirma a autora.

Deborah não deixa de fora sua experiência no trato com crianças maiores, em que ela, de forma lúdica, chama a atenção para o que pode ser nomeado como "a fase de enrolação". Traz exemplos práticos e generosamente inclui sua própria experiência como mãe, mostrando-nos que, mesmo com grande bagagem teórico-prática, não escapamos de vivenciar muitas dessas situações com os filhos.

Enfim, um sopro revigorante de esperança e alívio que aponta a existência de caminhos saudáveis para a retomada da rotina familiar. Outros tantos aspectos relevantes poderiam aqui ser apontados. Mas não quero dar *spoiler* e tirar de vocês o prazer de ler em primeira mão, ou, como se diz, de "beber direto na fonte".

Parece que os monstros foram dominados e que papai e mamãe voltam mais tranquilos e descansados para casa.

Depois dessa agradável experiência, só me resta parabenizar a Deborah e agradecê-la por esse testemunho tão valioso. Desejo a todos uma excelente leitura, seguida de uma noite bem-dormida!

Profa. Dra. Elizabeth Polity
Terapeuta de Família e Casais

INTRODUÇÃO

Como vocês se sentiriam se estivessem com seu filho no colo, sentados em uma poltrona, ninando ou dando de mamar quando, sem que se dessem conta, apagassem em um sono profundo e, ao abrirem os olhos, em um repente de despertar, o seu bebê simplesmente tivesse sumido?

Agora, imaginem outra situação: sentados na cama, vocês fazendo carinho no seu filho para ele dormir e, em um abrir e fechar de olhos, ao se virarem para o lado, ele não estivesse mais ali.

Conseguiram entender a ideia? Vamos a mais uma situação: vocês no sofá da sala, vendo TV com seu bebê e, de novo (imagino que realmente devam estar muito cansados), fecham os olhos, em um sono profundo. Quando acordam, se dão conta de que agora estão no quarto, na cama, no escuro, sem TV e sem o seu filho por perto.

Com certeza vocês, mamãe e papai, iriam se sentir:

- assustados;
- confusos;
- perdidos;
- angustiados;
- indignados;
- bravos.

Concordam? Então, agora, troquem de lugar com o bebê. Trocaram? Fica bem mais fácil entender como se sentem os bebês e crianças que pegam no sono com a presença e o aconchego que os pais proporcionam e, de repente, acordam durante a noite, completamente sozinhos, perdidos e assustados (lembram dessas sensações?). Eles não sabem onde estão ou como foram parar naquele lugar, e despertam com aquele olhar angustiado de "cadê mamãe? Cadê papai?". A sensação é ainda mais aterrorizante porque eles não sabem como se comportar dali para a frente e não conseguem adormecer sozinhos novamente, ainda que estejam muito cansados.

Todas essas cenas foram baseadas em casos reais. A única coisa que fiz foi levar vocês a se colocarem no lugar do seu bebê por alguns instantes para entender a situação. Há mais de dez anos atendo famílias com bebês e crianças que apresentam dificuldades no sono, associadas às noites confusas, assustadoras, angustiantes e outras sensações que só o bebê poderia dizer, e que realmente expressa com a linguagem que tem disponível, em alto e em bom som, com choros e gritos durante noites e madrugadas, quando toda a família deveria estar dormindo.

O que vocês devem estar se perguntando é: mas sempre agimos assim – aconchegando o bebê até o sono – e ele dormia bem, no máximo acordava uma vez para mamar e logo retomava o sono. Por que agora acorda de hora em hora? As famílias que me procuram geralmente contam que tudo parece sair dos eixos e o caos se instala noite adentro por volta do sexto mês de vida do bebê.

Os discursos que normalmente ouço dos pais são:

"Até os seis meses, minha filha acordava só uma ou duas vezes por noite, mamava e logo voltava a dormir. Mas, de uns tempos para cá, ela tem acordado de uma em uma hora, e só volta a dormir depois que a tiramos do berço para mamar."

"Ele só dorme se estiver comigo, é muito apegado. Isso começou quando ele tinha uns sete meses. Como não trabalho e fico o dia todo em casa, acaba não se acostumando a ficar sozinho, e o jeito foi colocá-lo para dormir na cama com a gente. Mas, como ele se mexe muito, ninguém dorme, nem ele. Meu marido até já se mudou para o outro quarto."

"Acho que minha filha não dorme porque quer ficar comigo, fica com muitas saudades, pois passo o dia fora e ela sente falta. Piorou muito no momento em que eu voltei a trabalhar, quando ela tinha cinco ou seis meses."

Sabem o que acontece por volta dos seis meses do bebê e que provoca a mudança de comportamento? Ele se torna uma criança pequeno-grande. Estranho? Eu explico: dos seis meses aproximadamente até por volta dos nove meses (em alguns casos, até um ano), ocorre um salto no desenvolvimento tanto motor quanto cognitivo. Em outras palavras, seu filho ainda continua um bebê, mas bem mais esperto do que antes. A cada dia, as mudanças são gritantes.

Ele passa a se dar conta de que a mamãe não é mais uma extensão dele, dentre outras mudanças na percepção. Começa a dar risada com a brincadeira do "achou", quando vocês se escondem com um pano no rosto e aparecem repentinamente; ou divertem-se com aquela repetitiva brincadeira de jogar os objetos no chão e ficar esperando um adulto pegá-los.

O que isso tem a ver com o sono? Simplesmente tudo! Se agora ele percebe que a mãe ou o pai, ao sair de perto, está em outro lugar, chora pedindo seu retorno. Se ele já tem a capacidade de antecipação (joga o brinquedo e sabe quem irá pegá-lo), precisa de todas as pistas de modo concreto para que consiga se apropriar das atividades do seu dia a dia. Se, por exemplo, o almoço acontecer sempre em um lugar diferente – cadeirão, sofá da sala, carrinho, colo –, terá dificuldade em criar uma rotina. Nessa idade tudo deve ser repetitivo, bem sistemático. Assim ele conseguirá se apropriar, de modo consistente, das atividades do seu dia. O sono segue o mesmo raciocínio: está cansado, é hora de dormir. Simplesmente! O que percebo no comportamento das famílias que atendo é que se oferecem pistas confusas e as seguintes mensagens ambíguas para o bebê:

"Está com sono? Então vem mamar."

"Está com sono? Então vamos balançar."

"Está com sono? Então vem no colo da mamãe."

"Está com sono? Então vamos passear."

"Está com sono? Então vamos ver TV."

Isso gera uma confusão na cabeça do pequeno. A mensagem que os pais querem passar é: "Filho, dorme, por favor!". Mas a ação vai exatamente na contramão: dão leite, chacoalham, oferecem colo, levam para andar de carro ou carrinho (sim, há famílias que saem de casa à noite para fazer os filhos dormirem), ligam a televisão nos desenhos da moda. O ato de dormir passa a ser secundário, e o bebê acaba sendo totalmente passivo no adormecer! Pega no sono por exaustão, não de uma forma saudável.

Vamos mais uma vez vestir as pantufinhas do bebê para entender como ele se sente: vocês estão de pijama, com sono, deitados no sofá da sala assistindo à TV. De repente, acordam na cama, confusos e com sono. Até querem dormir novamente, mas, para conseguirem, precisam voltar para a sala e assistir novamente à TV. Agora imaginem que, na mesma situação, vocês estão prontos para dormir, ligam a TV, assistem a um programa, desligam o aparelho, viram para o lado e dormem a noite toda. É diferente, não? Nessa situação, a TV é parte da rotina de dormir e não o gatilho para adormecer. Colo, mamar, carinho, mamãe e papai podem – e até devem – fazer parte do caminho que leva até o berço, ou seja, parte da rotina de ir dormir, mas não como associações de sono.

O que se faz no início da noite é o preço que será pago durante a madrugada. Isto é, toda vez que os filhos precisarem dormir vão recorrer aos gatilhos propostos pelos pais quando estão com sono (lembra da sua necessidade da TV?).

Bebês e crianças pequenas não entendem mensagens subliminares. Não é possível estabelecer com eles um combinado assim: "Eu vou te ninar para você dormir agora, às 20h, mas, caso você desperte de madrugada, nada de chamar a mamãe ou o papai para dar colinho". Isso, definitivamente, não funciona. Fazer de um jeito e querer que eles entendam de outro só funciona com adultos muito bem sintonizados. Quando a esposa diz para o marido: "Por mim tudo bem você sair sábado à noite com os seus amigos e eu ficar sozinha com a Paulinha", se ele conhece bem sua companheira, vai optar, claro, por ficar em casa. O bebê ainda não tem a capacidade de perceber essas sutilezas entre o que se fala e o que o outro realmente pensa.

O problema dos bebês e crianças não é despertar no meio da noite. Todos nós, seres humanos de todas as idades, temos breves despertares ao longo dos ciclos de sono. A questão é que o bebê, quando abre os olhos, chora indignado. Se apertássemos a tecla SAP do choro, a tradução simultânea poderia ser: "Onde estou? Cadê a mamãe? Estou cansado, quero mamar! Este lugar está parado, movimento, por favor! Estou com sono!".

Mas, como os adultos ainda não aprenderam a apertar a tecla SAP da criança, chegam ao quarto do pequeno com seu raciocínio de gente grande, com sua lógica abstrata, ainda bocejando, e interpretam o choro ou o resmungar como: "ele sente falta de mim porque trabalho o dia todo; ele sente falta de mim porque não trabalho e ele não se acostumou a ficar sozinho; deve ser o salto de crescimento; deve ser fome, porque ele mama e dorme". E, assim, o círculo vicioso se instala. O bebê, aquele pequeno ser, passa a assumir o comando das noites, sem, é claro, se dar conta de seus poderes de dominação do pedaço. Se ele realmente tivesse essa plena consciência, talvez elaborasse a cartinha abaixo:

Como treinar sua mãe para não dormir a noite inteira

Relato de um bebê

Prezados Companheiros Bebês:

Faz cinco meses que cheguei nesta casa.

Os primeiros meses foram incríveis: eu chorava, minha mamãe me tirava do berço e me dava de mamar a qualquer hora da madrugada. Mas as coisas estão mudando. Nas últimas semanas minha mamãe tem tentado dormir a noite inteira. Eu pensei que fosse apenas uma fase, mas só está piorando.

Conversei com outros bebês e parece que isso é bastante comum. As mães, depois de uns cinco, seis meses insones à noite, começam com esse negócio de voltar a dormir. Elas não percebem que, na verdade, não precisam dormir: este é apenas um péssimo hábito. Muitas delas já dormiram noites inteiras por mais de 30 anos! Como minha mãe vem insistindo cada vez mais nesse hábito, não me restou alternativa a não ser treiná-la para ficar acordada a noite inteira. Aqui explico resumidamente, caso vocês queiram colocar em prática com a mãe de vocês também.

Noite 1: chore a cada três horas até ela tirar você do berço e dar de mamar. Eu sei, dá a maior pena ver sua mãe chateada porque você está chorando. Mas tente se lembrar que é para o próprio bem dela. Ela está aprendendo.

Noite 2: diminua os intervalos e chore a cada duas horas, até ela tirar você do berço e dar de mamar.

Noite 3: chore a cada hora.

A maioria das mães já começa a apresentar melhoras depois de três noites de treinamento. Algumas, contudo, podem resistir mais às mudanças. Elas podem querer, em vez de levantar você do berço logo, ficar ali do seu lado, fazendo carinho e cantando musiquinha por horas. Não desista! A chave do sucesso é ser persistente. As mães aprendem caso você se mantenha firme nas suas atitudes. Se você a deixar dormir a noite inteira uma vez, ela vai querer dormir a noite inteira sempre. Sei que parte o coração ver sua mamãe triste, mas lembre-se: ela está apenas resistindo às mudanças.

Se a sua a mãe é muito durona, você pode tentar, por exemplo, parar de chorar por dez minutos, deixar que ela se deite novamente e, então, voltar a chorar, repetindo esse procedimento algumas vezes. Em algum momento ela desiste. Uma vez minha mãe ficou quase 20 horas acordada. Confie em mim, elas conseguem!

Na noite passada, por exemplo, eu chorei a cada hora. Qualquer motivo era suficiente: muito frio, muito calor, o cobertor me pinicava, arrotei e não gostei do gosto. Enfim, não importa o motivo que você arrume para chorar, o importante é ser persistente e não desistir no meio do treinamento. Demorou um pouco, mas funcionou. Às quatro da manhã, ela me levantou do berço e deu de mamar. Amanhã meu objetivo é 3h30 da manhã.

Pode ser que a sua mãe chame reforços e mande o papai para o seu quarto. Não se preocupe, os pais não estão programados para dormir tão pouco como as mães; eles vão fazer uns 10, 15 minutos de carinho, mas logo irão desistir e chamarão a mamãe de volta.

Ah... e muito importante: não se deixe enganar por aquelas coisas de látex que colocam na sua boca! Vocês podem sugar aquela coisa por horas, mas não sai leite dali!

Eu acredito que estou no caminho certo na educação da mamãe e sei que, com paciência e amor, em algum momento ela aprenderá que não precisa dormir a noite inteira.

Abraços, Baby

Autor desconhecido

Analisando a cartinha do bebê, de forma figurativa e caricatural, é possível entender o ponto de vista dos pequenos. Talvez vocês, neste momento, estejam se perguntando se foi o seu filho quem a escreveu.

É muito comum ouvir as mães que atendo confessarem que não houve mesmo jeito: tiveram que dar de mamar, já que o bebê não parava de chorar. E sempre paira a dúvida: será que era fome ou hábito?

Outro pensamento na linha "se meu bebê pudesse falar": "Dormi (ou melhor, perdi a consciência) no colo gostoso da mamãe, tomando leitinho, e, de repente, ao abrir os meus olhos em busca dela, me deparo com papai!". Essa cena me faz lembrar de uma série da minha juventude (alguns pais vão se lembrar) chamada *Família Dinossauro*. Na série, o pequeno Baby gritava quando o pai o pegava no colo: "Não é a mamãe, não é a mamãe!".

Se você acha que está difícil ser pai ou ser mãe, saiba que é bem difícil ser um bebê pequeno que não entende um mundo onde as mensagens muitas vezes são confusas e bem estranhas. A braveza dos filhos não é nada pessoal.

Muitos pais me perguntam se esses gritos podem ser um caso de terror noturno (trataremos disso mais adiante), mas já antecipo que, independentemente de representar um quadro patológico ou não, uma coisa é clara: as noites são mesmo do terror!

E assim as madrugadas, confusas, instáveis e inconstantes, sob o comando do pequeno ser, têm tudo o que um bebê adora: leitinho a toda hora, companhia de mamãe e/ou papai, colo, música e balanço, mas não têm o principal, aquilo de que ele mais precisa: dormir e pais descansados.

E não tem nada de divertido nisso. Quando o bebê nasce, as baladas ficam para trás – pelo menos por enquanto –, mas podem dar lugar a longas festas do pijama dentro da própria casa. O resultado é uma ressaca permanente no dia a dia, trazendo prejuízos devastadores no âmbito profissional, nas relações familiares – principalmente a vida conjugal – e podendo colocar por água abaixo o esforço de ser bons pais. Exaustos e sem forças, não é possível ser bom em nada na vida. Lembrem-se de que a privação de sono é usada como técnica de tortura em muitos países.

O dia serve para produzir, e a noite, para recuperar as energias para um recomeço no despertar. Tudo na vida tem começo, meio e fim. Só que, sem dormir, os dias, as semanas, os meses e até os anos (já atendi famílias que não dormiam havia mais de dez anos) tornam-se intermináveis!

Vocês podem até pensar que estão oferecendo o melhor para seu bebê ao atender a todos os seus chamados noturnos. Mas não estão dando o que ele mais precisa: noites de sono restauradoras e pais descansados.

Se vocês se identificaram com o que leram até agora, saibam que não estão sozinhos. Longe disso! Numa de suas noites de vigília, experimentem olhar, só por curiosidade, pela janela. É muito provável que vejam luzes acesas em outras casas e apartamentos, e é grande a chance de que lá também more um bebê. É mais comum do que vocês imaginam! Talvez nas rodas de conversas com seus amigos eles neguem passar pelo mesmo problema, ou falem com orgulho sobre como os filhos dormem bem. No entanto, nas redes sociais, em consultas médicas e sessões de terapia, esse é um tema bem frequente.

A pesquisa Silentnight, realizada no Instituto Nacional de Saúde do Reino Unido, revelou que os pais perdem cerca de seis meses de sono durante os primeiros dois anos de vida da sua criança. Aproximadamente 10% dos pais conseguem ter apenas duas horas e meia de sono contínuo todas as noites, e mais de 60% dos pais com bebês com menos de 24 meses de idade não dormem mais do que 3h15 todas as noites.

Já atendi mães e pais médicos, das mais diversas especialidades, como endocrinologia, dermatologia e psiquiatria. Hoje esses profissionais incluem na triagem de seus pacientes questões sobre o sono, tamanha a importância que passaram a dar ao assunto. Sono e vida saudável andam juntos.

Neste livro, minha proposta, tanto como profissional quanto como mãe de três filhos, é me concentrar na minha experiência prática e na vivência direta com as famílias que atendi e atendo. Sem deixar de lado, é claro, as técnicas, os métodos e as contribuições da ciência em relação ao sono de bebês e crianças.

Minha intenção não é condenar os pais pelos problemas de sono dos filhos, em especial as mães que já lidam com culpa de sobra desde que deram à luz. As noites maldormidas só são justificadas na fase do recém-nascido, ou quando os filhos estão doentes. Tirando essas exceções, as noites insones não fazem parte do pacote da maternidade.

O intuito desta leitura é, sim, responsabilizar a família pela condução do sono dos filhos. A ideia não é fornecer fórmulas, receita de bolo ou passo a passo. Um dos principais pontos sobre os quais os pais devem ter consciência é que os bebês são diferentes uns dos outros. Por isso não há como estabelecer receitas para lidar com todos. Na reeducação do sono, precisamos desapegar das fórmulas prontas e agir conforme a circunstância exige, utilizando a lógica do sono. Quando se trata de filhos, não tem como fazer "Control C + Control V". Então, pretendo ajudar vocês, pais, na construção e na desconstrução da lógica do sono dos bebês e das crianças, e apresentar caminhos que tenham um percurso em linha reta com placas, por todos os lados, sinalizando os quatro Cs: continência, coerência, consistência e continuidade.

Vou procurar tratar o tema com leveza, porque de pesadas já chegam as noites em claro – que, por si sós, são tensas e intensas.

Costumo dizer aos pais, resilientes com as noites maldormidas, que dormir a noite toda não deve ser visto como um luxo, do tipo "se der, algum dia voltamos a dormir", mas sim uma necessidade vital, assim como se alimentar, beber e respirar. Não pode também ser encarado como parte do combo de ser pai e mãe.

Meu objetivo aqui é mostrar às famílias que a privação de sono é um problema sério e que resolver isso não pode ser adiado.

Enfatizo que nessa área do sono infantil não há certo ou errado, mas o que está dando certo ou dando errado. O filho do vizinho, da prima, do dono da padaria dorme a noite inteira mesmo sendo no colo, ninando ou mamando? Sorte deles, azar nosso. Tem muita gente por aí que come chocolate e não engorda, que não trabalha e é rico, que não estuda e tira dez na prova. A necessidade de mudar hábitos existe apenas nos casos em que o time está perdendo.

Há muita crítica infundada e mitos circulando pela internet sobre o assunto. Eu me arrepio inteira quando leio tantas desinformações. São tantas opiniões divergentes que muitas vezes mais confundem e geram angústia do que ajudam uma mãe já insegura e exausta.

Já vi pessoas recomendando desde colocar cebola embaixo do berço, deixar o bebê chorando até o amanhecer ou até passar a noite toda com o bebê no peito da mãe. Já atendi crianças tomando clonazepam por indicação médica e mesmo assim sem resultado algum nas noites de sono.

Foi diante desse incômodo e desse mal-estar que surgiu a ideia de escrever este livro. Eu precisava contar para todo mundo o quanto bebês e crianças – apesar de pequenos (a partir dos seis meses) – têm a capacidade de aprender a dormir com autonomia. Esses bebês também já têm condições de se acalmar sozinhos e de entender que mamãe e papai vão, mas sempre voltam. Uma vez que vocês confiam que o seu filho é capaz de tudo isso, vamos em frente nesse caminho. Acreditem, ao chegar ao destino, será possível enxergar a luz no fim do túnel e desligá-la, virar para o lado e todos, pais e filhos, dormirem o tão sonhado sono dos justos.

1

A IMPORTÂNCIA DO SONO PARA OS BEBÊS E AS CRIANÇAS

Os bebês estão em fase de desenvolvimento e crescimento, e o cérebro deles precisa de descanso para conseguir processar tantas novas informações e aprendizados. Vocês sabiam que o bebê cresce durante o sono e que as memórias de todo o aprendizado que teve durante o dia são organizadas e processadas durante a noite?

Quando o bebê está cansado e não consegue dormir, ele chora. É assim que ele se comunica. Os pais, em geral, ficam tão abalados pelo choro que deixam de lado a preocupação principal, que é justamente o fato de o bebê não conseguir dormir. Ou seja, o choro é o sinal de incômodo que serve de alerta aos pais de que algo não está correndo bem.

Bebês e crianças precisam tanto dormir bem quanto ter pais descansados. O casal não vai ter condições de cuidar adequadamente de uma criança se não teve o seu momento de descanso.

Veremos que as necessidades de sono variam conforme as especificidades de cada fase da vida, mas uma coisa não muda: o bebê precisa dormir bem para poder se desenvolver. Existem tabelas que mostram a média de horas de sono indicadas para cada faixa etária da criança, mas não são tabelas científicas e não devem ser seguidas à risca porque, como sabemos, cada bebê é único. Sempre entrego uma tabela para as famílias, apenas para que possam ter referências da duração recomendada do sono diurno e do sono noturno. Mas seu filho pode não corresponder – e quase nunca corresponde – ao modelo da tabela, e pode precisar dormir um pouco mais ou um pouco menos. O importante é que ele durma o suficiente para ficar bem nos momentos em que esteja acordado.

Um mundo novo e desconhecido

No meu trabalho de consultoria, recebo ligações e mensagens que me levam a pensar que naquela família não nasceu um bebê, mas um ser de outro mundo. Digo isso porque surgem constatações surpreendentes quando o filho nasce. "Meu filho arrota!" Claro que arrota. É normal. "Meu filho chora!" Chora, sim, porque é o único jeito que ele tem de se comunicar. "Meu filho recém-nascido tem dormido 18 horas; será que ele tem algum problema?" Bebês pequenos dormem muito.

Eu sempre fui apaixonada por bebês e crianças. Quando eu tinha 7 anos, a minha irmã caçula nasceu e acompanhei muito de perto os cuidados da minha mãe com ela. Aos 12 anos, fui *baby-sitter* no meu prédio e cheguei a cuidar, com a mãe por perto, de uma bebê de 2 meses e outra de 2 anos. Aos 16 anos, era monitora de recreação no meu clube, lidando com mais de 20 crianças entre 3 e 6 anos.

Sem me dar conta, eu estava, na mais tenra idade, conhecendo a magia do mundo dos bebês e das crianças. Lembro o dia em que entrei no quarto e fui a primeira a ver uma bebezinha de 9 meses, de quem eu cuidava de vez em quando, em pé no berço. Nem acreditei que aquele ser minúsculo, que pouco tempo antes nem se sentava, já estava durinho segurando na grade. Fiquei extasiada. Assim, quando nasceu o meu primeiro filho, ele inaugurou a maternidade, mas não foi o meu primeiro contato com bebês. Foi aí que eu percebi o quanto o repertório na infância me deu tranquilidade para cuidar do meu próprio bebê.

Essas novidades que mexem com os pais, hoje, são o reflexo de uma mudança social. Até poucas décadas atrás, as famílias eram numerosas e os bebês faziam parte do cotidiano delas. Os irmãos mais velhos ajudavam a trocar fraldas, os bebês circulavam pelo colo da tia, da avó, até dos vizinhos. Todos conversavam a respeito da evolução das crianças. Hoje em dia, um casal de 35 anos, até um pouco mais, tem um bebê e não faz ideia de como aquele ser funciona. As famílias são menores e os casais são mais solitários. Para muita gente, o mundo dos bebês é desconhecido.

Outra mudança se deu na rede de apoio às mães novatas. As avós ainda trabalham, muitas moram longe dos filhos e acabam não sendo, em muitos casos, um suporte suficientemente presente no dia a dia. A vovó atual não usa mais bobes no cabelo e não passa mais o dia todo na cozinha, cuidando dos netos.

Vejo também que, se antigamente os mais velhos, por serem mais experientes, eram uma referência para os pais de primeira viagem, hoje pouco se valoriza essa bagagem. O discurso era que no tempo deles tudo era diferente. Claro que muita coisa mudou e evoluiu bastante nas últimas décadas, mas bebês são bebês hoje e sempre. Minha mãe me contou que eu comia mingau de farinha industrializada com 2 meses de vida. Hoje isso é surreal. Porém, posso desprezar essa conduta obsoleta e valorizar tantas outras vivências que ela teve criando três filhos.

Atualmente, uma mãe prefere tirar suas dúvidas na internet a ligar para a sua própria mãe e ouvir sua opinião. Sinto um certo desamparo afetivo nessa rede de apoio de hoje. Antes, se havia menos informação, contávamos com mais suporte emocional. Atualmente temos muita informação, mas pouco filtro, o que tem deixado muitas mães à beira de um ataque de nervos.

Como é o sono do bebê?

A primeira coisa que os pais precisam entender é que durante a noite os bebês têm sono mais leve do que o nosso e ciclos de sono mais curtos.

Isso significa que um bebê não vai simplesmente "apagar" no início da noite e "ressuscitar" pela manhã. Todos temos ciclos de sono com despertares durante a noite. São ciclos que compreendem o sono profundo e que se alternam com ciclos de sono REM[1], que é quando a gente sonha. Os bebês têm mais sono REM do que não REM, por isso acordam com mais facilidade – por causa de algum barulho inesperado, por exemplo.

Nesses despertares, estamos semiconscientes. Eles servem para que a gente mude de posição ou se livre de um incômodo que surja, como dormir em cima da mão e ela ficar anestesiada por falta de circulação do sangue. Se não tivéssemos despertares, ficaríamos dormindo sempre na mesma posição e, quando acordássemos de manhã, estaríamos doloridos. Os despertares são naturais e benéficos.

---

1 O REM (*rapid eye movement* ou movimento rápido dos olhos) é a forma mais leve do sono. Os médicos consideram que a pessoa que acorda durante esse ciclo passa o dia mais descansada e mais alerta.

Nos bebês, os ciclos de sono são mais curtos (ouço muitos pais dizerem que seus filhos têm sono leve, como se fosse uma característica própria da sua criança). Enquanto um adulto tem ciclos de noventa minutos, o ciclo de sono de um bebê ou de uma criança pequena é de 45 minutos a no máximo sessenta minutos.

Dessa maneira, justifica-se o fato de os bebês terem mais despertares durante a noite do que nós, adultos. E é uma urgência que eles aprendam a retomar o sono com autonomia, caso contrário, toda vez que despertarem vão precisar da ajuda dos pais para voltar a dormir.

Há situações que deixam o sono do bebê ainda mais leve. Imaginemos uma delas: o bebê está mamando no peito e adormece; a mãe o leva para o berço. Vinte minutos depois ele acorda, reclama e a mãe o pega, põe no peito e ele mama novamente até dormir, sendo levado de volta para o berço. Quando isso acontece repetidas vezes, várias noites e dias seguidos, pode provocar no bebê um sono aflitivo, deixando-o em estado de alerta, pois a qualquer momento o peito vai sumir. As mães relatam muitas vezes que, se antes era superfácil o filho adormecer mamando, com o tempo foi ficando cada vez mais difícil. A sensação é que ele passa a prever que, ao fechar os olhos, o peito sai da boca. Como o marido roncando com o controle remoto na mão: na hora em que a mulher começa a pegar o controle, devagarinho, o cara já desperta no susto. Por quê? Porque ele já sabe que ela vai desligar a TV, afinal isso sempre acontece.

Os bebês podem ter o sono ainda mais leve se precisarem ficar em alerta por uma situação insegura, inconstante ou inconsistente. Ao longo dos próximos capítulos discutiremos esse assunto com mais profundidade.

Qual o caminho adequado para o adormecer?

Para dormir é preciso relaxar, acalmar e preparar o corpo, por meio de um ritual de atividades que conduzam o bebê ao momento de dormir. A agitação vai contra a necessidade do descanso. E quais são os fatores que podem fazer um bebê ou uma criança ficar agitado?

Um desses fatores é o próprio cansaço. Independentemente da idade, se passou da hora, a maioria dos bebês e crianças azeda. Isso também vale para os adultos.

Lembro quando conheci o meu ex-marido. Na época ele estava no último ano de residência médica e fazia vários plantões por semana. Eu achava que, depois de uma noite inteira acordado, ele chegaria em casa e se jogaria na cama. O que acontecia era justamente o contrário – ele ficava superagitado, o que o impedia de relaxar e se acalmar. Acabava tendo muita dificuldade para conseguir dormir no dia seguinte. A diferença entre ele e um bebê ou criança é que ele se mostrava cansado e sem energia o dia todo, piscando cada vez que encostava a cabeça em algum lugar. Já os bebês e as crianças choram, ficam irritados, impacientes e entram naquele *looping* de agitação: não param um segundo, mexem em tudo, e a sensação que passam aos pais é a de que perderam o sono. Na verdade, perderam o ponto do nível sono e entraram na linha vermelha da exaustão.

Por exemplo, um bebê ou criança que dormiu mal durante o dia, fazendo sonecas curtas, pode azedar e ficar agitado na rotina da noite, sendo mais difícil acalmá-lo na hora de dormir.

Outro fator é que o bebê ou a criança pode estar em um período de salto acelerado de desenvolvimento. Aprendeu a engatinhar, e não dá para explicar a ele que só pode engatinhar em horário comercial. Ele adquiriu uma capacidade nova e quer experimentar. Os pais devem entender que existem fases em que o bebê fica mais agitado. Quer ficar em pé, quer se sentar, quer mexer em tudo. Isso é maravilhoso, mas pode afetar o sono. O desafio é: como lidar com essa fase sem que interfira nas noites de sono?

Muitos pais trabalham fora e só chegam em casa à noite. Naturalmente querem aproveitar e ficar um pouco com o bebê, e esse tempo pode extrapolar a hora de ele dormir. Além disso, o próprio reencontro com os pais já é excitante para o bebê, um estímulo que o mantém desperto. O que recomendo aos pais é que façam esse reencontro estabelecendo um tempo de qualidade que não chegue ao ponto de passar da hora, afinal um bebê exausto acaba não curtindo esses momentos. Deve-se evitar brincadeiras muito estimulantes, como jogar o bebê para cima ou brincar com bolas, porque depois disso não vai adiantar só dar um banho e esperar que ele relaxe e durma. Minha sugestão é deixar essas atividades para o fim de semana. Prefiram ficar no chão, no caso dos mais velhos, e propor brincadeiras mais calmas, próprias para cada faixa etária, como um jogo, montar um quebra-cabeças, ler um livrinho. Os pais também podem aproveitar esse tempo para preparar o banho, a mamadeira, a lancheira, e incluir o bebê e a criança nessas atividades. É uma forma de estar com ele por mais tempo sem causar uma agitação indesejada. Mas lembro, novamente, que tudo pode variar de criança para criança. O que acalma uma pode agitar outra.

Os fatores que afetam o sono

Assim como precisamos cuidar da higiene do nosso corpo, devemos ter preocupação com a "higiene do sono". Neste caso, é importante cultivarmos hábitos saudáveis que favorecem a qualidade do sono. Isso vale para bebês, crianças, jovens, adultos e idosos.

Uma prática muito importante é dormir na escuridão e despertar com a luz natural. O ser humano começou a atrapalhar a natureza do sono ao inventar a luz elétrica[2], e o pior ainda estava por vir, com a invasão das telas nas nossas camas.

O cérebro precisa da escuridão, do silêncio e do tédio para liberar a melatonina, hormônio que induz ao sono natural. Se ficarmos em ambientes iluminados e com barulho, o cérebro vai entender que ainda é dia, não é hora de dormir, e, ao postergarmos a hora de ir para a cama, perdemos horas preciosas de sono, necessárias à nossa saúde e irrecuperáveis ao longo da vida.

Por isso, no geral, é recomendado não usar telas luminosas, como celulares, *tablets* e a própria TV, duas horas antes de dormir. E, principalmente, não se recomenda expor bebês a esses aparelhos antes dos 2 anos de idade. Sei que, no mundo real, muitas vezes é quase impossível não recorrer a um desenho animado, rapidinho, para distrair a criança por um momento, enquanto a mãe se apressa a preparar o jantar. O que quero dizer é que se deve usar com moderação. Existem crianças que se acalmam vendo certos tipos de programas de TV, por isso tudo precisa ser ponderado pelos pais.

Outro ponto a ser observado é a alimentação. É preciso ter muito cuidado com o que se come à noite, de preferência evitando açúcar e alimentos gordu-

2 Na acepção original da expressão, "meia-noite" significa a metade da noite. Ou seja, antes da luz elétrica, as pessoas se recolhiam às seis horas da tarde, quando escurecia, para despertar às seis da manhã, quando o sol reaparecia. Hoje, meia-noite é quando a maioria das pessoas vai começar a se recolher para dormir (WALKER, Matthew. *Por que nós dormimos*: a nova ciência do sono e do sonho. Tradução de Maria Luiza X. de A. Borges. Rio de Janeiro: Intrínseca, 2018).

rosos como o chocolate. A sabedoria popular já ensina que se deve comer de manhã como um rei, à tarde como um príncipe e à noite como um mendigo. Mas vejo pais que decidem alimentar bastante o bebê ou a criança à noite, considerando que assim ele aguentará a noite toda sem fome. O indicado é uma refeição leve. O bebê, a partir dos 6 meses, se bem alimentado durante o dia, nos horários regulares, estará com a barriga cheia durante o sono. Nem sempre o choro de uma criança à noite é sinônimo de fome. Pode ser um desconforto ou até mesmo cansaço pela agitação do dia, que a impede de engatar o sono. Veremos mais à frente sobre a relação entre mamar e dormir. Nesses anos todos de experiência, percebi que os pais inseguros com a questão da alimentação acham que o filho não terá mais fome quando deixar de acordar à noite. Há muitos bebês que acordam para mamar várias vezes à noite, apenas por sono. Nesses casos, a cada despertar (normal do ciclo de sono), recebem uma mamadeira cheia de leite para conseguir dormir.

Uma coisa fundamental para o sono adequado é estabelecer uma rotina da noite. Bebês e crianças não têm noção de tempo. Sempre digo que, se é difícil ser pai ou mãe de crianças pequenas, ser criança é muito mais complicado. O mundinho delas, se não estiver bem organizado, pode ser bem confuso. A única forma de entender o tempo, para as crianças, é por meio da capacidade de antecipar as atividades do dia. Elas aprendem que, depois de almoçar, vão dormir, porque sempre foi assim. As atividades estão em sincronia com as suas necessidades. A rotina bem redondinha permite que os bebês e as crianças antecipem o que virá a seguir, e assim consigam estar sempre equilibrados e calmos. É muito importante, então, que o caminho que os leva até o adormecer seja coerente, consistente e constante. Isso os deixa preparados, corpinho e mente, para descansar.

Falo em rotina porque o aprendizado de bebês e crianças pequenas se dá pela repetição. É necessário sempre a mesma ordem de atividades para que eles se apropriem do seu dia a dia, conseguindo prever e antecipar o que vai acontecer na sequência.

Eles não pensam ainda de maneira abstrata. Seu raciocínio é concreto. Eles se adaptam ao mundo por meio de uma inteligência prática, ou seja, é uma adaptação por meio da atuação direta, sem representação ou interpretação[3].

Outro dia uma mãe me contou que estava rezando com o filho de 2 anos e disse: "Jesus, te entrego o meu filho nas suas mãos...", e o menino, assustado,

---

3 PIAGET, Jean. *O nascimento da inteligência da criança*. 4. ed. São Paulo: Gen/LTC, 1987.

falou: “Eu não quero ir com Jesus, quero ficar com você”. Como bem concluiu Nelsen[4], “as crianças são boas observadoras, mas péssimas intérpretes”.

Em muitos lares, a hora de o bebê dormir acontece bem no meio da maior agitação na casa. É a hora em que o pai e/ou a mãe chega do trabalho, precisa ver as pendências, a funcionária tem recado para dar, o telefone toca. Por isso, muitas vezes a família não consegue criar uma rotina que dê essa previsibilidade para a criança. Mas é preciso encontrar uma forma de criar essa organização de modo tranquilo, pois é ela que leva ao sono. É o que veremos nos capítulos seguintes.

Sabiam que o bebê cresce?

Os primeiros meses de vida do filho são tão intensos que não dá tempo de perceber que a cada dia se tem um bebê diferente. E ajustes na rotina e no modo de agir vão sendo necessários para atender a cada nova demanda. O detalhe é que os bebês não avisam que crescem, muitos pais não se dão conta e continuam cuidando deles como se fossem recém-nascidos. Alguns até ficam com pena de abandonar a ideia de que o filho deixou de ser bebê. Há alguma controvérsia, mas no geral o bebê passa a ser criança com 1 ano de idade. Às vezes recebo um telefonema e a mãe começa a contar que tem um bebê de 2 anos e 8 meses. Minha resposta é esta: “Tenho uma notícia para contar para você. Você não tem mais um bebê, e sim uma criança”.

Aos 6 e 7 meses estamos diante de um bebê pequeno ainda, mas enorme em sua capacidade de aprender. Seu desenvolvimento cognitivo é acelerado. E a cada dia ele vai fazer aquisições que não tinha feito no dia anterior. Um bebê nessa fase, quando vai para o colo da babá, não procura o peito dela; já sabe que o peito que lhe pertence é o da mãe. A chavinha da esperteza acontece de maneira muito rápida e é tudo muito intenso, por isso às vezes os pais não se dão conta.

Como esses primeiros meses tão intensos passam muito rápido, é necessário a família estar atenta para ajustar suas atitudes às mudanças do bebê e conseguir lidar com novos comportamentos e necessidades que ele vai adquirindo. Vejo bebês de 8 meses ainda dormindo dentro do ninho ou presos contidos nos rolinhos. O bebê nessa fase já se mexe muito dentro do berço e, assim,

4 NELSEN, Jane. *Disciplina positiva*. 3. ed. Barueri, Manole, 2015.

precisa de espaço para circular e encontrar sua posição de conforto. Com muita frequência, me deparo com crianças maiores de 1 ano que ainda tomam mamadeira na cadeira de amamentação antes de dormir, como sempre fizeram desde recém-nascidos, e vão para o berço sem escovar os dentes. Sem se darem conta, muitas famílias continuam mantendo a forma de agir de quando o filho chegou da maternidade. Levo um susto quando entro em um quarto e o berço ainda está com o estrado no nível 1. Os pais me respondem: "Mas ele ainda não fica de pé no berço", e eu os alerto: "Ele não vai te avisar um dia antes".

Bebês precisam aprender a dormir

Muitos pais acham que o seu bebê (acima dos 6 meses) só acorda à noite porque tem fome. Os bebês têm capacidade de armazenar energia e podem ficar várias horas sem se alimentar, salvo em exceções médicas. E quando, por alguma razão, não conseguem engatar o ciclo de sono seguinte, os pais ficam procurando a causa. Pensam em fralda suja, posição desconfortável no berço ou fome, que, claro, precisam ser descartadas. Mas quase nunca pensam que é por causa do sono que a criança não consegue dormir – ou seja, o bebê acordou e não sabe como voltar a dormir.

Os bebês não nascem sabendo dormir. Isso se dá por meio de um processo de aprendizado, que, como veremos adiante, pode ter o seu início de construção por volta dos 3 meses para que, próximo do sexto mês, quando for esperado que durmam a noite inteira, já tenham adquirido a autonomia do sono.

No entanto, quando as noites de sono estão caóticas e esse é o fato, muitos pensamentos rodeiam a mente dos pais. O que se pensa é o que se sente, e eles começam a desenvolver teorias abstratas que efetivamente se distanciam da causa principal, concreta, que é o filho não saber dormir.

A mãe que trabalha entende que o filho sente falta dela durante a noite por sua ausência. Já a mãe que fica com o bebê o dia todo interpreta que, justamente por estarem tão grudados, o filho não quer ficar sozinho na hora de dormir. Percebem que não se tem para onde ir na angústia materna? Os bebês não têm como ter essa dimensão interpretativa. A falta de um adulto pode ter um efeito muito mais simples e pontual. Dormiu olhando para a mamãe e, quando despertou no meio da noite, não a encontrou ao seu lado. Não porque trabalha ou porque não trabalha fora, mas pelo fato de ter simplesmente sumido sem aviso prévio.

Nem sempre as causas da insônia infantil são graves. Elas podem ser mais simples e pontuais do que se imagina. No entanto, as consequências de noites maldormidas são sempre devastadoras, tanto para os bebês como para os seus pais. Resolver esse problema o quanto antes é uma questão de urgência.

Para agregar informações científicas a este capítulo, convidei o especialista Paulo Breinis, neuropediatra e professor de neurologia infantil da Faculdade de Medicina do ABC, para explicar a fisiologia e alguns aspectos clínicos do sono.

A medicina do sono infantil – por Dr. Paulo Breinis, neuropediatra

Sobre a fisiologia do sono

Somente a partir de 1 ano de idade o sono da criança tem uma arquitetura definida, com quatro fases de sono não REM (sono com movimento não rápido dos olhos) e uma de sono REM (sono com movimento rápido dos olhos). Assim, o sono fisiológico do bebê é diferente do sono da criança e do adulto.

Explicando didaticamente: a fase não REM é aquela que começa com a sonolência, vai se aprofundando, deixando o corpo mais mole, até ficar imóvel, e dura 75% do ciclo, enquanto o sono REM dura só 25% do ciclo. Na criança pequena, cada um desses ciclos dura de quarenta e cinquenta minutos (no adulto o ciclo é de noventa minutos). Então, em uma noite inteira, essa criança pode ter dez, quinze ou até vinte ciclos, porque tem sono não REM com muito mais frequência que o adulto.

Se pensarmos no padrão de sono do bebê, este é praticamente indeterminado. Não tem essa divisão do sono em fases. Só tem as fases REM e não REM, e cada uma ocupa metade de cada ciclo. Como o bebê até um ano de idade tem um ciclo REM muito maior que o do adulto, tem mais facilidade de despertar e desperta muito mais vezes durante esse período. Nesse primeiro ano de vida, os despertares do bebê durante a noite são naturais. Os bebês têm realmente mais ciclos de sono leve que os adultos porque têm ciclos de sono diferentes. E os bebês se mexem mais durante a noite, exatamente porque têm mais fases do sono REM do que os adultos. Ou seja, dormem mais em estado de alerta. Isso só vai se regular e amadurecer depois do primeiro ano de vida, e vai até a primeira infância, isto é, aos 3 ou 4 anos de idade.

Arquitetura do sono infantil[5]

As quatro fases do sono não REM

Fase 1 – Transição entre sono e vigília. Pode ser interrompida por ruídos ou toques. Caracteriza-se por ondas cerebrais rápidas.

Fase 2 – Sono mais profundo. Os movimentos dos olhos param e os músculos relaxam. Relevante para a consolidação da memória. Estímulos mais intensos são imprescindíveis para despertar. É marcada por ondas cerebrais rápidas.

Fase 3 – É mais profunda que a anterior. Iniciam-se as ondas lentas. Atividade cardíaca e respiração desaceleram. Funções reparadoras do sono acontecem nela.

Fase 4 – É a fase do sono mais profundo. Além de ser a de maior dificuldade para se acordar alguém, a pessoa, quando acordada, tem um despertar confuso. Continuidade das funções reparadoras: crescimento e recuperação de células, tecidos e órgãos.

Sono REM

Os músculos ficam paralisados durante o sono REM e há intensa atividade cerebral. Os sonhos acontecem nesta fase. A consolidação da memória também se dá nela.

O bebê também cochila algumas vezes durante o dia, necessidade que vai diminuindo com o passar do tempo. Mas a qualidade do sono vai depender de como os pais colocam esse bebê para dormir, de dia ou à noite, e do jeito que os pais fazem a educação do sono.

A educação do sono inclui a chamada higiene do sono. Lugar de dormir é no berço, não no peito da mãe nem na cama do casal. Também não se deve enrolar o bebê demais em cobertas, pois ele precisa de liberdade de movimento.

É importante registrar que os bebês novinhos, até os três meses, dormem muito mais horas (quinze ou vinte) do que os bebês acima dessa idade, que já começam a reconhecer o ciclo circadiano[6], diferenciando o dia da noite de acordo com a claridade. É importante lembrar que as sonequinhas do dia também são reparadoras, desde que o bebê consiga fazer pelo menos um ciclo completo de quarenta a cinquenta minutos.

---

5 Elaborado com base em Dormir em é fundamental para o crescimento: o sono nas crianças. *Atlas da Saúde.* Disponível em: https://www.atlasdasaude.pt/publico/content/o--sono-nas-criancas. Acesso em: 5 jan. 2021.

6 Ciclos circadianos são ciclos físicos, mentais e comportamentais. São também chamados de ritmos circadianos, que se referem especialmente à rotina normal de sono: permanecer ativo e desperto durante o dia e dormir à noite para eliminar o cansaço.

TABELA DURAÇÃO MÉDIA DE SONO DO BEBÊ[7]

Idade	Sono durante a noite	Sonecas	Total
1 mês	Ciclos de sono de 1 a 4 horas de duração, intercalados por 1 a 2 horas acordado – independentemente de ser noite ou dia	–	16 a 20 horas
3 meses	De 6 a 9 horas	De 5 a 9 horas, divididas em 3 a 4 sonecas	15 horas
6 meses	De 9 a 11 horas	De 2 a 3 horas, divididas em 2 a 3 sonecas	14 horas
1 ano	De 9 a 10 horas	De 2,5 a 3 horas, sendo uma de manhã e outra à tarde	13 horas
2 anos	10,5 horas	De 1,5 a 2 horas, em uma soneca à tarde	12,5 horas

Fonte: Sociedade Brasileira de Pediatria.

A tabela se refere à necessidade que bebês e crianças têm de horas de sono. Mas é claro que questões patológicas, como a dor, ou algumas circunstâncias que causam estranhamento ao bebê, podem modificar essa quantidade. Imagine-se um bebê que adormece mamando no peito da mãe e é colocado dormindo no berço. No primeiro despertar, já percebe que não está mais no peito da mãe e sim no berço. E por isso vai chorar, e chorando vai despertar mais ainda e terá dificuldade para voltar a dormir. Vai acumulando cansaço em vez de descansar. O ideal é que o bebê seja colocado no berço para dormir, para que não estranhe quando tiver esses pequenos despertares ao fim de cada ciclo de sono.

Todos nós também temos esses pequenos despertares durante a noite.

Os bebês devem ser colocados para dormir em ambientes calmos. Não devem ser ambientes de absoluto silêncio, porque desde o útero o bebê já está acostumado ao barulho do organismo da mãe, mas também não é recomendável haver barulheira.

É importante mencionar a maneira como os pais devem colocar os filhos para dormir. Nunca em decúbito ventral (com a barriga para baixo), sempre em decúbito dorsal. Antigamente era comum deixar o bebezinho dormir em decúbito lateral, mas hoje em dia preconizamos o decúbito dorsal.

---

7 Quantas horas por dia o bebê deve dormir? *Sociedade Goiana de Pediatria*. 5 fev. 2018. Disponível em: https://www.sbp.com.br/filiada/goias/noticias/noticia/nid/quantas-horas--por-dia-o-bebe-deve-dormir-1/. Acesso em: 5 jan. 2021.

Questões clínicas do sono do bebê

É preciso que se diga que a maioria dos problemas de sono tem raiz comportamental e não clínica. Por exemplo, a questão de uso de aparelhos eletrônicos (celulares, *tablets*, televisão) na hora de dormir. São aparelhos luminosos que atrapalham a produção da melatonina, o hormônio de indução do sono, e ao mesmo tempo são fontes de estimulação. Melhor evitar seu uso pelo menos duas horas antes de dormir.

Muitas vezes, nos despertares, os bebês vão abrir os olhos e verificar se estão confortáveis. Se assim for, podem ficar algum tempo com os olhos abertos e até brincando, e logo depois voltam a dormir. Os pais não devem se preocupar com o bebê de olhos abertos nos despertares, porque é uma situação habitual dele.

Mas, se os bebês sentirem algum incômodo, por causa da posição, por fralda suja, por alguma dor, por fome ou por falta da chupeta, com certeza vão abrir o berreiro. Também podem chorar pela questão da separação, como já mencionado, na situação em que o bebê dorme no peito e acorda no berço.

Porém, podem ocorrer problemas clínicos em bebês e crianças pequenas, como o sonambulismo (um transtorno de instabilidade do sono mais prevalente em crianças de 2 ou 3 anos de idade), o terror noturno (também transtorno do sono), o sonilóquio (quando a criança murmura ou grita durante o sono), apneia, enurese noturna (o xixi na cama), dentre outras. Algumas dessas condições são mais comuns e outras mais raras e podem se estender até a adolescência:

- Terror noturno: durante a fase 3 ou 4 do sono, que é mais profunda, o bebê se senta na cama e começa a gritar como se tivesse visto um trem-fantasma. Só que não está desperto, mas dormindo, às vezes até de olhos abertos. O que os pais fazem, em geral? Tentam acordar o filho. Mas, como ele se encontra na fase profunda do sono, está efetivamente dormindo. Não adianta pegar no colo e tentar acordá-lo, porque vai continuar dormindo. O que os pais devem tentar fazer é deitá-lo para que retome o sono, tratando de protegê-lo para que não se machuque ao se debater, forrando a parede ou as laterais do berço. A criança não sofre qualquer prejuízo com o terror noturno, porque nem sequer desperta. Um episódio de terror noturno pode levar até dez a quinze minutos, mas depois o bebê relaxa e retoma o sono profundo. É diferente do pesadelo, porque, neste caso, não ocorre manifestação motora e o bebê não se levanta, apenas geme.
- Sonilóquio: é o caso das crianças que tentam falar à noite, ainda dormindo. Pode ser simplesmente reação a um sonho que acontece na fase REM, que é o quase despertar.
- Sonambulismo: também ocorre na fase profunda do sono. Há a crença de que não se deve acordar o sonâmbulo. A questão é que simplesmente é muito difícil acordar alguém na fase profunda do sono. Como o sonambulismo acomete crianças maiores, de 3 anos ou mais, que já andam, o que se deve fazer é prevenir para que não caiam ou escorreguem, e redirecioná-los para a cama, para que continuem dormindo deitados.
- Enurese noturna: ninguém sabe em que ciclo do sono acontece. É uma condição comum, que não costuma perdurar após os 9 anos, pois simplesmente desaparece. No entanto, existem tratamentos psicoterápico e medicamentoso.

- Pernas inquietas: movimentos involuntários das pernas, que também ocorrem na fase profunda do sono e quase sempre a criança não acorda. Essa condição pode ser tratada com remédios para ansiedade.
- Bruxismo: condição em que as crianças rangem os dentes. Ocorre em adultos também, mas é muito comum em crianças bem pequenas, em qualquer fase do sono. Ninguém sabe a causa do bruxismo, mas os pais precisam entender que, enquanto a criança tiver dentes de leite, não precisam colocar a plaquinha de mordida durante a noite, devendo fazê-lo apenas depois que ela trocar os dentes, para evitar o desgaste do esmalte dentário.
- Apneia e crianças que roncam: pode ocorrer por hipertrofia de amígdalas e adenoides ou outras causas, como imaturidade cerebral. No caso da hipertrofia, tratamentos clínicos e/ou procedimentos cirúrgicos podem ser indicados.

Mesmo não sendo caso patológico, é possível que a criança se autoestimule batendo a cabeça nas grades do berço. Não há problema nisso. Basta colocar um protetor nas grades, como um acolchoado.

Dormir mal faz mal

O bebê que não consegue dormir sofre consequências que afetam seu crescimento e desenvolvimento cognitivo nesses primeiros meses. Para os pais, as consequências também são sérias, por causa do desgaste físico e emocional de permanecerem vigiando os despertares do filho.

O sono tem uma função reparadora. Para atingir essa recuperação física e mental, é preciso que a pessoa – bebê ou adulto – atinja as fases profundas do sono. Na fase 4 do sono profundo, é liberado o hormônio do crescimento. O mau dormir, portanto, prejudica o próprio crescimento do bebê, repercutindo em sua estatura, no ganho de peso e na parte cognitiva.

Os endocrinologistas, quando aplicam o hormônio do crescimento (GH), insistem que os pais cuidem para que as crianças durmam.

Já crianças maiores que dormem mal podem apresentar sintomas como dores de cabeça, transtorno de déficit de atenção, dificuldades escolares, irritabilidade etc.

O problema mais prevalente nas crianças maiores e nos adultos é a insônia, a condição de quem não consegue dormir. Crianças de 1 a 2 anos podem ter insônia por causa de uma doença, como uma bronquite que dificulta a respiração. Mas, em geral, a insônia psicológica só acontece com crianças maiores e tem raiz no medo. Medo do escuro, da separação dos pais, da morte.

Também é importante registrar que existem dois transtornos chamados narcolepsia e cataplexia, que são o excesso de sono durante o dia. Geralmente acometem crianças maiores e contam com tratamento medicamentoso e psicoterápico.

Por fim, para regular o sono, o recomendável é descartar problemas clínicos e fazer a higiene do sono por meio da eliminação de excessos, estabelecendo uma rotina que priorize hábitos de sono saudáveis.

2

DORMIR NÃO É LUXO, MAS SIM NECESSIDADE BÁSICA

Escuto de muitos pais de bebês e crianças pequenas, em tom de desabafo, que dormir é um luxo para eles. Isso é um equívoco. Dormir é necessidade vital e deveria ser encarado como prioridade, na mesma linha de importância de se alimentar, respirar, urinar e evacuar. Qualquer falha nessas necessidades abala todo o organismo, incluindo-se aí o descanso do corpo e da mente.

Então, se o bebê dorme bem, mas, para que isso aconteça, você e seu parceiro não dormem, não vale! Agora, se tudo o que você estiver fazendo para que tanto o seu filho quanto toda a família durmam a noite inteira está funcionando, siga em frente. Esqueça se alguém disser "tome cuidado que ele vai se acostumar com o colo" ou "é melhor que seu filho não durma na cama com vocês". O que vale é o que está dando certo, e, claro, se os meios justificam os fins, ou seja, se o *modus operandi* está confortável para todos os envolvidos, mantenha.

Uma das questões que sempre levantam dúvidas é a de colocar ou não o bebê para dormir com os pais. Vamos começar por essa discussão.

A cama como recurso

Vamos primeiro falar da "cama compartilhada", que entra em cena quando os pais tomam a decisão consciente de trazer o bebê para dormir com eles na cama do casal, e todos ficam felizes e descansados. É uma escolha honesta por parte das famílias que seguem a linha de pensamento de que o bebê não tem condições de dormir por si mesmo e precisa estar com a mãe e/ou pai por toda a noite. Esses casos nunca chegam até mim, visto que, se está tudo bem para ambas as partes, não são problema. Afinal, todos dormindo bem, que mal tem? Não precisamos concordar com a filosofia, mas devemos respeitar o descanso alheio.

É bem diferente da "cama compactuada", quando apenas um cônjuge compactua com o filho ou filha dormir no mesmo espaço físico. Nesse caso, quase sempre o outro parceiro não concorda, está desconfortável com a situação e vai dormir em outro cômodo (geralmente no quarto do filho ou na sala). Essa dinâmica é motivo de conflitos e discordância entre o casal.

Temos também a "cama compactada": por exaustão, os pais colocam o filho para dormir junto, mas ninguém fica confortável, já que o espaço se tornou pequeno demais e as noites, longas e cansativas. A dinâmica pode funcionar bem durante um período, mas depois para de funcionar.

Atendi o caso de uma menina de cerca de um ano e meio que dormia em cima da mãe. Não é figura de linguagem – ela se acomodava, literalmente, sobre a barriga da mãe! A resistência da família em alterar esse hábito era justificada: a filha dormia bem, a noite toda. No entanto, a mãe, claro, estava acabada! Reiterei que os nossos filhos precisam tanto dormir bem como ter os pais descansados, e ela admitiu que, em relação a essa última parte, estava realmente em falta.

Finalmente, há a "cama com paraquedas". Aproveitando a expressão "cair de paraquedas", o que chamamos cama com paraquedas é diferente da cama compartilhada. O compartilhamento é discutido e planejado pelo casal até mesmo durante a gravidez, e o casal resolve que vai colocar o filho para compartilhar a cama. No caso da "cama com paraquedas", o que acontece é que no meio da noite, por desespero, por cansaço, por não saber mais o que fazer, os pais trazem o bebê para a cama do casal, mas sem planejar, sem se programar previamente. Muitas vezes a mãe está tão esgotada e sonolenta que só se dá conta de que levou o filho para a cama quando acorda. Outra situação de cama com paraquedas ocorre quando a criança, que já anda, aparece de fininho no quarto e se enfia na cama dos pais, sem que eles percebam.

Vários casais me procuram nesse processo de transição do bebê da cama dos pais para o próprio quarto. Esse é um dos motivos pelos quais os pais procuram minha consultoria para ajudar o bebê e eles a dormirem bem. Veremos nos próximos capítulos que outros fatores influenciam para que o bebê e os pais durmam a noite toda.

O que o bebê precisa para dormir feliz

Considere como o "*kit* feliz" do sono o seguinte pacote: tudo o que você fornece ao seu bebê, antes de dormir, faz com que ele durma e só acorde no dia seguinte. Porém, se o *kit* fornecido, por mais gostoso que possa parecer em determinado momento (geralmente às 19h ou 20h), tornar-se um pesadelo ao longo da madrugada, pode ser denominado "*kit* in-feliz".

Vamos entender o jogo de palavras, uma vez que "in-feliz" não tem a ver com tristeza.

In: inconstante, inconsciente, inseguro, instável, já que não se mantém por toda a noite com o bebê.

Feliz: gostoso, aconchegante e a fórmula de fazer o bebê dormir quando está cansado.

O caso mais comum de *kit* in-feliz é o ato de mamar para nanar. Nesse pacote não tem só leitinho – ele inclui ainda o colo e a presença da mamãe. E esse trio – leite, colo, mamãe – não é sustentado por toda a noite. O exemplo aqui é o peito, mas poderia ser a mamadeira ou outras opções: colo, tapinha no bumbum, dar as mãos, cafuné no pé, carinho nas costas, balanço... todos com base em fatos de casos que já atendi.

Há também o beliscar a mão, o apertar a axila, o empurrar cutículas, o enfiar o dedo no nariz... sempre de uma segunda pessoa, porque, se o "mexer no cabelo" for o do próprio bebê, este se torna um *kit* feliz. Isso porque geralmente os itens do *kit* que proporcionam autonomia ao bebê têm o potencial de se converterem em um *kit* feliz: o bebê consegue pegar a chupeta quando cai da boca, se entreter com o cobertorzinho ou um bichinho de pelúcia. Mas, para chegar a essa autonomia, há um caminho a ser percorrido.

A diferença entre "sumir" e "se despedir"

Imagine que você está com seu filho fazendo compras em um supermercado. Ao se distrair brevemente pegando os produtos da prateleira, você vira para o lado e percebe que seu filho sumiu. Pânico total, não é mesmo? Você levou 20 segundos para ver que ele estava lá no final do corredor, perto de outra prateleira, mas o tempo neste caso não é cronológico. Durou o equivalente a uma eternidade.

Voltando à cena do supermercado. Desta vez seu filho fez o gestinho de tchau e saiu de perto de você. Acompanhando com os olhos, você pôde ver aonde ele estava indo e logo ele apareceu de volta. Você ficou muito brava(o), pois não queria que ele se distanciasse, mas, neste caso, você foi avisada(o) e pôde acompanhar o ir e vir do seu filho. Essa é a diferença entre sumir e se despedir, entre sair de fininho e apenas se distanciar.

Para que o bebê tenha um *kit* feliz do sono (coerente, consciente e constante), é preciso garantir a ele que todos os itens desse *kit* estejam com ele do momento de ir dormir até a hora de acordar. Não vale a mamãe ficar deitada com o filho às 20h, sair de fininho do quarto às 20h30 e às 23h30, caso ele acorde, ela simplesmente ter sumido.

O processo de reeducação do sono precisa ir na direção de promessas que serão cumpridas pelos pais por toda a noite. Só há dois caminhos: fazer o bebê dormir e, para tanto, garantir todo o *kit* noite junto com o bebê (e a única opção "honesta" seria a cama compartilhada), ou então direcionar o filho no caminho de aprender a dormir por ele mesmo.

Uma vez que se opta por resolver o problema de sono na direção da autonomia, é preciso passar pela transição do *kit* dependente dos pais para o *kit* autonomia, que será construído pelo bebê.

Se o bebê acorda durante a noite e precisa de ajuda para voltar a dormir, todo o esforço dos pais está sendo feito na linha de sustentar o pacote do *kit* sono in-feliz por toda a noite. Agora é o momento de permitir que o filho monte seu novo pacote de dormir que promova a autonomia. Vocês acham isso possível? Sim, levando em conta que seu filho, aproximadamente aos seis meses, já tem condições motoras para explorar o berço e encontrar por si mesmo sua melhor posição para dormir. Ele também é capaz de aprender a se autoacalmar e já tem a noção de que, se a mamãe não está aqui, está em algum lugar.

Seu filho precisa perceber que vocês não ficarão com ele a noite toda, mas que estarão sempre por perto. Não é mais possível querer sair de fininho na hora de trabalhar para evitar a despedida sem que ele perceba.

Seu filho pode resistir ao sono, não gostar de dormir, mas vai saber quando a hora chegar. Nesse momento, ele terá de se conformar que está cansado e vai precisar saber o que fazer para dormir.

Duas questões importantes:

1. O bebê ou a criança precisa ter a consciência de que é hora de nanar. Ou seja, quando estiver com sono, precisa ir para o berço ou cama com sono, mas acordado, ou seja, conscientes do que está indo fazer. A relação de associação é a mesma para outras atividades: quando é hora do banho, vai para a banheira ou chuveiro se lavar; quando é hora de comer, vai para o cadeirão se alimentar; quando é hora de passear, vai de carrinho para a rua. E assim, com essas associações, consegue antecipar o que vai acontecer com ele.
2. O bebê ou a criança precisa reconhecer o berço como o lugar onde se dorme, e não somente onde se acorda. No *kit* sono in-feliz, geralmente o lugar onde se dorme é o colo, e, no meio da noite, o bebê acorda no berço, de onde é novamente retirado, e volta a dormir no colo. Logo o berço se torna um lugar muitas vezes assustador (já que é o local onde mamãe sumiu, mamar sumiu, o colo desapareceu).

A primeira lição do bebê: aprender a dormir com autonomia

O bebê ou criança deve aprender o que fazer dentro do berço ou na cama para se acalmar, relaxar e engatar o sono.

Quando o bebê dorme no colo, totalmente passivo, ele apenas adormece. Não precisa fazer nada para que isso aconteça. Adormece na distração do estímulo (p. ex., mamando ou passeando pela casa). Agora ele terá que descobrir o seu jeito de dormir de modo ativo, no lugar onde se dorme, lugar este justamente feito para isso, mas ainda não reconhecido nessa função.

No berço há lençóis limpinhos e cheirosos, além do colchão ortopédico que os pais pesquisaram muito antes de comprar, para proporcionar o melhor conforto ao bebê. Muitas vezes me dizem: "Deborah, ele sempre dormiu no berço, desde que chegou da maternidade". Há um engano nessa afirmação: ele não dormiu no berço; ele chegou nele "dormido", e isso não é dormir, mas sim ser "abduzido". Então, agora é o momento em que ele terá de achar o seu próprio jeito de iniciar o sono nesse novo lugar.

O primeiro passo é listar os objetivos desse processo. Os pais devem escolher o modo de apresentar as mudanças para os filhos, buscando a maneira como se sentem confortáveis para colocar esse novo processo em prática, observando e adaptando, sempre que necessário, o que acham que será melhor para o filho, de acordo com o jeitinho dele.

Dormir é necessário, mas não é nada fácil

O bebê não nasce com um relógio embutido. Se nascesse, estaria todo desregulado. Mas não é defeito de fábrica – aos poucos ele vai se ajustando. Parece fazer parte da sabedoria popular o fato de que o bebê precisa dormir por muitas horas. E alguns até dormem, mas de modo irregular. Dos telefonemas que recebo, a queixa é justamente de bebês que choram o dia todo e só dormem no colo ou mamando, o que se soma ao desespero da mãe, que acha que a filha da vizinha, da mesma idade, já dorme a noite toda.

Já vimos que o bebê recém-nascido tem a real necessidade de dormir muitas horas, de dia e à noite, porque precisa poupar energia, que será destinada ao acelerado crescimento e desenvolvimento. Entretanto, necessidade pode não ter nada a ver com facilidade de dormir. Bebês não nascem sabendo, mas nascem com um incrível potencial de adaptação ao novo mundo. O dormir muitas vezes está incluído nesse pacote de test-drive. Só passando por essas vivências os bebês vão conseguir superar dificuldades pontuais. O direcionamento dos pais é fundamental nesse processo.

Construindo a rotina

Muitas vezes, todo o esforço da família é definir uma rotina para o dia a dia. Calma, vocês chegam lá. Não se frustrem caso não seja possível estabelecer essa rotina prontamente. É melhor baixar um pouco as expectativas, visualizando lá na frente a organização dos dias, e deixar para agora apenas o foco na construção da rotina. Isso se torna menos frustrante, principalmente para as mães, pois o fuso horário de seus bebês não é regido por horários, mas por intervalos.

Esqueça o relógio. O mundo lá fora é norteado pela Terra, que gira em volta do Sol em um período de 24 horas. Mas o seu mundo de agora vai girar em torno do seu bebê, para que, com o tempo, ele consiga acompanhar o ritmo do sistema solar. Sinceramente, nessa fase será mais útil um cronômetro, já que a contagem do tempo será baseada nos intervalos das mamadas e das sonecas.

Um bebê que acabou de nascer geralmente fica acordado o equivalente ao tempo que durou sua última soneca. Isso é denominado janela de sono (Tabela 1). À medida que os meses vão passando, ele vai conseguindo se manter acordado por mais tempo, até que por volta dos 6 meses está fazendo em torno de três sonecas por dia, aos 8-9 meses passa para duas e, aos 14 meses, apenas uma longa, geralmente após o almoço.

No tempo dele, deixará de fazer a soneca, com exceção daqueles que vivem em países que fazem a *siesta*, mantendo esse cochilo da tarde como parte da rotina também na fase adulta. Nós, pais, não somos responsáveis pela retirada do soninho do dia dos nossos filhos – eles é que deixam de precisar.

No que se refere ao tempo entre as mamadas, nos primeiros meses (conforme orientação do pediatra), como ninguém conhece o ritmo desse bebê recém-chegado, a indicação é começar pela livre demanda, priorizando o ganho de peso e o crescimento. Com o passar dos meses, de maneira gradativa e em sintonia com o bebê, o recomendado é estabelecer intervalos mais consistentes entre mamadas, inicialmente a cada três horas, depois a cada quatro horas, até a introdução das papinhas, por volta do sexto mês, quando passam a mamar apenas três vezes por dia.

Uma vez estabelecido um padrão de mamadas e sonecas, não se apeguem a ferro e fogo ao ritmo atual do bebê, pois, assim que vocês estiverem bem adaptados, seu bebê muda. Como ele cresce muito rápido, é possível que sejam necessários vários ajustes ao longo do primeiro ano de vida do seu filho.

O que vamos ver nos próximos capítulos são casos reais de pais que me procuraram para solucionar problemas de sono dos seus filhos. Alguns viveram a questão da cama compartilhada, outros tiveram de enfrentar o choro e todos – sem exceção – precisaram lidar com a insegurança de estarem ou não fazendo o que era melhor para o filho. O que você vai ver a seguir é que não é o(a) único(a) a passar por problemas de sono e que não existe receita. O que funciona em alguns casos pode não funcionar em outros. Mas, com persistência, para todos os casos há uma solução. Vamos em busca do nosso *kit* sono feliz, aquele que proporciona noites de sono tranquilas e reparadoras para os bebês e, consequentemente, aos seus pais.

TABELA 1 QUANTO DORME O BEBÊ

Idade	Média de horas de sono	Características do sono
Recém-nascidos (0-30 dias de vida)	16-20 horas	Ciclos de sono com 1-4 horas de duração, intercalados por períodos de vigília de 1-2 horas, independentemente de ser noite ou dia
Lactentes (1-12 meses de vida)	14-15 horas (em torno do 4º mês de vida) e 13-14 horas (em torno do 6º mês de vida)	Entre 6 semanas e 3 meses começa a ocorrer a diferenciação dos ciclos de sono diurnos e noturnos, que ficam mais longos. Após os 6 meses, observam-se *siestas* diurnas (em torno de duas por dia), que podem durar 2-4 horas
1-3 anos	12 horas	Sono noturno consolidado e uma *siesta* por dia (1h30-3h30)
3-6 anos	11-12 horas	Redução das *siestas*. Em torno de 4-5 anos não ocorrem mais *siestas* diurnas
6-12 anos	10-11 horas	Observa-se diferença em relação à duração do sono noturno em dias de semana e em fins de semana
Adolescentes (acima de 12 anos)	Ideal = 9 horas Real = 7 horas	Esquema de horários irregular, atraso do sono

Fonte: MINDELL, J. A.; OWENS, J. *A clinical guide to pediatric sleep*: diagnosis and management of sleep problems. Philadelphia: Lippincott Williams & Wilkins, 2003.

3

LIDANDO COM O SONO DO RECÉM-NASCIDO

Quando comecei meu trabalho como consultora do sono, de início eu só atendia bebês acima do sexto mês, quando já estavam adaptados às refeições e tinham condição e capacidade de ter autonomia do sono. À medida que atendia essas famílias com bebês de 6, 9 meses e até crianças maiores, de 2, 3 ou 4 anos, acompanhei o desespero de pais que me traziam depoimentos parecidos com este: "Já na maternidade ele não dormia. As enfermeiras falavam que meu filho não parava de chorar e acordava os outros bebês". Esse bebê já chegava à casa dos pais com a marca de ser difícil para dormir, e muitos faziam valer essa fama por muito tempo. Os pais, no desespero, tentavam de tudo. A mãe colocava o bebê no peito a cada cinco minutos para tentar acalmá-lo, o pai andava com ele no colo pela sala, balançavam no carrinho e até davam voltas de carro, no meio da noite. Lembrando que bebês aprendem pela repetição: se os pais persistem nessas ações, várias vezes ao dia e por meses seguidos, em algum momento vinga o hábito de dormir mamando ou ninando.

Já no primeiro contato com essas famílias, eu tentava explicar que o comportamento de um bebê não define quem ele é. O que ocorre é que, de acordo com a fase em que ele esteja, fica mais sensível e irritadiço, o que não significa que ele é nem que sempre será assim. Mas os pais, já abalados pela choradeira, acham que o bebê está com o comportamento definido para sempre. Acho graça quando me falam: "Desde pequeno ele sempre foi muito difícil", e no caso o bebê ainda não tem nem 1 ano, ou seja, ele continua sendo pequeno e tem muito o que desenvolver antes que seja definido como difícil. Eu sou difícil e teimosa, mas tenho mais de 40 anos, o meu jeito de ser já está consolidado, mas o bebê ainda está para ser alguém na vida. Calma, que ele tem muito tempo para mudar, em todos os sentidos. Porém, entendo que, para muitas famílias que estão há quase um ano com intermináveis noites em claro, é compreensível que o tempo pareça infindável, equivalente a séculos sem dormir.

No entanto, reforço sempre que o bebê ainda tem muita chance de ser fácil e de ser difícil em muitos momentos ao longo da vida, sem que esses comportamentos transitórios se tornem rótulos definitivos e imutáveis.

Percebi, portanto, que os problemas de sono, nessa fase em que os bebês estão maiorzinhos, tinham origem quando eles eram recém-nascidos. Os pais, no desespero, tentavam de tudo e, com muita persistência, encontravam formas de resolver o choro – porém, em muitos casos, sem melhora no sono. Por isso comecei a atender mães com bebês entre 3 e 5 meses de vida. Meu objetivo era entender a raiz do problema de bebês com dificuldade para dormir e trabalhar com os pais na direção da construção gradual dos hábitos de sono saudáveis. Minha pretensão era preventiva: enfrentar e acolher as dificuldades pontuais da fase, mas com foco (em médio e longo prazos) no aprendizado dos bons hábitos, evitando assim o processo de ruptura lá na frente.

Percebi que mães de bebês recém-nascidos precisavam de ajuda para construir esses bons hábitos de sono. No entanto, minhas expectativas foram frustradas, pois o que as mães e pais esperavam era uma solução mágica e imediata para que o bebê parasse de chorar e dormisse bem.

Sabedoria da natureza

O que os pais muitas vezes esquecem é que o bebê não nasce pronto. Inclusive, vários autores defendem o ponto de vista de que uma gestação deveria durar 12 meses, para permitir que o bebê terminasse sua formação de maneira mais completa[1]. No entanto, a cabeça do bebê seria muito grande e não passaria pelo canal do parto. Assim, a natureza faz um trato com as mães: "Eu mando o seu bebê antes do tempo e você termina de o desenvolver fora da barriga".

Assim como o bebê precisa de um tempo de amadurecimento para conseguir se alimentar pela boca, digerir o alimento e evacuar, ele também precisa de um tempo para se situar na nova forma de dormir fora da barriga. Ou seja, ele muito provavelmente precisará de ajuda para se acalmar, relaxar e adormecer. Tudo bem se o filho da vizinha acertou a pega do seio de imediato logo depois do parto, se o leite da mãe desceu super-rápido, se ele dorme em qualquer lugar da casa e quase não chora. Sorte da sua vizinha. Nada garante que o segundo filho dela será igual a esse pequeno "monge". Digo por experiência própria. Eu já fui a vizinha no meu primeiro filho e no segundo tive o choque de realidade.

Nessa tarefa, as mães têm um desafio grande pela frente. Dentro da barriga, o bebê não tinha sensação de fome, porque era nutrido permanentemente por meio do cordão umbilical. Nascidos, os bebês têm de lidar com o fato de, a certos intervalos, ficarem com a barriguinha vazia. Quando começam a se alimentar pela boca, sua digestão ainda é rudimentar, por isso muitas vezes eles têm cólicas, gases e queimação. E têm dificuldade para evacuar, porque o intestino ainda é imaturo.

Por isso, ele só vai mamar apenas leite em curtos intervalos, tanto de dia quanto de noite (ver o texto "A alimentação dos bebês e o sono", no final deste capítulo), até estar plenamente apto para comer outros alimentos. Os pais vão acolher cólicas, gases e refluxo fisiológico, seguindo a conduta médica para evitar e/ou tratar os sintomas. Muitas mães e cuidadoras precisam ajudar o bebê

---

1 KARP, Harvey. *O bebê mais feliz do pedaço*. São Paulo: Editora Planeta do Brasil, 2014. O pediatra norte-americano desenvolveu a Teoria da Exterogestação. Segue um trecho do livro: "Lembre-se: o cérebro do seu bebê é tão grande que você tem que 'despejá-lo' depois de nove meses, mesmo que ainda esteja molenga e imaturo. Como resultado, ele ainda não está pronto para o mundo grande e cruel. Após três meses, seu pequenino será capaz de sorrir, murmurar e ter conversas com você (e com passarinhos lá fora). Mas, pelos primeiros meses, você deve imaginá-lo como um feto... do lado de fora do ventre" (p. 71).

a evacuar, quando muito constipado, por meio de massagem na barriga, estímulo retal e outras formas orientadas pelo pediatra. O bebê precisa arrotar em cada mamada para evitar o acúmulo de gases... Se não é fácil ser pai e mãe de bebês tão pequenos, imagino que não seja fácil ser recém-nascido. E, por último, mas não menos importante: a família será a responsável por apresentar para o bebê, aos poucos, um novo modo de dormir: no berço, parado, deitado e no silêncio. Ou seja, o jeito universal de dormir. Detalhe: ele não tem a menor ideia de como se faz isso. Faço a seguinte analogia: no ambiente dentro da barriga da mãe, o bebê vivia em um planeta conhecido, chamado Matter. Após seu nascimento, ele chega à Terra e estranha tudo o que acontece por aqui: dormir no berço, mamar o leite, ter de digeri-lo e evacuá-lo etc. Pensem que para o bebê nada disso é fácil e que ele precisará se adaptar a esse novo mundo.

Por causa dessas questões fisiológicas, muitas vezes os bebês não conseguem pegar no sono, mas também podem não conseguir, pois dormir fora da barriga da mãe é algo novo para eles. Isso porque lá dentro estavam envolvidos no líquido amniótico e sempre embalados pelos movimentos dentro da bolsa. Quando nascem, são colocados na horizontal, na imensidão do berço, completamente estáticos. E vamos nos lembrar de que dentro da barriga o bebê era cercado de ruídos (os batimentos do coração da mãe, o fluxo dos líquidos etc.). Recém-nascidos, passam a dormir em um quarto silencioso – as pessoas tiram até os sapatos para entrar no quarto dos bebês. Nós, adultos, achamos que o silêncio é bom para o bebê, mas dentro da barriga ele dormia no barulho.

E eu, que pensava que a licença-maternidade seriam longas férias, realmente não tinha a menor noção de que o primeiro filho, mesmo superbonzinho, precisaria tanto de mim nesses três primeiros meses.

É um momento intenso, marcado por profundas emoções e sentimentos de todos os tipos e sentidos. Essa fase é quando o "bebê real" é apresentado e se torna conhecido. Até o parto, o filho estava sendo construído no imaginário dos pais, idealizado nos sonhos, fantasias, anseios, expectativas e dúvidas de cada um dos pais. No entanto, quem nasceu mesmo foi o filho real. Ele pode surpreender e frustrar ao mesmo tempo. Por isso é preciso tempo de convívio e proximidade para que o vínculo seja estabelecido. Só assim é possível fazer ajustes, lidar com as incertezas, descontruir a imagem do filho ideal e amar o filho real. Isso pode ser fácil e natural para muitas mães, e, claro, pais, mas para muitos outros também pode ser sentido como um tempo difícil e obscuro.

Nessa perspectiva, os primeiros meses são o momento do envolvimento. O bebê, agora fora da barriga, precisa de um invólucro simbólico e afetivo para terminar de ser gestado, entre acertos e erros. Será possível, literalmente aos trancos e barrancos, entender as suas demandas, conhecer o seu jeitinho, o significado dos choros e construir uma relação afetiva que se inaugura agora e que se estenderá por toda a vida.

Sendo assim, os pais ainda não devem se preocupar com rotina, horários, regras e hábitos rígidos. Vamos deixar isso para depois, para o momento em que realmente ele terá "nascido". Em relação ao sono, o que vocês precisam ter em mente é que será necessário fazer uma transição dos hábitos da barriga para o mundo aqui fora. É claro que, o quanto antes, melhor. No entanto, se o bebê apresenta dor, desconfortos e ainda não mama direito, isso terá de ser adiado. Como mãe, aprendi que os filhos precisam de muita coisa ao mesmo tempo, mas é necessário listar prioridades. Seu bebê tem muita cólica? Então todo o seu esforço será para aliviar os sintomas. O outro tem refluxo e precisa dormir em pé no colo? Então, enquanto esse quadro clínico não se resolver, o hábito de dormir na horizontal e no berço será adiado por uma causa justa.

Quando for possível priorizar a construção dos hábitos de sono (geralmente por volta dos 3 meses), o caminho será de transição, da barriga para o mundo exterior, da forma mais suave possível, ajudando o bebê nessa adaptação e fazendo com que tudo seja gradual.

Adaptação ao mundo exterior

Em primeiro lugar, de início o bebê não sabe o que é noite e o que é dia, por isso é necessário mostrar a ele que existe essa diferença, mesmo que, nos primeiros meses, seja natural que ele durma muito durante o dia. Mas, aos pouquinhos, ele conseguirá diferenciar o sono diurno do noturno. Por isso, durante o dia, é recomendável deixar os barulhos normais da casa: o telefone que toca, a janela aberta, permitindo a entrada da luz natural e do ruído dos carros na rua, as conversas etc. Assim o bebê vai percebendo a diferença, já que à noite prevalecem o silêncio e a escuridão.

O bebê dormia balançando, então nesse começo é importante a mãe o acolher no colo, embalando, porque era como ele estava acostumado dentro da barriga. Mas é uma transição. A mãe deve gradualmente levar o bebê a se acostumar a dormir parado. A orientação, portanto, é usar o colo e o balançar como forma de acalmar, mas sempre que possível permitir que ele adormeça no berço estático. Permitir que ele inicie o sono no berço é apresentá-lo ao seu novo e definitivo lugar de dormir. O quanto antes ele passar por essa transição, mais cedo fará a troca da barriga e do colo para o berço. O problema é que, como os bebês choram e os pais se desesperam, essa experiência muitas vezes é adiada, como veremos nos próximos capítulos, e o colo passa a ser o substituto do ventre.

Dentro da bolsa, o bebê estava envolvido no líquido amniótico, por isso muitas vezes a orientação para as mães é usar aquele charutinho ou casulo (Figura 1) até por volta dos 3 meses de vida, envolvendo o bebê como se ele estivesse acolhido dentro de um útero. Vale discutir essa técnica com o seu pediatra.

Isso pode funcionar para trazer para ele um pouco daquele mundo Matter, no qual seus movimentos eram contidos pelo líquido amniótico, mas aos pouquinhos devemos ir tirando o charutinho para que ele vá se acostumando a dormir em um espaço maior, que é o berço. O bebê tem muitos movimentos

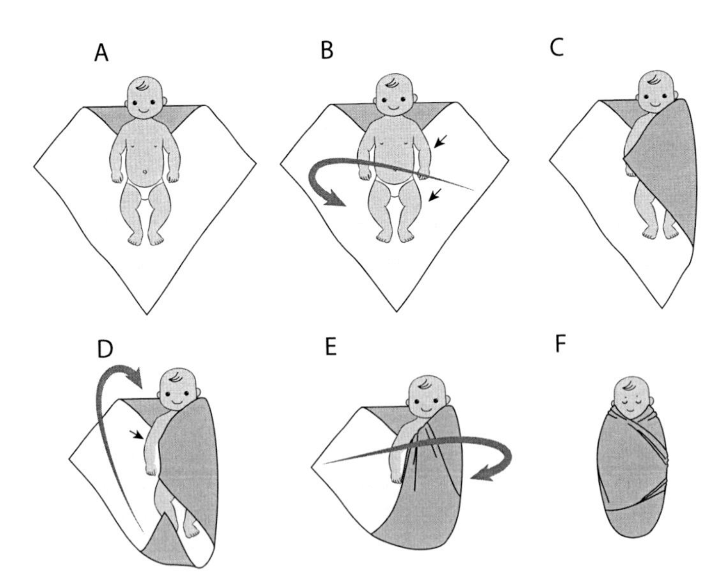

FIGURA 1 Dica para deixar o bebê enroladinho e tranquilo.

reflexos[2] que, dentro da água, não percebia. No berço, muitas vezes ele mesmo se assusta com esses movimentos e desperta. O charutinho serve para dar uma contida, até que aos poucos ele vai tendo mais coordenação motora. Recomenda-se usar o charutinho até o terceiro mês ou mesmo antes disso, quando o bebê começa a rolar, mesmo que ainda de maneira instável.

A amamentação do recém-nascido e o sono

O bebê se comunica pelo choro. Por isso, chora por fome, gases, cólica, sono, até por tédio. Os pais precisam ter muita paciência, porque ele está tentando entender esse mundo novo, assim como as sensações que ocorrem dentro e fora dele.

Muitos pediatras indicam, nessa fase, a livre demanda, visto que o bebê perdeu peso na maternidade, o que é natural, e precisa engordar.

Tudo isso muitas vezes leva as mães a agir da seguinte forma: reclamou, chorou, dá peito! Nesse início de vida, essa atitude é muito importante, já que a prioridade é o bebê se alimentar da melhor maneira para crescer e engordar.

Ninguém conta para a gente como esse início da amamentação pode ser difícil. Nem sempre o bebê faz a pega do seio de modo correto, o bico racha, a mãe sente muita dor, o peito empedra e a pior parte: não sabemos quanto de leite nosso bebê ingeriu. Assim, muitas vezes, logo depois que mama, quando chora, toca lá dentro de nós a insegurança de que o nosso leite não foi suficiente ou é "fraco" demais, e assim mais leite é dado ao bebê.

Lembro de meu primeiro filho, que, sempre que chorava, todos em volta diziam que era fome. Até que um dia ele pôs tudo para fora e parou de chorar. No fim das contas, ele estava com cólica e mal-estar de tanto leite. Depois disso, passei a tentar reconhecer quando ele estava desconfortável e não com fome.

---

2 Harvey Karp, na obra citada, diz o seguinte: "Demora alguns meses para que o cérebro do bebê comece a construir pequenas camadas de gordura ao redor das células nervosas para isolar os nervos. E, até que isso aconteça, os nervos têm tendência a entrar em curto-circuito" (p. 78).

Nem sempre o bebê chora de fome, mas, como o peito nessa fase resolve tudo, pode ter sono, e o mamar acalma, relaxa e o faz dormir, além de encher a barriguinha. Está entediado, chora, o mamar distrai, e resolve o tédio, além de matar a fome. Fazem parte dessa fase o peito ou a mamadeira para resolver todos os "perrengues" do bebê.

À noite, então, quando a mãe está exausta e o bebê chora, ela dá o peito ainda de olhos fechados. Durante a noite é preciso primeiro priorizar o sono, e, como o bebê ainda precisa mamar em intervalos, a segunda da lista deve ser fome. Isso é importante porque como, com o passar das semanas, a mãe vai saber que o filho já consegue espaçar o tempo entre as mamadas, se no primeiro resmungo o peito entra em cena? Esse tempo de espera deveria ser considerado sagrado. A opinião é da autora Pamela Druckerman[3].

Então, aos poucos, com o aval do pediatra, deve-se sair dessa livre demanda, espaçando um pouco a oferta de mamadas. Justamente para que cada demanda do bebê seja resolvida com aquilo de que ele precisa.

Atendo muitos bebês de 6, 7, 10 meses, ainda na livre demanda. As mães dizem que nunca souberam como sair disso, já que, sempre que o filho chora, o peito ou a mamadeira servem para resolver o choro.

Se o bebê está mamando bem, isso tem impacto positivo no peso e no crescimento, e assim pode aguentar sem mamar de novo em intervalos que vão aumentando conforme o passar dos meses até a introdução das refeições, por volta do sexto mês. Há bebês que já chegam da maternidade no ritmo de mamada de três em três horas. Quando não, é preciso ir construindo essa rotina aos poucos. No final deste capítulo, o pediatra Nelson Ejzenbaum explica detalhes importantes da alimentação dos bebês e a sua relação com o sono.

Os bebês precisam dormir, em média, um total de 18 horas por dia. Dormir é muito importante para o desenvolvimento acelerado do corpo e principalmente do cérebro. Se calcularmos o intervalo em que o bebê tem fome e o intervalo em que ele tem sono, vamos perceber que o nosso filho, ao longo do dia, tem mais sono do que fome.

Assim, muitas vezes, a hora da mamada pode coincidir com o sono. É por isso que, quando ele mama, mata sua fome, e por tabela dorme. E isso é o dia inteiro. Digamos que a cada duas horas o bebê mame, e a cada uma hora ou

---

3 DRUCKERMAN, Pamela. *Crianças francesas não fazem manha*. Tradução de Regiane Winarski. São Paulo: Editora Fontanar, 2013.

TABELA 1 HORAS MÉDIAS DE SONO DIURNO E NOTURNO PARA BEBÊS.

Idade	Número de cochilos	Duração total de horas de cochilos	Horas de sono noturno*	Total de sono noturno e diurno
Recém-nascido**				
1 mês	3	6 a 7	8,5 a 10	15 a 16
3 meses	3	5 a 6	10 a 11	15
6 meses	2	3 a 4	10 a 11	14 a 15
9 meses	2	2,5 a 4	11 a 12	14
12 meses	1 a 2	2 a 3	11,5 a 12	13 a 14
2 anos	1	1 a 2	11 a 12	13
3 anos	1	1 a 1,5	11	12
4 anos	0	0	11,5	11,5
5 anos	0	0	11	11

*Esses valores são médias e não representam períodos irregulares de sono.

**Recém-nascidos dormem de 16 a 18 horas por dia, distribuídas regularmente em seis a sete períodos breves de sono.

Fonte: elaborada pela autora.

40 minutos ele tenha sono. Há, portanto, um conjunto de comodidades para o bebê que se misturam: o colo, o mamar, o dormir. O bebê vai percebendo, com o passar do tempo, que, quando tem fome, tem peito, e, quando tem sono, também tem peito.

Como os bebês dormem bastante, o intervalo acordado ainda é bem curto.

Lembre-se de que, para um bebê de 1 a 2 meses, o tempo acordado equivale à duração da última soneca dele. Se dormiu 40 minutos, pode ser que aguente 40 minutos acordado. Chega, no máximo, a 60 minutos nessa faixa de idade.

Assim, vemos que mamar, nessa idade, resolve a fome e ao mesmo tempo o sono. É aí que começa a construção do hábito, que, se não for alterado com o tempo, pode gerar a associação mamar para nanar. Se toda vez ele dormir mamando – e na fase recém-nascido isso acontece várias vezes ao dia e à noite –, com o tempo pode-se criar uma associação entre peito e cansaço – o bebê associa que, toda vez que estiver cansado, precisa de peito para dormir. Explicarei em detalhes a associação de mamar com nanar e mostrarei como mudá-lo por meio de casos reais no Capítulo 5.

Bons hábitos de sono

À medida que o bebê vai crescendo e conseguindo ficar mais tempo acordado, os pais devem começar a construir uma rotina que dissocie o mamar do sono.

Como se faz isso? A partir dos 3 meses, quando o bebê deveria estar mamando pelo menos a cada três horas, costumo orientar a rotina que a Encantadora de Bebês[4] recomenda: o método EASY (em inglês, *eat*, *activity*, *sleep*, *you*). Explicando: primeiro mamar (*eat*), daí a mamãe faz uma atividade (*activity*) com o bebê, aproveitando o intervalo em que ele está acordado para interagirem (brincar, trocar fralda, dar um banho, levar para um passeio); logo depois ele estará cansado e deve dormir (*sleep*); e afinal o você (*you*), que é o tempo em que, enquanto o bebê dorme, a mamãe vai cuidar dela própria.

A ideia desse método é desvincular o mamar do sono. Isso só é possível com o aumento do intervalo das mamadas, já que, após o bebê mamar, deve fazer uma atividade e, quando começar a dar sinais de cansaço, os pais e/ou cuidadores vão apresentar, de modo gradual, hábitos positivos de sono, que vão contribuir, lá na frente, para o bebê alcançar a autonomia do sono, quando for capaz de fazer isso por ele mesmo.

Durante o dia, o bebê pode dormir em qualquer lugar (no carrinho, na cadeirinha do carro, no tapetinho de atividades etc.), porque as sonecas são temporárias – trataremos disso mais detalhadamente no Capítulo 11. Um exemplo é: se a mãe precisa buscar o irmão mais velho na escola, o bebê pode dormir na cadeirinha do carro. Será muito bom para ele e seus pais que, sempre que tiver sono, tenha essa flexibilidade para dormir em qualquer ambiente.

Se estiver em casa, sempre que tiver oportunidade a mãe pode colocá-lo no berço. Ele provavelmente não estará mais usando charutinho. Porém, como ainda é pequeno para a imensidão do berço, a mamãe pode fazer um ninho para ajudá-lo a dormir.

É fácil fazer um ninho de forma caseira. Pega-se uma toalha enrolada, faz-se um U e coloca-se embaixo do lençol ou sobre ele (Figura 2). Assim, o bebê fica mais contido, mas com mais liberdade do que no charutinho (Figura 3). É uma transição para um espaço um pouquinho maior.

---

4 HOGG, Tracy. *Os segredos de uma encantadora de bebês:* como ter uma relação tranquila e saudável com seu bebê. Barueri: Manole, 2002.

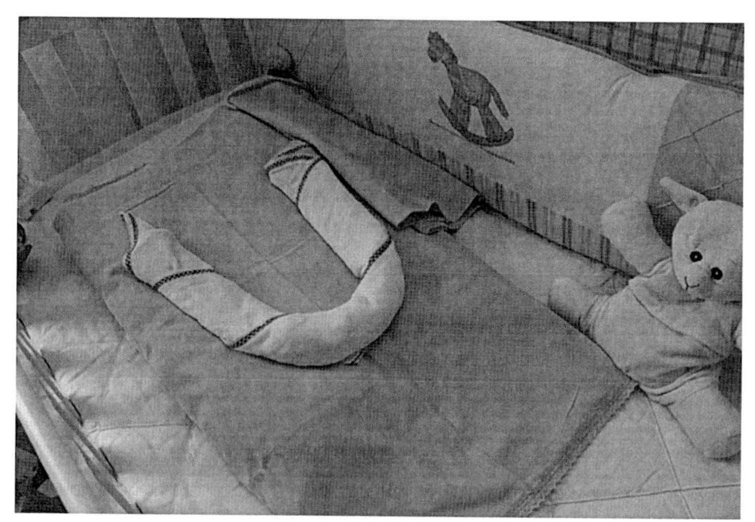

FIGURA 2 Ninho de berço caseiro.
Fonte: acervo da autora.

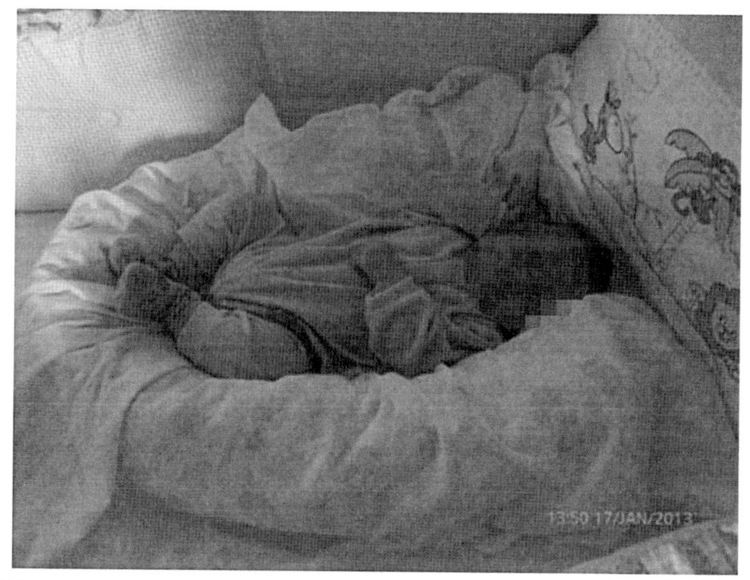

FIGURA 3 Bebê em ninho caseiro.
Fonte: acervo da autora.

Com essas iniciativas, a mãe está permitindo que esse bebê vá, gradativamente, sendo apresentado ao berço como lugar de dormir, fazendo o novo se tornar conhecido. Nessa fase, muito provavelmente ele precisará de ajuda para se acalmar, relaxar e engatar o sono.

O bebê mamou, arrotou, está acordado e está brincando. Daqui a pouco ele vai resmungar e chorar, porque se passaram 40 minutos ou uma hora e ele está ficando cansado. Nessa hora, os pais devem fazer um *checklist* mental:

- Está alimentado? Sim, mamou há pouco.
- Está limpinho, de fralda trocada? Sim.

Então possivelmente está reclamando de sono. Nessa hora, quando o bebê está cansado, a família deve introduzir aquilo que entende serem hábitos saudáveis. Alguns pais utilizam a chupeta como forma de acalmá-lo; então, quando percebem que o bebê está com soninho, dão a chupeta. Outros pais usam uma naninha (com o aval do pediatra) nesse momento.

Em seguida, sugiro que o coloquem, sempre que possível, acordado no berço. Pode acontecer de o bebê ficar incomodado porque ainda está desorganizado motoramente e tem movimentos descoordenados, não conseguindo dormir, apesar de visivelmente com sono. Nesse momento ele pode começar a chorar. Para acalmá-lo, é recomendável usar o colo. Pegue-o no colo, acalme-o e o coloque de volta acordado no berço. Esse é o método *pick-up, put-down*, recomendado por Tracy Hogg[5], conhecida como a Encantadora de Bebês: explicarei esse método em detalhes no Capítulo 5.

Desse modo, a mamãe consegue fazer um meio-termo. Entende que o bebê ainda é muito pequeno, não consegue se confortar e motoramente ser autônomo nesse adormecer. Apresenta a ele o lugar de dormir, com as ferramentas que ela pode prometer ao filho e que estarão com ele sempre que tiver sono: chupeta, naninha, paninho, ninho etc.

---

5 HOGG, Tracy. *Os segredos de uma encantadora de bebês:* como ter uma relação tranquila e saudável com seu bebê. São Paulo: Manole, 2002.

Ordem de atividades

Enquanto para nós, adultos, a rotina está muito associada ao relógio, para o bebê é diferente porque ele não tem noção de tempo. O dia, para ele, funciona de acordo com a ordem de suas atividades. O horário dessa ordem pode variar dependendo do horário em que o bebê acordou. Se acordou às seis da manhã, o dia começará para ele às seis.

A mãe, a partir do terceiro mês, quando o bebê estiver com as questões clínicas mais estáveis (cólica, gases, refluxo etc.), já pode introduzir a proposta EASY, de Tracy Hogg[6]. Ou seja, a mãe alimenta o bebê, faz uma atividade, coloca-o para dormir e dedica um tempo para si, se estiver de licença-maternidade.

Pode ser diferente para bebês que precisam sair com a mãe quando ela vai trabalhar e ficam no berçário. Normalmente os berçários seguem um horário igual para todos os bebês. A não ser nesses casos, ainda é difícil para eles seguirem o relógio.

O que pode variar é o tempo de soneca. Há dias em que o bebê dorme mais, há outros em que dorme menos. Precisamos entender que o bebê não é um robô. Não adianta querer que ele durma das onze ao meio-dia porque a funcionária tem horário para fazer o almoço. Com os bebês não dá para programar o que acontece. Pode ser que, na hora de dormir, ele esteja tão cansado que não consiga mamar e, na hora de mamar, ele acaba dormindo, mamando. Lá se foi o horário. E tudo bem se isso acontecer. Estamos falando da construção de uma rotina, e não da programação rígida de uma rotina engessada. Até porque a rotina é provisória, e pode mudar a qualquer momento. À medida que o bebê cresce, suas necessidades mudam, os intervalos de sono e alimentação se estendem. Sempre digo para as mães não se apegarem tanto à rotina. Alguém prometeu para vocês monotonia na maternidade?

Associações positivas de sono

Para criar bons hábitos de sono, os pais podem recorrer a alguns recursos.

6 HOGG, Tracy. *Os segredos de uma encantadora de bebês:* como ter uma relação tranquila e saudável com seu bebê. São Paulo: Manole, 2002.

Já vimos que dentro da barriga o bebê está cercado de barulho. Para que o recém-nascido não estranhe o silêncio, há os chamados ruídos brancos, que ajudam a acalmá-lo. Pode-se usar um aplicativo que imita diversos ruídos, como barulho de útero, secador de cabelo, fonte de água corrente e outros. Sugiro o uso do ruído branco até os 2 meses de idade. Depois, deixe de usar o ruído para que os barulhos normais da casa estejam ao alcance dos ouvidos do bebê durante o dia, e à noite deixe o silêncio prevalecer. Lembre-se de que os bebês podem se apegar a tudo o que fazemos e podem precisar disso a noite inteira. Portanto, é uma escolha dos pais. Querem estimular isso? Só não esqueçam de que, se ele se apegar, terão de fazê-lo para que o bebê consiga dormir em um hotel ou na casa de outras pessoas.

Se tudo bem para a família, não vejo problema em manter o ruído branco como hábito de sono. Há casos em que o vizinho de cima é muito barulhento em horários inapropriados, aquele tipo que arrasta móveis às 11 da noite, ou então o quarto do bebê fica de frente para uma avenida com muito estímulo sonoro de dia e de noite. Assim, o ruído branco também tem a vantagem de abafar esses sons externos.

Outra âncora que pode ser usada com o aval do pediatra é a naninha, mais recomendada depois dos 6 meses, por causa da preocupação com a possibilidade de sufocar. Mas, no meu caso pessoal, sempre estimulei a naninha para os meus filhos desde que chegaram da maternidade, com supervisão. Dava a naninha e, depois que o bebê dormia, tirava do berço. Meu filho mais velho se apegou a um pequeno ursinho. Ele cheirava o ursinho e fazia um movimento de sucção com a boca, quase como uma chupeta imaginária.

E como os bebês se apegam a esses gatilhos de sono? No começo, aleatoriamente. Como acontece quando o bebê está mamando no peito e, no movimento involuntário da mãozinha, sem querer ele pega no cabelo da mãe. E, mamando dez vezes ao dia, pegar no cabelo vira um hábito de sono. O risco é isso se manter com o passar do tempo e deixar de ser algo fofo e aconchegante para mãe e filho, justamente porque o cabelo da mãe não estará disponível toda vez que ele for dormir. É prudente, nessa hora, já colocar para ele um paninho, uma naninha, com supervisão, para a hora de mamar. São exemplos de associações apresentadas pelos pais, assim como a chupeta. Não necessariamente o bebê vai se apegar, mas na insistência há grandes chances de vincular uma delas como gatilhos de sono. Quando ficar um pouco maior e com mais autonomia motora, ele mesmo vai, por exemplo, procurar e pegar a naninha – se ele se apegar a ela.

Eu sei bem o quanto pode ser difícil essa fase de recém-nascido. Minha terceira filha, com 2 meses, chorava de sono a noite inteira. Mamava bem, não teve cólica, mas não conseguia dormir. Eu a deixava no berço. Não aceitou a chupeta, mesmo com muita insistência. Era muito cansativo. Eu passava a noite arrumando as roupinhas dela no armário. Nem dava tempo de me deitar na cama ao lado, pois ela já despertava.

Eu já trabalhava na área e sabia bem que enfrentaria essa dificuldade no processo de construir hábitos consistentes de sono, que depois ficariam como boa herança para ela. Assim como fiz com meus dois meninos, introduzi uma naninha na esperança de apego. Mesmo tão pequeninha, eu a mantinha com ela até pegar no sono e depois a tirava de perto.

Assim eram as minhas longas noites. Ela chorava, eu ficava perto, dava a naninha, mudava sua posição no berço, dava um colinho ou tapinhas no bumbum. Isso em intervalos bem curtos. Até que, de modo totalmente aleatório, ela colocou a orelha da naninha na boca, sem querer. E, por um milagre da natureza, parou de chorar e dormiu. Eu disse: "Minha filha, se é orelha que você quer, é orelha que você terá!". E, dali para a frente, toda vez que ela acordava, chorava, e não era hora de mamar, eu colocava na sua boca a orelha da naninha. E até os 3 anos de idade ela manteve esse hábito de dormir chupando a orelha da naninha.

É importante entendermos que os recém-nascidos são, sim, capazes de aprender a dormir com autonomia e que não precisamos fazê-los adormecer de forma passiva.

Para complementar este capítulo, convidei o especialista Dr. Nelson Douglas Ejzenbaum, pediatra e neonatologista com pós-graduação em nutrologia pediátrica, para dar um depoimento sobre a alimentação dos bebês e sua relação com o sono.

A alimentação dos bebês e o sono – Dr. Nelson Douglas Ejzenbaum

Sobre a fisiologia da alimentação e do sono

O bebê, até os 6 meses de vida, não tem que tomar nada a não ser leite materno. O que acontece na barriguinha do bebê quando ele toma leite?

O leite é um alimento líquido, de rápida absorção e rápida eliminação. O estômago realiza um movimento que faz com que o leite passe muito mais rapidamente para o intestino que o alimento sólido, como a papinha e a fruta; então podemos considerar que, até os 6 meses, ocorre um esvaziamento gástrico muito mais rápido do que após os 6 meses.
Para estimular o desenvolvimento do sistema digestivo, é preciso começar a dar alimentos sólidos após os 6 meses – o bebê precisa da contribuição energética desses alimentos. Um alimento sólido é mais pesado, mais consistente e, portanto, de mais difícil eliminação. Fica mais tempo na barriga, e o resultado é que o bebê demora mais tempo para ter fome. Além disso, acima dos 6 meses o bebê tem um esvaziamento gástrico mais lento, mais reserva de calorias e liberação de hormônios na corrente sanguínea, que diminuem a possibilidade de ele sentir fome. Entre eles a grelina, que é um hormônio que causa saciedade, ou seja, diminui a fome, e a melatonina, o hormônio do sono, que no escuro, além de induzir o sono, tem efeito similar ao da grelina.
Portanto, acima dos 6 meses, o bebê não precisa mais acordar no meio da noite para mamar no peito.
Com isso, o bebê normal, saudável, sem doenças, que esteja ganhando peso, pode ficar de 8 a 12 horas sem ser acordado ou precisar se alimentar!
A cada dois meses, a alimentação sólida vai ganhando mais importância em relação ao leite. Aos 6 meses, o sólido representa 20% de importância na alimentação, 30% aos oito meses, 40 a 50% aos dez meses e 70% com 1 ano.
Tudo o que o bebê come, cada lanchinho, cada mamadeira, até o jantar, representa uma reserva energética para que ele passe bem a noite, dormindo. Além disso, bebês normais, acima do sexto mês, que mamam e já comem, têm reserva de glicogênio e de lipídios, portanto não correm o risco de ter hipoglicemia no meio da noite por não mamarem. Mesmo a criança que foi prematura, mas que chegou ao sexto mês com peso normal, não tem mais esse risco. Além disso, quando o bebê dorme, seu metabolismo diminui.
Há uma crença de que se deve amamentar a criança até quando ela queira. Não está errado. A Organização Mundial de Saúde recomenda amamentar até os 2 anos ou mais. Isso não significa que podemos abrir mão da comida. A criança deve ser alimentada adequadamente com todos os tipos de alimentos, proteínas, carboidratos, verduras, legumes e frutas.
É importante observar que, no processo de reeducação do sono, o que ocorre não é desmame e sim desmame noturno! A mãe pode amamentar tranquilamente durante o dia, sem nenhuma perda para o bebê.

Erros alimentares ligados ao sono

O padrão de sono da criança segue em ondas. Na parte inferior dessa onda, como para todos nós, ocorrem pequenos despertares. A questão é que o adulto vira para o lado e dorme. Aprendemos a fazer isso. Os bebês não.

As mães podem se despreocupar: nenhum bebê vai ficar traumatizado se tiver um despertar e a mãe não estiver ao lado dele. Pode ser que ele reclame e queira mamar porque está acostumado a mamar para dormir e não por fome.

A alimentação, a sopinha, a comidinha, deve ser dada duas horas antes de dormir, para que o processo de digestão comece antes de ele adormecer e possa tomar o último leite antes de dormir. A comidinha tem de ser semissólida, amassada, nunca batida, senão a criança não aprende a mastigar.

A comida batida tem o mesmo aspecto e consistência, levando à monotonia alimentar. A criança fica sem apetite e, com o tempo, não come direito. É recomendável ir aumentando a consistência da comida conforme a criança vai crescendo.

Um problema recorrente é o bebê acima dos 6 meses que durante a noite mama no peito ou toma fórmula, ficando com a barriguinha cheia e, durante o dia, não come bem. Muitas vezes o bebê acorda no meio da noite não por fome, mas acaba mamando porque os pais querem que ele pare de chorar de qualquer jeito, e, com isso, pode ter falta de apetite durante o dia.

Tenho relatos de mães que acordam o bebê no meio da noite para mamar, com medo de que ele fique com fome. Às vezes o bebê acorda, aceita o peito ou mamadeira e depois volta a dormir. Isso é um erro. Mesmo um bebê com menos de 6 meses, que não acorda no meio da noite, não precisa ser acordado. Acordar um bebê que não precisa pode, inclusive, prejudicar seu desenvolvimento e crescimento.

A criança aprende por repetição. A repetição do ato errado faz com que a criança aprenda o ato errado. E a repetição do ato certo faz com que a criança aprenda o que é certo.

Interferências no sono

A cólica pode ser um fator de interferência no sono do bebê. Porém, é uma evolução normal da nossa espécie e ocorre no máximo até o quarto mês.

Também podemos falar sobre o refluxo, que pode ser fisiológico ou patológico. O refluxo é causado, na maior parte das vezes, pela insuficiência de um esfíncter/válvula que separa o esôfago do estômago. Com essa insuficiência, o conteúdo que está no estômago sobe para o esôfago e sai pela boca do bebê. Há, também, o refluxo oculto, em que o conteúdo sobe e desce, sem chegar à boca, portanto invisível.

O que diferencia o refluxo patológico do fisiológico? A dor!

O refluxo fisiológico não causa dor ou mal-estar e não é perigoso para o bebê, por isso não precisa ser tratado, e tampouco vai atrapalhar o sono ou causar sufocamento. O volume dispensado pelo bebê no refluxo é mínimo, e não há perigo de sufocamento. Todos os bebês, em maior ou menor grau, têm esse tipo de refluxo.

O refluxo patológico causa dor e tem impacto no sono do bebê, sendo lesivo ao esôfago, pois sobe com ácido. Porém, com medicação, a dor desaparece e o refluxo perde o poder de mexer com o sono do bebê. Esse diagnóstico deve ser feito pelo médico pediatra.

Outro aspecto importante é que o bebê precisa satisfazer suas necessidades calóricas durante o dia para que esteja bem alimentado para passar a noite dormindo bem. O bebê que não recebe a quantidade suficiente de alimentação durante o dia aprende que precisa acordar mais vezes, à noite, para pedir comida. Os pais precisam verificar se estão cuidando adequadamente da nutrição diurna.

Já os movimentos reflexos e clonias do bebê não têm absolutamente qualquer impacto no sono dele. Fazem parte de seu desenvolvimento cerebral e não o acordam. Não causam nenhum mal e não têm a menor relação com convulsões. A criança pode ter movimentos de pernas e mãos e pode ou não acordar. Os pais não precisam fazer nada. Porém, se restar alguma dúvida, podem falar com seu médico.

Boas práticas para o bebê dormir bem

Para cada faixa etária, são boas práticas oferecer alimentação adequada o dia todo e atividades que o médico vai prescrever, como brincar com o bebê e conversar com ele, ter muita paciência com o bebê e lembrar que hábitos bons são aprendidos – assim como os hábitos ruins.

Até os 6 meses de idade, a criança deve dormir de barriga para cima. E deve-se evitar colocar qualquer coisa dentro do berço. Após os 6 meses, a criança pode dormir em qualquer posição, porque já teve um desenvolvimento cerebral substancial.

Uma coisa que devemos deixar clara para os pais é que o bebê não vai ficar traumatizado se acordar no meio da noite e chorar um pouquinho antes de voltar a dormir.

Também acho válido dar a mamada dos sonhos, aquela mamada que se dá com a criança dormindo, enquanto ela não regulou direito a alimentação diurna. É aplicável quando a mãe tem dúvida de fome ou está insegura. Apenas recomendo tirar o bebê do berço, dar o peito ou mamadeira, com ele ainda dormindo, e depois retorná-lo ao berço. Com isso a mãe garante a barriga cheia e, no próximo despertar, ela não terá dúvida de que o choro não é por fome.

A criança que dorme bem cresce bem. A criança que dorme bem se desenvolve bem.

4

LIDANDO COM O CHORO

Certa vez, um pai me perguntou se eu achava que 30 anos atrás eu teria este trabalho de consultoria do sono. Respondi: claro que não! Tudo começou quando os pais modernos passaram a ficar inseguros em relação ao choro dos filhos. Assim, muitas das recomendações que dou têm como objetivo diminuir o desespero de pais que não aguentam ouvir o filho chorar. Para o nosso cérebro, o choro é como uma sirene de ambulância, um alarme disparado, ou seja, uma emergência que precisa ser socorrida de imediato.

O choro é a forma de o bebê comunicar um desconforto, já que ainda não fala e não consegue expressar suas necessidades de outra forma. São vários os tipos de incômodo para um bebê. Pode ser dor, fome, sono, tédio, calor, frio, uma posição desagradável e outros. Dentro da barriga, ele não sentia nada disso. Desacostumado a ter essas sensações, muitas vezes o bebê manifesta seus desconfortos de maneira desesperadora para os pais, o que faz com que eles considerem o choro algo que precisa ser resolvido com urgência. Sempre digo a eles que é preciso ter calma para compreender a situação, uma vez que o choro nem sempre é sinal de algo grave.

À medida que o bebê vai desenvolvendo a fala, ou antes ainda, por meio de olhares, caretas e gestos, ele tende a chorar cada vez menos. Porém, no começo tudo é choro. E os pais devem estar atentos para este fato: chorar, para o bebê, é normal! Ele chora de fome, chora de sono e chora para mostrar que algo está errado. E ainda bem que o bebê chora; se não, como a mãe saberia que ele está desconfortável?

Respondendo ao choro

Este é o meu trabalho: pensar junto com os pais maneiras de identificar, com calma, sem atropelo, a razão que provocou o choro e o que fazer em cada situação.

As famílias de algumas décadas atrás eram numerosas, em geral com várias crianças de idades diferentes, em sequência. O choro, para essas famílias, era quase uma trilha sonora. A sensação que tenho é que os pais daquela época eram vacinados contra choro. Era o pequenininho no berço, o maiorzinho engatinhando com a fralda molhada, o outro que acabava de cair no chão. Os pais iam atendendo às necessidades de cada um e sabiam que o choro diminuía à medida que cada bebê crescia. E o melhor de tudo: como muitas vezes não tinham braços para resolver o choro de tantos filhos, acabavam dando tempo para o bebê resolver seu desconforto sem precisar da intervenção imediata de um adulto. Por exemplo: o bebê estava chorando porque a chupeta caiu, mas a mãe estava acudindo o filho mais velho que prendeu o dedo na porta, o pai estava consertando o cano da pia que vazava água e a avó estava dando comida para os gêmeos. Na demora de alguém correr até o berço do bebê, ele acabou tendo tempo e chance de encontrar a chupeta e colocá-la sozinho na boca. Resolvido o desconforto, ele parou de chorar.

Hoje, grande parte das famílias tem um ou no máximo dois filhos, e a maioria dos pais trabalha fora. Com isso, não estão acostumados a ter um bebê que chore bastante em casa. Atordoados, acham que aquele choro será para sempre. E buscam fazer de tudo para o bebê parar de chorar.

Quando o bebê chora e os pais pensam que ele está com fome, acham que vão resolver o problema colocando-o para mamar. Mas, se não for fome, ele vai voltar a chorar assim que desocupar a boquinha. Pode ser a fralda suja ou frio. No começo a mãe tem dificuldade de adivinhar o motivo do choro e, muitas vezes, com todo amor do mundo, não acerta o alvo ao oferecer aquilo de que o bebê não precisa naquele momento. Aos poucos, a mãe e o pai vão aprendendo a identificar quando o choro é de fome, dor, sono ou outro motivo. Pais e bebês vão construindo, juntos, uma linguagem que permite que pai e mãe entendam as necessidades do bebê e consigam atuar em cima delas. A linguagem, naturalmente, evolui e ganha amplitude à medida que a criança cresce.

Cuidado para não se tornarem reféns do choro

Muitos pais me falam que o segundo filho é muito chorão e grita demais, bem diferente do primeiro. Pergunto a eles se algum dia vamos saber se isso realmente é uma característica dele ou se, com receio de acordar o mais velho, os pais atendem muito mais prontamente o filho mais novo, não dando a ele a chance de lidar com tempo de espera e a frustração. Muitos pais se identificam com esse comentário, que parece fazer sentido para eles.

O que acontece, hoje em dia, é que as famílias querem resolver o choro, como se o choro fosse o problema. Já vi pais que, quando o filho chora porque quer chocolate – embora seja hora do almoço –, dão o chocolate para acabar com o choro. E a criança, a essa altura, já entendeu que o choro é o jeito mágico de conseguir o que quer, não necessariamente o que precisa. Afinal, se ela for boazinha não vai ganhar o chocolate, e no lugar dele receberá um prato com arroz, feijão, carne e abobrinha, mas, se esgoelar de tanto chorar, receberá um delicioso chocolate.

Qual a forma de resolver isso? Se não quer mais choro, não o reforce de modo positivo, ou sempre haverá choro quando a criança for contrariada. O lema é: com choro, sem choro, ou apesar do choro, não tem chocolate quando é hora do almoço.

Se isso está claro para os pais, quando a criança se desorganizar ao ser frustrada no que ela quer, vale conversar com ela, explicar que é hora do almoço, que ela vai almoçar primeiro e depois poderá comer o chocolate. Os pais precisam trabalhar essa frustração para cortar o choro pela raiz. Assim a criança não vai mais usar a estratégia de chorar porque terá entendido que, mesmo se abrir o berreiro, não vai ganhar o chocolate.

O exemplo do chocolate é apenas ilustrativo, porque há famílias que preferem não dar doces para os filhos antes de uma certa idade. Nesses casos, a mãe vai aguentar o choro porque tem convicção de que o filho não deve comer chocolate. A criança não entenderá o que está por trás do raciocínio da mãe, afinal chocolate é gostoso e o seu desejo significa uma ordem imediata. A ideia não é convencê-la de que o almoço é mais gostoso que um doce – seria maravilhoso se somente essa explicação fosse suficiente. A questão, aqui, é que, independentemente da reação dela, os pais devem sustentar os limites.

Mas como explicar a uma criança pequena que ela não pode ter o que quer, na hora que deseja? Vou dar um exemplo que vi em um clube. Uma criança de dois anos pegou a chave do carro da mãe e não queria devolver. A mãe usava argumentos assim: "Filhinho, dá a chave do carro da mamãe, senão o carro não vai ligar. Se você não me der a chave, a mamãe não vai conseguir voltar para a nossa casa...". Ela tentava convencer o filho, ao mesmo tempo que esticava a mão para pegar a chave e a criança ameaçava chorar. A mãe levou uns 20 minutos negociando com o filho. Assistindo à cena, não me contive e resolvi me meter. Pedi desculpas, informei que sou psicóloga e que trabalho com comportamento infantil. Falei que ela já havia explicado ao filho que precisava da chave, mas para ele essa explicação um tanto abstrata fazia com que achasse ainda mais interessante ficar brincando com a chave. E disse a ela que a solução era tirar a chave da mão do filho. Ela respondeu: "Mas ele vai chorar...". Sim, ele vai chorar, eu disse, mas você vai ficar com a chave e vocês vão conseguir ir para casa de carro.

Tudo bem dialogar com o filho, mesmo que seja pequenininho, e explicar as coisas. Mas a criança ainda não entende negociação, e o diálogo não serve para convencimento. Com o avanço da maturidade, a criança vai entender que, com choro ou apesar do choro, almoçar é a prioridade e, no caso do menino, ir para casa é prioridade.

Esse aprendizado da criança começa desde recém-nascida. Se ela chora porque está com sono, deveríamos resolver o sono. O que acontece muitas vezes é que a mãe, desesperada, ainda que não seja hora de mamar, dá o peito para ela parar de chorar, mesmo que tenha acabado de mamar, e a mãe tem claro que o filho está com sono, mas não consegue dormir.

É lógico que, com a sensação agradável da sucção, o bebê relaxou, acalmou, parou de chorar e acabou se rendendo ao sono. O peito abafou o choro e por tabela o fez adormecer. Neste caso ele dormiu por distração. Vamos comparar com o adulto. Cansado, não consegue dormir, começa a ler um livro e se entrega ao sono durante a leitura. O adormecer foi secundário e isso não é problema, contanto que durma a noite toda. O problema é acordar nos despertares noturnos e ser obrigado ler de novo para, por tabela, conseguir dormir novamente. O mesmo ocorre com o peito para aquele bebê.

O risco de tentar escapar do choro a qualquer custo pode resultar em um círculo vicioso que reforça o choro. Um exemplo: minha filha, com um ano e três meses, acordava chorando e só parava quando o copo de leite chegava na mão dela. Mas havia um processo necessário, de aquecer o leite na xícara, no micro-ondas, passar para o copinho, agitar para chegar na temperatura certa. Isso levava alguns minutos, e ela ficava chorando. A cada dia, quando ela acordava, era um inferno: todo mundo correndo, cada um fazendo uma coisa para apressar o leite. Um dia eu parei, agachei à altura do berço, olhei nos olhinhos dela e falei: "Eu só vou dar o seu leite quando você parar de chorar". Fiz todo o processo com calma e deixei o copo perto dela, mas fora do alcance, na estante. E avisei: "Na hora em que você parar de chorar, eu te entrego o seu leitinho". Ela chorou por 45 minutos, olhando para o copinho. Em uma certa hora ela deu um respiro de cinco segundos, eu aproveitei a deixa e falei: "Muito bem, parou de chorar! Agora pode tomar o leite!". No dia seguinte, fiz a mesma coisa. Olhei nos olhinhos dela e avisei que só ia dar o leite quando ela parasse de chorar. Ela chorou por 20 minutos. Quando parou, entreguei a ela. No terceiro dia, ela me avisou que o micro-ondas apitou... Sem choro. Percebi que eu estava refém do choro e entregava o leite, correndo, para fazê-la parar de chorar, e com isso, é óbvio, o choro só aumentava na relação direta de "quanto mais eu grito, mais rápido o leite chega". Assim, quem não quer ver o filho chorar, resolva a raiz do problema. Se vocês quiserem aprender mais sobre essa lição, vale a pena ler o livro *Disciplina positiva*[1].

O medo moderno de traumatizar os filhos

O significado de trauma, segundo os dicionários, é uma experiência emocional intensamente grave que pode causar distúrbios psíquicos, deixando uma marca duradoura na mente do indivíduo. Esse seria o trauma psicológico.

Assim como em um trauma de osso – uma situação intensa e violenta a ponto de causar uma ruptura, uma quebra –, uma das maiores preocupações dos pais é fazer algo que cause uma ruptura emocional em seus filhos. E acabam ficando reféns desse receio. Os pais de hoje enxergam o bebê com tamanha

1 NELSEN, Jane. *Disciplina positiva*. Tradução Bernadette Pereira Rodrigues. Barueri: Manole, 2018.

fragilidade que acham que ele vai ficar traumatizado com qualquer situação de choro. "Acolher o choro não é evitar o choro a todo o custo."[2]

Bem, se minha filha ficasse "traumatizada" nos dois dias em que chorou e teve de esperar pelo leite, que tenha sido essa a primeira experiência de ruptura e frustração de sua vida, e que tenha servido para lidar com tantas outras que terá de enfrentar sem ter a mim por perto, ajudando-a a se organizar com toda a paciência do mundo.

Conforme lembra Elisama Santos: "As pequenas frustrações que vivenciamos na infância são uma oportunidade de fortalecermos os músculos da resiliência para as inevitáveis frustrações que virão no futuro"[3]. Eu às vezes faço uma brincadeira com os pais e digo: "Se traumatizar o bebê, depois de crescer ele vai para a terapia, vai deitar-se no divã e vai desabafar que a mãe dele, quando ele era bebê, o colocou limpo, alimentado, cansado, com sono, no berço, falou que era hora de dormir e saiu do quarto. E vai dizer ao psicólogo que ficou chorando e a mãe voltava e dizia que estava tudo bem, que ela estava ali perto, mas que era hora de dormir". E o psicólogo vai perguntar: "E o que aconteceu depois?". E seu filho responderá: "Passei a dormir a noite inteira e quando eu acordava, bem-disposto, reencontrava a minha mãe descansada, que me dava muitos beijos e abraços".

É muito difícil convencer os pais de que os filhos não vão ficar traumatizados. Até porque, se for para se preocupar com o trauma, ninguém pensa no impacto físico e emocional de noites sem dormir, ou no fato de o filho dormir no colo da mãe e acordar no meio da noite assustado porque ela simplesmente não está mais junto com ele. O medo do "trauma" da parte dos pais é bem seletivo. Uma mãe me disse: "E se ele se sentir abandonado quando eu sair do quarto?". Eu respondi: "Então, se é essa a sua preocupação, isso já acontece sempre nas noites dele, quando você some sem avisá-lo". Ela me diz: "Mas eu sempre volto". Exato, e isso vai acontecer no processo do sono. Ele vai chorar e logo você vai voltar. A diferença é que você não vai sair na ponta dos pés e simplesmente sumir – dessa vez você vai mostrar e avisar que vai sair.

Tenho muitos relatos de famílias com as quais, anos depois, me encontro e que são gratas pelo processo que enfrentaram junto com os filhos. Contam que os filhos dormem bem até hoje, que os amigos não acreditam quando vão

---

2 SANTOS, Elisama. *Educação não violenta*. São Paulo: Paz & Terra, 2019.
3 SANTOS, Elisama. *Educação não violenta*. São Paulo: Paz & Terra, 2019.

à casa delas e testemunham que, na hora de dormir, simplesmente levam as crianças para a cama ou berço, dão boa-noite e saem do quarto. Que os próprios filhos pedem para ir para o quarto quando estão com sono, que não aceitam mais ficar no colo e apontam para o berço quando querem dormir. Lembro de um pai que me ligou e perguntou se era importante cantar uma música antes de colocar a filha no berço, ritual esse que combinamos para, justamente, marcar que depois da cantoria ela iria dormir. Não entendi direito o motivo de ele não querer cantar, mas logo me explicou: "É que, assim que a gente entra no quarto, minha filha já aponta para o berço, não quer nem ficar no colo para cantar". Simples assim.

Minha função não é convencer os pais, mas tentar passar segurança a eles de que todo o processo do sono é do bem, mas pode parecer do mal. Um jeito mais efetivo é usar analogias, tirando-os do olho do furacão e levando-os para lugares mais tranquilos para refletirem sobre a questão do choro. O melhor é sair do caos das noites e passar para outras situações do dia a dia. Por exemplo: a mãe vai levar o bebê ao pediatra; no carro, afivela o cinto de segurança na cadeirinha, ele fica incomodado e chora o caminho inteiro. A mãe não pode tirar o cinto só para evitar que ele chore, concordam? É uma questão de segurança. O bebê vai ter de conviver com o cinto até chegar ao pediatra, não é verdade? Ele chora certamente porque sai pouco de carro, ou sempre que chora alguém o tira, ou não está acostumado ao cinto, ou recentemente aprendeu a engatinhar e a última coisa que quer na vida é ficar preso. Portanto, a solução, espero eu, é passear mais vezes com ele, de carro, para que se acostume a nunca tirar o cinto. E com certeza vai chegar o momento em que vai parar de chorar.

Porém, muitos pais, até constrangidos, admitem tirar os filhos da cadeirinha porque eles choram. Além de manterem o círculo vicioso de continuarem chorando para serem tirados, também acabam não tendo a vivência de passear de carro presos aos cintos. E o mais grave: correm o risco, com medo do trauma do choro, de sofrer um traumatismo craniano ou algo pior em caso de acidente.

A mãe tem várias opções para acolher o choro sem tirar a criança do cinto. Vai devagar com o carro e, em cada semáforo, vira para trás, faz um carinho, conversa com o bebê, canta uma música, dá a chupeta. Outra atitude é parar algumas vezes em algum lugar seguro, tirar o bebê da cadeirinha e pegá-lo no colo. Ninguém aguenta viajar uma, duas horas seguidas com alguém chorando no ouvido. Parar e pegar no colo pode ajudar a acalmar a criança ou no máximo acalmar a mãe. Digo isso porque, quando o bebê ou a criança perceberem que depois do colinho vão voltar para a cadeirinha, vai ser outra guerra. É uma questão de paciência. Vão acabar entendendo que só sairão da cadeirinha quando o carro parar, e que o choro não muda a atitude dos pais. Com o tempo e muita persistência, não tendo a opção de sair do cinto, o bebê vai se acostumando e descobrindo que o caminho tem coisas interessantes para ver e, aos poucos, encontrará formas de se acalmar dentro do carro.

Então, como viram, não se trata de ignorar o choro, mas de acolher o choro sem sair da rota que os pais entendem que é o melhor para a criança. O desafio é os pais se mostrarem calmos, para que a criança perceba que não é uma coisa grave ficar presa ao cinto. Pode não ser legal, pode ser bem mais chato do que andar e engatinhar, mas os pais, que são os adultos e responsáveis pelo filho, sabem que é o jeito mais seguro de viajar.

O fim do choro de sono

Uma mãe me liga e pergunta o que faz para o bebê parar de chorar e dormir. Pergunto: "O que acalma o seu bebê?". "Peito", responde a mãe. Pergunto de volta: "Mas ele já mamou, não mamou? Está de barriguinha cheia. Então deixe que ele durma".

Os bebês são adaptáveis. E eles precisam reconhecer a mudança. Como? Com a experiência, com a rotina, com a repetição. A inauguração do berço vai ter choro. Normalmente nas primeiras três noites tem choro; na quarta começa a melhorar. Porque ele deixa de associar o dormir a colo, leite, balanço. Ele passa a associar berço, deitado na horizontal, chupeta, naninha. Tem bebê que se nina sozinho. Ele dormia sendo ninado, com o tempo fica incomodado porque no berço está tudo parado e, de repente, fica de quatro e começa a mexer o bumbunzinho. E começa a perceber, aleatoriamente, que se acalma. Aí, no dia seguinte, ele vai direto fazer o mesmo. Ele está trocando o ninar do colo pelo ninar do berço. E no meio da noite, quando tem um pequeno despertar, ele mesmo fica se ninando e volta a dormir. Ele se apega às coisas do berço, e o colo e o peito vão desaparecendo como referência para o sono. É na repetição que ele vai achar o jeito dele de dormir. Ele aprende sozinho a pegar no sono, porque não conseguimos ensinar a dormir.

Tem mãe que manda o filho fechar os olhos e a criança repete o movimento, espremendo os olhinhos e logo os arregalando, para o desespero da mãe. É até engraçado, pois isso não é dormir. Não temos como ensinar. Assim como não ensinamos a andar. A gente fica trocando os passos pelo filho? Claro que não! Deixamos a criança no chão, damos espaço, tempo e oportunidade para o desenvolvimento fluir. Não podemos fazer o andar por ela. Podemos dar a mão e ir soltando aos poucos. Deixamos que segure o nosso dedinho até que a criança, segura, vai embora, em uma marcha ainda instável e robótica, e logo está correndo pela casa. E tudo acontece muito rápido. Permitimos leves tombos e ajudamos a criança a se levantar e seguir adiante.

Com o dormir é a mesma coisa. Temos de dar tempo e oportunidade para, literalmente, eles se virarem no berço ou na caminha. Eles precisam encontrar a maneira de dormir, eles com eles mesmos. Enquanto não encontrarem o novo jeito, vai ter choro.

Para encerrarmos este capítulo, conversei com a especialista Malka Birkman Toledano, fonoaudióloga e psicanalista, que explicou o papel fundamental do choro para o desenvolvimento dos bebês.

A importância do choro na vida dos bebês – Dra. Malka Birkman Toledano

Sobre a função do choro, a primeira coisa a dizer é que só chora quem está vivo. Parece bobagem falar isso, mas é preciso lembrar que o choro inaugural, quando o bebê nasce, é um sinal de vida. Portanto, é um choro desejado. O choro estreia uma vida extraútero e representa uma manifestação de saúde. Quanto mais forte e potente o choro, mais evidencia uma boa condição respiratória, cardíaca e neurovegetativa. É a transição de um ambiente líquido para um ambiente aéreo. A filosofia e a psicanálise chamam esse choro de grito primal, ou seja, a estreia do humano.

A partir de então, o bebê não sabe que tem de chorar. O choro acontece inconscientemente, porque fora do útero o bebê começa a passar por uma série de privações que não enfrentava antes: regulações de temperatura, fome, sono, luminosidade, odores, sons, ambiente, qualquer coisa que mexa com o seu corpo. Tudo pode gerar incômodo para ele.

O choro como função de desenvolvimento

O choro tem funções fisiológicas. Ele vai preparar o sistema estomatognático, que é a relação entre a boca, a língua, a mandíbula e a respiração, ou seja, a coordenação fonoarticulatória, a saída do ar do pulmão, passando pela laringe, que faz a articulação da boca e do nariz, que é por onde sai o som. Esse sistema é responsável pela sucção, mastigação, deglutição, sopro, respiração e fala. Chorar, além de ser uma convocação de ajuda, é também um exercício de diversas ordens para o bebê.

Ultimamente, o choro tem sido romantizado e tem recebido uma carga emocional excessiva por parte dos pais. Quando o bebê chora, todo mundo corre, desesperado, com a missão de fazer com que o choro pare. Como se o choro representasse, para o adulto, um chamado desesperado de urgência e não apenas um chamado. Vamos dar um tempo, deixar o bebê se ouvir, deixar que ele perceba o desconforto dele e busque uma forma de se acalmar, afinal, pouquíssimos desconfortos são insuportáveis. Poder suportar um tanto de desconforto faz parte do processo de reconhecimento do próprio corpo e é essencial para o amadurecimento.

Atenção! Isso não significa, em hipótese alguma, deixar o bebê abandonado; significa mensurar a urgência do chamado. O adulto pode estar em outro cômodo da casa, por exemplo, e, com sua voz, ir acalmando o bebê, anunciando sua chegada.

Precisamos desconstruir a associação unívoca entre choro e sofrimento. Choro é uma convocação do outro. É uma comunicação que varia em intensidade, urgência, demanda. Poderíamos pensar em um termômetro do choro, que varia desde choro de manha a um choro de dor, e passa por uma medida intermediária que pode significar muitas outras coisas. É de fundamental importância que o adulto cuidador possa ler essas variáveis minimamente. Afinal, nem todo choro é de manha, assim como nem todo choro é de dor.

O choro como mecanismo de relação

O choro, para os adultos, significa dor e sofrimento, e ocorre em situações específicas. Por isso, o choro, para eles, tem um impacto emocional importante, e a tendência é os pais acharem que o choro representa o mesmo para o bebê. Mas o choro, para os bebês, é uma forma de eles convocarem o outro, porque aprendem muito depressa que, quando choram, alguém aparece. A manifestação ocorre por causa de algum excesso (p. ex., muito agasalho) ou por alguma falta (p. ex., fome).

No início, o bebê nem sabe que o choro é dele. E também não sabe que não é ele que transforma a situação de incômodo em situação confortável. Chorar é um movimento orgânico, reflexo e muito saudável. O choro é constitucional, ou seja, é necessário, pois contribui para o desenvolvimento do bebê.

O bebê aprenderá aos poucos, com as experiências de sua vida, que é uma pessoa separada do corpo da mãe. Essa consciência varia muito de bebê para bebê, mas começa a acontecer por volta dos seis meses, quando o bebê vai ganhando maturidade motora. É nessa passagem para o sexto mês que normalmente acontecem problemas de sono, porque ele percebe que está separado da mãe e que ela não está ao seu lado, como sempre. É o início da fase do entendimento de permanência e ausência.

Aos seis meses começa, de modo ainda mais marcado do que veio até então, uma trajetória de conquistas para o bebê, de perceber que ele é ele e o outro é o outro. É uma fase em que muitas vezes o choro é apenas um resmungo, uma experimentação. E, de certo modo, ele está provocando o mundo para ver o que acontece quando faz isso.

Para a família, faz seis meses que esse bebê chora. Mas só agora o bebê descobriu, ainda de um modo bastante primitivo, que é ele quem produz esse choro.

Os adultos vão, aos poucos, entendendo as intensidades do choro. Pai e mãe são os intérpretes privilegiados da manifestação do bebê, percebendo as modulações. Nem todo choro é só um choro. Cada categoria de choro precisa ser averiguada de acordo com a necessidade e com a condição física, motora e de percepção da criança. Pode ser uma posição da perna que ele não conseguiu corrigir sozinho ou pode ser que tenha perdido a chupeta e não consegue encontrar. Os pais tentam acertar a razão do choro. Quando erram, o bebê muda o tom do choro, para avisar que não era aquilo o que precisava. O bebê não aprendeu a diferenciar o desconforto da perda da chupeta do desconforto da fome. Tudo é incômodo, e ele vai reclamar sempre que algo estiver errado para ele. Crescendo, o bebê vai ajustando o grande desconforto do pequeno desconforto, mas tudo vai depender da resposta dos pais. Se o bebê chora e a mãe dá de mamar, ela não retirou a etiqueta na roupa que estava incomodando e ele continua chorando. A mãe entende que não era fome. Ou que não era fome apenas. E a comunicação entre eles vai sendo construída e se tornando mais efetiva, porém a comunicação nunca é exata e transparente, nem quando são todos adultos.

Comunicar significa ter uma certa margem de erro de compreensão, mesmo entre dois adultos falantes de uma mesma língua.

O atendimento imediato às demandas do bebê é algo dos dias atuais, porque vivemos um momento em que tudo é urgente. Em relação aos nossos avós, mudamos completamente a noção de tempo. E temos a necessidade de mostrar rapidamente para os nossos filhos o quanto somos competentes. Isso é reflexo das urgências da sociedade de hoje, das exigências profissionais, dos nossos desafios e da vida apressada que temos. Nós nos sentimos incompetentes ao ver que, em seis meses, ainda temos dificuldade para compreender as diferentes necessidades do nosso bebê, manifestadas pelo choro.

A vida e a infância não são formadas apenas por vitórias, bem sabemos. Ninguém posta nas redes sociais crianças aos berros, mas só coisas bonitas. Antigamente, em um passado não tão distante, os "fracassos" com o bebê (coloquemos muitas aspas nesses fracassos) eram compartilhados com a rede de apoio, principalmente a família mais próxima, que ajudava os pais a cuidar dos bebês. Ficava mais fácil, com esse apoio, a mãe se acalmar. A mãe que se acalma pode fazer o bebê se acalmar. Mas, hoje, com os avós e os tios vivendo longe, as referências ficam reduzidas e de menor qualidade, e as mães procuram apoio em outras mães que sofrem as mesmas dúvidas que elas.

Não há como preparar alguém para ser mãe e pai com antecedência. Só podemos dizer que é difícil, mas vale a pena. O aprendizado de tudo o que é novo exige tempo e paciência. Vamos repetir esse pedaço: exige tempo e paciência! Tenha isso como um mantra.

Estamos em uma época de muita angústia, pressa e de muito desejo de aceitação. E pensamos que a ausência do choro é um acerto, enquanto a presença do choro é a evidência do nosso erro. Nada disso. Cada tentativa dos pais é um acerto, na medida em que estão debruçados sobre seu bebê, física e mentalmente, identificados, preocupados e cuidando. O choro não é para ser erradicado. Durante muito tempo é a única possibilidade de comunicação verbal do bebê, ou seja, ele chora porque ainda não tem recursos de linguagem, de fala, mas o choro, quando é vivenciado, nos ensina a nos relacionar.

5

OS MÉTODOS DE REEDUCAÇÃO DO SONO

É constante os pais me fazerem a seguinte pergunta: "Você é da linha que 'deixa chorar'?". Sou da linha que "deixa dormir" e que, se tem choro, aí é que está o problema.

Quem sabe dormir não chora. Deita-se, aconchega-se e engata o sono por ele mesmo. Essa frase surpreende os pais de primeira viagem. Muitos não acreditam que isso seja possível. Vou contar um caso que ilustra bem essa afirmação.

Uma das primeiras famílias que atendi foi a da pequena Alice, de 8 meses. Ela acordava de duas a três vezes durante a noite para mamar. A família optou pelo método do choro controlado. A mãe, nessa primeira noite, amamentou a filha na sala e só depois do banho a colocou acordada no berço. Antes, ela sempre chegava adormecida ao berço. Depois da despedida, a mãe saiu do quarto. Ficamos do lado de fora, olhando a bebê pela babá eletrônica. Não houve choro. Alice deitou-se, virou, girou, aconchegou-se e dormiu. Zero choro. Eu olhei para a mãe, ela olhou para mim, ambas com cara de "paisagem". A mãe, que esperava por um berreiro intenso, disse: "Isso é um milagre". Expliquei para ela que eu não tinha vocação para "santa milagreira" e na minha opinião a filha dela já sabia dormir. Pelo jeito, Alice só precisava chegar acordada ao berço. Sugeri que, no dia seguinte, a mãe ligasse para o berçário e perguntasse como a filha dormia nas sonecas. Dito e feito: Alice dormia no berço, por ela mesma, nos soninhos do dia. A mãe nunca tinha perguntado para as funcionárias do berçário o modo como a filha dormia. Na agenda só vinham discriminados os tempos e os horários de soninho. Uma vez que ela já sabia dormir sozinha, foi só ir acordada para o berço e ela passou a dormir por si mesma, a noite toda. Quando, em casa, dormia no peito com a mãe e acordava no susto no berço, sem peito e sem mamãe, se desorganizava e nos despertares esperava pelo *kit* in-feliz do sono. Expectativas inibem iniciativas. Esperar pela mamãe e pelo peito, ainda mais no susto, impedia que Alice encontrasse o já conhecido conforto do berço.

Depois dessa experiência, quando recebo o formulário da anamnese com a informação de que a criança já dorme no berçário e sem ajuda no berço ou colchão da escola, tenho a convicção que o processo será fácil. Talvez haja um pouco de choro pela ruptura da expectativa quando, diferentemente da funcionária da escola, a mãe ou o pai for colocar a criança no berço ou cama. Nesses casos o principal está consolidado: já sabem dormir com autonomia. O foco, nesses casos, será apenas romper expectativas.

Chorar para tomar vacina ou ter de engolir um remédio amargo é esperado. Mas a pergunta dos pais deveria ser outra: Por que ele chora para dormir?

Lembro da pequena Olivia, de 7 meses, quando fui à casa dela para iniciarmos o plano de sono. Acompanhei toda a rotina da noite. Na hora da troca de fralda, a mãe colocou uma seringa com soro para fazer a lavagem rotineira do nariz. Fiquei surpresa ao ver que ela não deu nenhum pio quando o jato salgado entrou em cada uma de suas narinas. Ela fez aquele movimento com a cabecinha, típico para evitar se afogar, e respirou tranquila. Meus filhos berravam quando colocávamos conta-gotas de nariz. Meu filho mais velho uma vez me disse que preferia fazer exame de sangue a limpar o nariz.

Cristina me relatou que, desde o nascimento da filha, fazia essa lavagem, por isso ela estava acostumada. Nessa noite da minha visita, assim que Olivia foi colocada acordada no berço, ela chorou, gritou e se desesperou. Dessa vez perguntei à mãe por que ela chorava no berço e a mãe, entendendo aonde eu queria chegar, me respondeu: "Por que, desde que ela nasceu, não está acostumada a dormir no berço". Assim que se adaptou, passou a dormir tranquila e, consequentemente, sem chorar.

Os métodos de reeducação do sono foram desenvolvidos justamente para acolher o choro quando ainda não se sabe dormir. Depois que bebês e crianças aprendem, não há mais necessidade de recorrer a eles. Os pais colocam os filhos para dormir, dão boa-noite e saem do quarto. E os filhos, no tempo deles, dormem. Simples assim. No caso da Alice, já sabendo dormir, não houve choro e, por isso, não foi preciso recorrer a nenhum dos métodos.

A seguir, vou explicar brevemente cada um dos métodos e depois vou contar minhas experiências na aplicação de cada um deles.

O método da cadeira

O método, desenvolvido pela autora Kim West[1] (a *Sleep Lady*), é indicado para fazer a transição do bebê do colo para o berço, ainda contando, provisoriamente, com a companhia de um adulto por perto. Este é um método considerado gentil, porque é feito de maneira gradual.

A conduta que ela recomenda é que o bebê seja colocado acordado no berço, e o responsável se sente em uma cadeira bem ao lado. Durante três noites, o pai, a mãe ou um cuidador – sempre o mesmo – fica do lado do berço, sem pegar o bebê no colo. Tenta, nessas três primeiras noites, acalmar o bebê alcançando o corpo dele com a mão.

Na quarta, quinta e sexta noites, a cadeira é recuada para o meio do quarto, justamente para diminuir a intervenção. Em caso de algum incômodo, o adulto pode ir até o bebê e confortá-lo, sem tirá-lo do berço.

A ideia consiste em ir afastando a cadeira, até que a presença do adulto no quarto se torne dispensável. O afastamento do campo de visão do bebê não vai impedi-lo, se conseguir ficar em pé ou sentado no berço, de ver o adulto por perto.

Na sétima, oitava e nona noites, a cadeira estará na porta do quarto. De tempos em tempos, o adulto poderá ir até o berço para confortar o bebê, se achar necessário.

Uma vez que a cadeira é afastada, é importante não retroceder, mesmo que, no começo, o bebê estranhe a mudança.

Na décima noite, o responsável vai deixar o quarto, enquanto o bebê está ainda acordado. É a última etapa do processo. O adulto poderá entrar no

1 WEST, Kim. *The Sleep Lady's Good Night, Sleep Tight:* gentle proven solutions to help your child sleep well and wake up happy. New York City: Vanguard Press, 2009.

quarto, brevemente, de tempos em tempos, em caso de choro. Isso para mostrar ao bebê que está por perto, mas que não ficará mais dentro do quarto.

A posição e a postura do responsável são sempre as mesmas do início da noite, assim como nos despertares noturnos.

Em todas as etapas da fase da cadeira, quando o bebê dorme, o adulto sai do quarto. Quando o bebê acorda, o adulto volta para a cadeira e espera por lá até que o bebê durma.

O método *pick-up, put-down*

A metodologia orientada por Tracy Hogg[2] consiste em estabelecer uma rotina que cumpra sempre uma mesma ordem, procurando sempre dissociar a amamentação do sono (EASY: *eat*/alimentação, *activity*/atividade, *sleep*/dormir e *you*/tempo para você). Observando uma sequência repetida todos os dias, o bebê é colocado, sonolento ou acordado, no berço. Sempre que o bebê chorar, o adulto (pai, mãe ou cuidadora) vai acalmá-lo no colo. Depois que se tranquilizar, é colocado de volta no berço, ainda acordado. É o que a autora chama de método *pick-up, put-down* (pegar e largar).

Durante o processo, o adulto não sai do lado do berço enquanto o bebê não dormir. A tendência é ir diminuindo o colo até que esse bebê consiga se autoacalmar no berço, e assim o responsável pode se afastar do campo de visão do bebê.

O que se pretende, com esse método, é dissociar a companhia, o mamar e o balançar do ato de dormir. É muito usado na transição do bebê, do quarto dos pais para o seu próprio quarto.

É importante lembrar que todo o processo deve ser seguido no início da noite e nos despertares, até o momento em que o bebê acorda para começar o dia.

Muitas famílias se sentem mais seguras com esse método do que com o método do choro controlado e o da cadeira, pela possibilidade de pegar o bebê no colo.

---

2 HOGG, Tracy. *Os segredos de uma encantadora de bebês:* como ter uma relação tranquila e saudável com seu bebê. Barueri: Manole, 2002.

O método do choro controlado

Também conhecido como ferberização, esta técnica foi desenvolvida pelo pediatra americano Richard Ferber[3]. O médico foi um dos pioneiros do choro controlado, um método amado por muitos e odiado por tantos outros. A ideia é que o bebê seja levado acordado para o berço e os pais já saiam do quarto. Toda vez que o bebê chorar, o adulto entra para lhe dar o direcionamento e acolhimento possível, mas sem tirá-lo do berço e sem oferecer nenhuma intervenção. O objetivo do responsável é apenas tranquilizar o bebê (e a si mesmo), não necessariamente parar o choro. O responsável deve permanecer no quarto entre um e dois minutos, oferecendo a chupeta, a naninha ou algo que a criança costume usar para se confortar. Se não houver nada disso, a ideia é que o bebê veja o responsável entrar e sair do quarto, aumentando progressivamente, a cada noite, o tempo de ausência. O responsável, seja pai, seja mãe ou cuidadora, deve sempre intercalar ausência com presença nos tempos indicados na Tabela 1, a seguir.

É o método mais tradicional. Relembrando que tudo o que se faz no início da noite deve ser feito da mesma forma nos despertares, até o horário em que a criança acorda para começar o dia. Nos despertares noturnos, reinicie o processo com o tempo mínimo de espera para aquela noite, aumentando o tempo até o máximo indicado, até que a criança retome o sono com autonomia.

É importante que haja entradas e saídas do quarto, mesmo que o choro continue ou até mesmo aumente. A intenção é mostrar ao bebê que há alguém por perto, mas sem tentar acalmá-lo – porque essa parte cabe a ele.

Segundo Ferber, é um método efetivo para que o bebê adquira a capacidade de dormir de maneira autônoma, tendo sempre a segurança de que os pais estão por perto.

Os tempos de intervalo de uma entrada para outra variam, dependendo dos autores. No livro *Nana, nenê*[4], do médico espanhol Eduard Estivill, também seguindo a linha do choro controlado, os tempos são mais curtos – no máximo 17 minutos na sétima noite (Tabela 2).

3 FERBER, Richard. *Bom sono.* São Paulo: Rideel, 2008.

4 ESTIVILL, Eduard. *Nana, nenê*: o verdadeiro método Estivill para ensinar seu filho a dormir bem. São Paulo: WMF Martins Fontes, 2013.

TABELA 1 AJUDANDO O SEU FILHO A APRENDER A ADORMECER COM ASSOCIAÇÕES ADEQUADAS: A ABORDAGEM DA ESPERA PROGRESSIVA

Número de minutos de espera antes de socorrer seu filho				
		Se o seu filho ainda estiver chorando ou gritando		
Dia	Primeira espera	Segunda espera	Terceira espera	Esperas subsequentes
1	3	5	10	10
2	5	10	12	12
3	10	12	15	15
4	12	15	17	17
5	15	17	20	20
6	17	20	25	25
7	20	25	30	30

Fonte: FERBER, Richard. *Bom sono*. São Paulo: Rideel, 2008.

TABELA 2 TABELA DE TEMPOS

Minutos que os pais devem esperar para entrar no quarto da criança que está chorando				
Dia	Primeira espera	Segunda espera	Terceira espera	Esperas seguintes
1	1	3	5	5
2	3	5	7	7
3	5	7	9	9
4	7	9	11	11
5	9	11	13	13
6	11	13	15	15
7	13	15	17	17

Fonte: ESTIVILL, Eduard. *Nana, nenê*: o verdadeiro método Estivill para ensinar seu filho a dormir bem. São Paulo: WMF Martins Fontes, 2013.

Esses três métodos muitas vezes são mal interpretados. Como vimos anteriormente, existem os considerados mais graduais, denominados gentis. Mas não espere "gentileza" do bebê. O passo a passo pode ser tranquilo para uns, mas, para outros, pode ser sentido como "tirar o esparadrapo devagar".

No que se refere ao choro controlado, apesar das críticas, sinto que a dificuldade na implementação é maior nos pais do que propriamente nos filhos.

Após anos de experiência usando os métodos gentis e o choro controlado, vivenciei processos de reeducação do sono marcados por experiências positivas e negativas com cada um deles. A questão não é o método em si, mas como pais e filhos respondem a cada um deles.

Experiências positivas e negativas com o método da cadeira

(+) Há bebês e crianças cujo processo de afastamento da cadeira acaba sendo bem tranquilo. Muito choro nas primeiras noites, diminuindo bem a cada noite, até que, quando o pai ou a mãe estão na fase da porta, os filhos já estão bem mais confortáveis no berço. Quando ocorre a saída do quarto, mesmo que chorem um pouco, estão tão habituados com o novo jeito de dormir que acabam não sentindo falta dos pais no quarto. Para esse bebê, o processo foi gentil e gradual.

(–) Para outros bebês e crianças, cada movimento da cadeira é por eles vivido como uma nova e desconhecida ruptura. A troca do colo para o berço, é bem difícil nas três primeiras noites com um responsável ao lado do berço e, quando estão quase se acostumando com alguém apenas ao lado, a mãe ou o pai se afastam um pouco na quarta noite. O choro, que já estava diminuindo, volta com mais intensidade. E assim, a cada movimento da cadeira até a saída do quarto, o *esparadrapo* é tirado lentamente. Nesses casos, eu e os pais concluímos, mesmo dando tudo certo, que para esses bebês e crianças o processo não foi de modo algum sentido como gentil.

Algumas famílias, ao se darem conta da dificuldade do modo "gradual", optam por não esperar a décima noite para efetivar a saída do quarto. Antecipam e partem para o método do choro controlado. Mais algumas noites de choro, e desta vez o esparadrapo é retirado de uma vez.

(+) Tive experiências com bebês e crianças cuja presença dos pais no quarto os deixava mais calmos e, assim, acabavam tendo mais condições de explorar o berço e a cama. Havia choro, mas a voz da mãe ou do pai permitia um acolhimento que confortava o filho, deixando-o mais organizado.

Todo o passo a passo da cadeira, nesse processo de os pais irem se tornando dispensáveis no *kit* sono, foi possível ao dar espaço para que os filhos encontrassem com mais serenidade a sua forma autônoma de iniciar e retomar o sono. Havia choro, na saída do quarto, mas nada desesperador, tendo em vista que, nessa fase, os pequenos já estavam acostumados com o lugar de dormir.

(–) Presenciei situações em que a presença de um dos pais no quarto deixou a criança superagitada, elétrica, sendo um estímulo de distração. Lembro especificamente de um caso que, a cada noite na cadeira, o tempo de choro só aumentava. Isso não é comum.

Foi o que aconteceu com a Milena, de 1 ano. Comentei com os pais que a minha hipótese era que a presença do pai no quarto a estava deixando agitada e ele acabava sendo um estímulo de distração. Era como se a Milena estivesse de dieta, tendo de ficar olhando um bombom por perto.

Minha sugestão foi antecipar a saída do pai do quarto para avaliarmos se era dela mesma essa dificuldade de se acalmar ou se a minha desconfiança procedia. Ficaram surpresos com a minha sugestão. O questionamento deles foi: "Se ela chora com o pai aqui por perto, imagina quando ele sair do quarto?". Insistiram com o método por mais duas noites, e definitivamente não estava dando certo. Assim, optaram por romper o hábito da companhia[5] do pai. Alívio geral. Claro que ela chorou, mas não mais por duas horas, como estava sendo com o pai na cadeira. Como disse, para Milena, era como fazer dieta e ter de ficar olhando para um chocolate lá na estante do quarto. Em três noites, não houve mais choro e Milena passou a dormir a noite toda.

(+) Outra experiência interessante com este método é o caso em que, só de dissociar colo e/ou leite, em torno de quatro noites do processo, muitas crianças e bebês passam a dormir a noite toda, mesmo ainda sendo estimulados com a companhia (p. ex., do pai na cadeira). Nesses casos, a presença de alguém no quarto não é, por eles, embutida no *kit* sono. Dormem rápido e vão direto a noite inteira. Maravilha!

Há famílias que, quando chegam nesse resultado, até optam por não avançar para a etapa da saída do quarto. Sempre ressalto que, "em time que está ganhando, não precisa mexer". Só alerto que, se, com o passar do tempo, o filho demorar para iniciar o sono ou passar a acordar no meio da noite, precisando de alguém por perto para voltar a dormir nessas situações, pode ter certeza de que o time passou a perder e de que chegou, então, a hora de avançar. Outras famílias não esperam isso acontecer, pois não querem correr o risco de algum dia passarem a ser um item do *kit* sono do filho, então seguem até o final com o método.

---

5 No Capítulo 8, explicarei em detalhes o que é o hábito da companhia e as condutas para desfazer essa associação de sono.

(+) Para famílias que sofrem por deixar o bebê chorar "sozinho" no quarto, este método conforta os pais. Sentem que, mesmo com o filho chorando, estão sendo acolhedores e afetivos estando ao lado. Sentindo-se seguros, conseguem ser continentes e assim sustentam os três Cs (coerência, consistência e constância).

(–) Outros pais não associam gentileza alguma a ficar ao lado do filho vendo-o chorar. Acham o passo a passo uma tortura e preferem o método do choro controlado.

Experiências positivas e negativas com o método *pick-up, put-down*

(+) Na minha experiência, este método é muito eficiente para as famílias com bebês menores de 6 meses e que estão focadas no processo de educação do sono, preocupadas em estabelecer, desde cedo, hábitos saudáveis que propiciem a higiene do sono.

Como os bebês muito pequenos ainda não conseguem se autoacalmar, o colo como forma de confortá-los é muito utilizado para apresentar o berço como lugar de dormir. Sempre que choram, vão para o colo e, assim que se acalmam, retornam acordados ao berço. Com o tempo, se acostumam com o berço, a ponto de não precisarem mais de colo.

(–) Com bebês acima de 6 meses, o método geralmente é tenso. Os pequenos grandes bebês já têm noção de antecipação e causalidade. Na hora em que percebem que do colo voltam para o berço, não param mais de chorar nos braços dos pais. Além disso, esse tira e põe muitas vezes os deixa ainda mais agitados e estressados. Parece mais uma aula de ginastica rítmica do que hora de dormir. A sensação que tenho é que o colo serve mais para acalmar os pais do que os filhos. Mas, quando a família entende os prós e contras e quer tentar, nunca me oponho e digo: "Se o colo ajudar o seu filho a se acalmar, vale muito a pena, não esquecendo que o caminho é ir diminuindo essa estratégia até que o colo seja dispensado do *kit* sono. Com o passar das noites, avaliem o quanto está ajudando na adaptação de seus filhos".

Simone me procurou justamente porque havia mais de um ano estava usando esse método. Acordava várias vezes à noite para pegar a filha até ela voltar a dormir. O problema dessa mãe não era a estratégia em si, mas o fato de não ter avançado nesse processo. Expliquei que, enquanto o *kit* sono incluísse pegar e voltar ao berço, além de dormir olhando para a mãe, as noites não teriam fim. Partimos para o choro controlado, método ao qual ela incialmente era super-resistente. Explicando todo o raciocínio da estratégia, uma vez entendido onde elas estavam e para onde queriam chegar, aceitou o método. Em cinco noites, Lana estava dormindo sem colo e sem a mamãe. Simone não se conformava de ter passado mais de um ano acordando várias vezes à noite, passando o dia com dores nas costas e vendo a filha exausta.

Experiências positivas e negativas com o método do choro controlado

(+) Amaldiçoada por uns e amada por outros, essa estratégia pode começar sendo rejeitada pelos pais, mas terminar por ser muito benquista. Considerado "radical" por muitas pessoas, o método do choro controlado não tem nada de mau. Apenas é honesto. Tudo o que se promete no início da noite com toda a certeza estará com a criança ou bebê em cada despertar até a hora do bom-dia. O método troca o susto do sumiço sem aviso pelo distanciamento e pela despedida. Enquanto houver choro, será necessário alternar momentos de ausência e presença. Ou seja, a mensagem para os filhos é que papais e mamães não ficam no quarto, mas estão sempre por perto. Assim, enquanto os filhos precisarem dos pais, eles vão entrar e sair do quarto, até as crianças se familiarizarem a dormir na ausência (a forma como vão encontrar o quarto nos despertares). Esse método costuma ser de choro intenso nas primeiras três a quatro noites, e depois os bebês e crianças tiram de letra. O "remédio" só é amargo no início do processo, vai adocicando ao longo das noites, a ponto de deixar de ser um remédio.

(–) O choro afeta demais os pais. Deixar o filho "sozinho" no berço em seu quarto angustia toda a família. Pensamentos e sentimentos inundam os fatos. Vejo que é muito difícil para algumas mães e pais deixarem de ser a associação de sono dos filhos de uma só vez. Imagine uma mãe cujo filho dormia no colo e mamando a noite toda. Ela estava 100% embutida no *kit* sono infeliz. De uma noite para outra, ela precisa se desvincular totalmente desse pacote. Neste método, o gráfico despenca em queda livre para 0% de ajuda para dormir. Essa situação pode gerar a sensação de "abandonar" o filho. Percebo que as próprias mães se sentem abandonadas. Se os pais não estão continentes em relação à estratégia, não conseguem ser coerentes, conscientes e constantes.

(+) Uma vez que os pais estão seguros e seguindo à risca a "dieta do sono", bebês e crianças costumam responder muto rápido. Em média as três ou quatro primeiras noites são as mais difíceis, e leva em torno de uma semana para alcançar noites tranquilas de sono. Claro que pode haver variações, assim como em qualquer outro processo de adaptação, como a entrada na escola: uns baixinhos já dão tchau para a mãe no primeiro dia, enquanto o outro amiguinho está há mais de um mês precisando da mãe por perto. E tudo bem, pois cada um precisa de seu tempo. Quando mães me ligam dizendo que a adaptação escolar está difícil, tento tranquilizá-las com um toque de humor: "Não se preocupe, ele terá até o Ensino Médio para se adaptar".

(–) Muitas famílias referem que utilizaram o método do choro controlado e que não deu certo. Peço que me descrevam como foi que o implementaram e logo percebo que se esforçaram muito mesmo, mas para fazer apenas "meia dieta do sono". Seguem algumas situações:

- Bebês que dormiam no peito no início da noite e, nos despertares, os pais "deixavam os filhos chorarem".
- A mãe colocava o bebê para dormir no início da noite e na madrugada aparecia uma hora o pai e outra a mãe, noite adentro.
- O casal começava a brigar enquanto o filho chorava, e, com todos em pânico, o clima da casa ficava tenso. Pensem em uma mãe que, no primeiro dia de escola, ela mesma chorando entrega o filho para a professora. Pais inseguros não autorizam o filho a sair do colo.
- O bebê que todas as vezes chorava e dormia de novo no berço, mas, quando acordava, às cinco da manhã, como era muito cedo e poderia ser fome, voltava a dormir no peito ou na mamadeira. Típico caso de quem nadou a noite inteira e morreu na praia ao amanhecer.
- Às 5h, por ser cedo, o pai levou o bebê para a cama do casal para todos poderem dormir mais um pouquinho. Da próxima vez ele vai chorar ainda mais para ir para o quarto dos pais.
- Pais que começaram com o método do choro controlado e, no meio do processo de choro, decidiram mudar para o da cadeira. No meio da noite, faziam o *pick-up, put-down* e, percebendo que nada parava o choro, voltavam a sair do quarto. Nesses casos, fizeram um *mix* de métodos e, sem consistência, a criança ficava completamente confusa. E chorava ainda mais. Nada funciona se o choro direcionar o método.

- Muitos pais me falam: "Como ele vai gostar do berço se só chora? Ele vê o berço, fica desesperado e não quer entrar lá". Se alguém tirá-lo do berço toda vez que ele chorar, nunca vai se acostumar, e sempre será um lugar de sair e não de ficar. É preciso dar tempo para que o bebê ou criança desapegue do colo como o lugar de dormir e se vincule ao berço para esse fim. Enquanto os pais não autorizarem essa troca, o filho sempre vai chorar e se desesperar. Para bebês não existe "meio colo" e muito menos "meio berço": ou sai ou fica.

Da mesma forma que não existe meia dieta: não adianta comer alface no jantar e, no meio da noite, assaltar a geladeira e comer uma lasanha. Ninguém quer choro; logo, não reforcem o choro. Além disso, façam valer todo o esforço do filho que nunca chora no colo ou peito para dormir e se desespera muito para conseguir dormir no berço. Ele só vai se acostumar e não chorar mais quando, sempre que tiver sono, iniciar e retomar o sono no berço.

Não sou apegada a nenhum método. Tenho claro, como expliquei no início do capítulo, que são apenas meios para chegar a um fim. E, diga-se de passagem, um fim libertador: noites de sono sem choro.

Os pais são os responsáveis por escolher a forma como se sentem seguros e confiantes em promover a adaptação dos filhos ao novo *kit* sono. Preciso da família continente para que sigam em frente com o plano de sono, de forma coerente, consistente e constante. Em qualquer método, o foco está acolher o choro sem tirar o filho da rota do aprendizado. Logo, métodos não resolvem o choro. Resolvem o sono. E, dormindo bem, ninguém chora mais.

6

MAMAR PARA NANAR

Fazer o bebê mamar para dormir é o hábito mais comum e geralmente resquício da fase de amamentação, quando sono e fome andavam muito próximos e, assim, o leite resolvia tudo. Essa associação, com o passar dos meses e até anos, nem sempre é clara para os pais. Como o leite resolve a fome e, por tabela, o sono, muitas famílias ficam confusas com a relação entre mamar e nanar.

Há o bebê que é muito magrinho, e a justificativa dos pais de dar leite durante a noite é pelo receio de o filho não ter reservas suficientes para se garantir a noite toda. Existe a família do bebê gordinho, que, por ser bem guloso durante o dia, os pais acham que não vai dar conta de uma noite inteira sem se alimentar. Enquanto a família não conseguir separar fome de sono, essas dúvidas e inseguranças em relação ao leite nos despertares noturnos podem pairar e piorar por anos.

O hábito de mamar para nanar pode se apresentar de diversas maneiras. Existem bebês e crianças que dormem mamando, entrando em sono profundo a cada gole. Outros só precisam desse gatilho para ficarem sonolentos, terminam de mamar ainda com os olhos semicerrados, mas parecem estar acordados. Há também aqueles que a mamadeira serve apenas para confortar e relaxar. Neste capítulo serão expostos alguns casos em que esse hábito se configurou de variadas maneiras e em distintas idades.

Um caso clássico

Lucas, de 7 meses, me pareceu de cara o caso típico da associação direta: adormece mamando e só retoma o sono no peito. Ele estava deixando os pais enlouquecidos. Fazia cerca de um mês que ele tinha passado a acordar seis, sete vezes durante a noite. Praticamente de hora em hora. Antes dessa mudança de padrão de sono, os pais relataram que ele estava acordando apenas uma vez para mamar, dormia por volta das 20h e ia direto até as 5h, mamava de novo e só acordava às 6h30.

Bebê cansado e pais exaustos é uma forte combinação de noites sem rumo, ou seja, um bebê conduzindo o caos. Nesse contexto, toda vez que Lucas acordava, a mãe rapidamente o colocava no peito e logo ele retomava o sono. Como isso acontecia várias vezes ao longo da noite, em pouco tempo o pequeno Lucas foi aterrissando de paraquedas na cama dos pais, no gerúndio mesmo, já que essa situação, diga-se de passagem bem comum, não é nada programada, simplesmente vai acontecendo como forma de minimizar o cansaço de uma família em apuros.

Quando a "cama com paraquedas" resolve de imediato as noites caóticas, mesmo que a contragosto dos pais ou de pelo menos um deles, o aparente sossego não costuma durar por muito tempo. Algumas famílias procuram ajuda algumas noites depois do primeiro pouso, pois o filho com menos de um metro de altura se transforma em um gigante no meio da noite, passando a ocupar o espaço total de uma cama *king size*. Para aqueles que preferem manter o pequeno gigante entre eles, a saída encontrada para garantir noites minimamente reparadoras é, literalmente, a saída de um dos pais do quarto (cama compactuada).

No caso de Lucas, ele até ficava no berço no início da noite, na primeira emendada do sono, mas depois do terceiro despertar a mãe, exausta, já o deixava ao seu lado na cama do casal, pois era mais prático apenas levantar a blusa para ele mamar. Ninguém estava confortável com essa situação, nem mesmo o bebê, que mostrava o cansaço nas olheiras e em uma persistente irritabilidade durante o dia. Além disso, nem sempre o peito era eficaz, e Lucas ficava "chupetando" o bico do seio até entrar em sono profundo, caso contrário era aquele chororô.

Além de todo o estresse de noites maldormidas e desgastantes para todos os envolvidos, os pais estavam tendo conflitos entre eles porque cada um achava que o problema estava no outro. O pai tentava ajudar no meio da noite, mas

Lucas chorava ainda mais quando ele aparecia no quarto. Rodrigo desistia de tentar fazê-lo dormir e acabava levando o menino para a mãe, culpando a esposa por ter acostumado o filho nessa dependência. Já Daniela dizia que o pai deixava o menino chorar a ponto de despertá-lo, tornando a retomada do sono ainda mais difícil. O único consenso entre o casal era que o problema de Lucas era o "vício" no peito.

No primeiro contato com Daniela, por telefone, ela não me contou que o filho dormia mal, e sim que queria parar de amamentá-lo. Perguntei a ela: "Você quer mesmo desmamá-lo ou vocês querem dormir?". Ela me respondeu: "Mas não é a mesma coisa?". Fui direta: "Enquanto para vocês mamar e nanar forem sinônimos, o Lucas não vai saber diferenciar uma coisa da outra".

Em seguida, perguntei: "Vamos supor que realmente você decida parar de amamentar o seu filho. O que vocês pretendem fazer para substituir o peito para ele dormir?". Alguns segundos de silêncio e ela respondeu: "Colo". Nesse caso, o casal vai trocar seis por meia dúzia: um hábito que gera dependência por outro do mesmo nível. Não resolve em nada o sono do bebê nem o dos pais dele. A única diferença é que o colo permite à mãe contar com a ajuda de outras pessoas para fazê-lo dormir, só que nem isso melhora o sono dela, que fica com os olhos esbugalhados, fixos na câmera da babá eletrônica, esperando o filho voltar a dormir no colo do pai ou da babá.

Daniela concluiu, nesses minutos de conversa, que ela e o marido estavam perdidos e precisavam de direcionamento.

No primeiro atendimento, os pais estavam desmotivados e sem esperança, dizendo que já haviam tentado de tudo e que não sabiam mais como ajudar o filho a dormir a noite toda.

Algumas palavras durante a conversa com eles reverberaram em mim: "ajudar a dormir", "tentar de tudo". O problema estava justamente ali: quem recebe ajuda para dormir precisará de ajuda para retomar o sono sempre que despertar. Se os pais "fazem o filho dormir", sempre que ele estiver com sono terão de fazê-lo dormir e tentarão de tudo para conseguir isso. Se o pequeno Lucas pudesse se expressar, imagino que seria assim: "Acordei, tô com sono, estou chorando, o que será que vai acontecer? Mamãe? Papai? Peito? Chupeta? Ficar no berço? Sair daqui?".

Com sorte, se a atitude dos pais corresponder à expectativa do filho, com certeza ele logo voltará a dormir: com o peito e mamãe. Agora, se aparecer o cara barbudo com aquele treco de borracha na mão, aí é berreiro garantido.

Como Daniela e Rodrigo não viam luz no fim do túnel, liguei a lanterna junto com eles para mostrar o caminho de mudanças.

Reconhecendo o problema real

O primeiro passo foi os pais reconhecerem que o real problema do filho não era acordar muitas vezes durante a noite. Não. Essa era a consequência. O problema dele era não saber dormir com autonomia.

Como já vimos no Capítulo 1, todos nós temos breves e semiconscientes despertares ao longo da noite. Mas, se temos o *kit* sono ao nosso dispor, automaticamente engatamos o próximo ciclo de sono.

Daniela e Rodrigo até entenderam esse ponto, mas não compreendiam por que tudo desandou no sono do filho quando ele estava perto de completar 6 meses de vida. Eles relataram que Lucas dormia no colo da mãe mamando, e dessa forma dormia várias horas seguidas. E eles tinham razão em ficar intrigados com isso.

O sexto mês não é um marco aleatório na vida de um bebê, como já discutimos no Capítulo 3. Nessa fase foi ligada a "chavinha da esperteza" no Lucas. Isso é parte do salto do desenvolvimento. Ele passou a ter noção de ausência e presença (mamãe estava aqui e sumiu); capacidade de antecipação/causalidade (eu choro e mamãe e peito aparecem); associação direta (sono/cansaço equivale a peito). E assim tudo desandou, já que a partir dessa idade, a cada despertar, próprio do ciclo de sono, ele, com sua incrível capacidade cognitiva, incorporou como aprendizado esse *kit* sono, diga-se de passagem, confuso. Dormia no colo, mamando e agarrado com a mãe, e, de repente, no susto, despertava sozinho, no berço, sem mamãe e sem peito.

O *kit* sono do Lucas, uma vez aprendido, era: colo (como o lugar de dormir), mamãe (como naninha) e peito (como gatilho para relaxar, se acalmar e pegar no sono). Ou seja, o modo de dormir do Lucas não se sustentava por toda a noite, apesar de todo o esforço dos pais em tentar dar conta desse *kit*.

Resolver os problemas de sono do Lucas passava diretamente pela mudança de "*kit* sono dependente" para "*kit* sono autônomo". A pergunta que não quer calar é sempre a mesma. Como fazer essa transição e promover um novo aprendizado?

O plano de sono do Lucas

Os pais entenderam os objetivos do processo que deveria ser seguido. Foi muito importante para a família essa primeira conversa. Ambos se deram conta de que, quando o filho se mostrava cansado, sempre diziam: "Luquinha, você está com soninho, então vem mamar". Perceberam que era preciso alterar a associação de cansaço e peito. O recado ao bebê deveria ser: "Filho, quer dormir? Então vai nanar".

E nanar passaria a ser:

- Berço (e não mais colo) como lugar de dormir e não somente como lugar de acordar.
- Dissociar o mamar do nanar. O peito seria parte da rotina da noite e não mais gatilho de sono.
- Apenas chupeta e uma naninha como associações de sono, ambas associações sustentáveis a noite toda.
- Lucas encontrar o seu jeitinho próprio de adormecer no berço, de modo ativo, sem precisar de ajuda externa (tanto no início da noite quanto nos despertares noturnos).
- Papai e mamãe estão por perto, mas não ficam no quarto por toda a noite.

Para chegar a isso, desenvolvi com os pais um plano de sono, uma espécie de mapa indicando o caminho a ser seguido. Nesse mapa, cada um poderia contribuir na construção da rota, sem garantias de que seria um caminho fácil, rápido ou sem percalços. Apenas com a certeza de que, além de seguro, seria sempre coerente, consistente e contínuo, independentemente das pedras que fossem encontradas pelo caminho.

O foco do processo foi, primeiro, modificar os hábitos do sono da noite na aposta de que, com isso, o bebê passaria a dormir a noite inteira. Só depois é que analisaríamos a necessidade de mexer nas sonecas (trataremos especificamente das sonecas no Capítulo 12).

Vejamos, agora, as etapas do plano de sono do Lucas:

- Última mamada: Lucas continuaria sendo amamentado. No entanto, o peito agora seria associado apenas à alimentação, com todo o afeto, carinho e aconchego envolvidos nessa relação. Dali em diante, o mamar sairia do ritual do sono (antes no quarto, no escurinho, em silêncio etc.) e passaria a ser dado em outro local da casa, por exemplo, na sala, sem o clima de sono, ou seja, ainda com os estímulos próprios do horário da casa, sem a intenção de fazê-lo dormir. Mesmo assim, os pais cogitaram o risco de o Lucas ficar sonolento e acabar adormecendo, mesmo mamando na sala. Levando isso em conta, combinamos de ele mamar um pouco mais cedo (sem estar tão cansado) e antes do banho[1]. Assim haveria uma quebra entre o mamar e a hora de dormir.

- *Dúvida de fome*: a estratégia seguida para garantir que ele não tivesse fome durante a noite seria oferecer uma *mamada dos sonhos* (vejam o box a seguir), por volta da meia-noite. Assim, ele mamaria às 19h e ficaria cinco horas sem mamar; à meia-noite haveria uma mamada com Lucas sempre dormindo (inconsciente) e mais cinco horas até o despertar pela manhã.

MAMADA DOS SONHOS

A mamada dos sonhos é uma das técnicas do método da Encantadora de Bebês, Tracy Hogg. Tem esse nome justamente porque deve ser oferecida geralmente entre 22 e 23h, sempre com o bebê dormindo. A intenção é ajudar a prolongar o sono do bebê para que ele não acorde com fome durante a noite.

O objetivo é "encher o tanquinho" dele sem estimular a associação peito ou mamadeira com o sono. Assim, caso o bebê desperte durante a noite, a mãe fica segura de que dessa vez não foi por fome.

A indicação é sempre pegar o bebê dormindo no berço, oferecer o peito ou mamadeira, permitindo que ele mame o quanto quiser, e, depois de arrotar, retorná-lo ainda adormecido.

O recomendado é retirar essa mamada, de modo gradual, a partir do momento em que o bebê estiver se alimentando bem nas refeições (almoço e jantar), o que geralmente ocorre por volta dos 7 meses.

- *Atividades de fim de dia*: o banho, como última atividade da rotina da noite, promoveria para o Lucas uma sensação de relaxamento. Mesmo que

1 Muitos pais temem que mamar mais cedo, antes do banho, possa interferir na fome ao longo da noite. Geralmente os bebês mamam rápido e o banho não passa de 20 minutos. Exemplo: o bebê jantava às 18h e sempre mamava às 20h no quarto. Agora o bebê vai jantar às 17h40, às 19h40 vai mamar, e em seguida vai para o banho. Às 20h estará no quarto do mesmo jeito. Não serão esses 20 minutos que farão o bebê morrer de fome ao longo da noite.

durante o banho fosse um momento divertido, sair limpinho, quentinho e com sono poderia ser um modo de criar um clima gostoso antes de entrar, na sequência, no ritual do sono. A troca de roupa sempre aconteceria no quarto dos pais. Até aqui, Daniela ainda estaria presente na rotina. Depois de Lucas já trocado, a mamãe se despediria do filho com um beijinho de boa-noite e já ficaria por ali mesmo.

- *Ritual do sono*: sempre deveria ser feito no quarto do bebê. Lucas seria levado no colo do pai[2], com sono, mas ainda acordado. Os pais combinaram que, nesse momento, a despedida do dia seria com uma canção, sempre a mesma[3], e depois uma oração. Em seguida, o pai o colocaria no berço, ainda acordado e consciente.
- *Gatilhos do sono*: sem o peito, Lucas agora precisaria encontrar outro modo de dormir. Essa é a parte que caberia somente ao Lucas. Na falta do peito, ele precisaria preencher esse vazio de hábito de sono com outra maneira própria de se acalmar, relaxar e dormir ativamente. E nesse ponto os pais poderiam ajudar... *com* o filho, mas não mais *por* ele, no ato de dormir. O auxílio, no caso, seria muito mais no direcionamento, oferecendo chupeta e naninha.

Agora era a hora de os pais escolherem por qual dos métodos eles optariam para dar o acolhimento ao filho nos momentos de choro e, ao mesmo tempo, se colocarem fora do *kit*. Daniela queria algo mais gradual, que não envolvesse "deixar chorar". Pai e mãe sabiam que só o peito faria Lucas se acalmar nos momentos de braveza. Então preferiram que pelo menos o pai estivesse ao lado do bebê até ele se acostumar a dormir no berço. Só depois de superada essa fase de adaptação eles se sentiriam seguros para sair do quarto com Lucas ainda acordado.

Cheguei à casa de Lucas no fim da rotina da noite. Fui recebida pelos pais e a avó, que já estava de saída. Ela não queria ver o neto chorar. O clima era tenso. A mãe estava visivelmente aflita. O choro para os pais é sempre o

---

2 Em conversa com os pais, ficou decidido que o pai assumiria o plano de sono nas primeiras noites. A decisão foi tanto pelo fato de Daniela ter mais dificuldade em lidar com o choro do filho quanto pela associação direta com o peito, o que poderia deixar Lucas ainda mais bravo ao ver a mãe sem poder mamar para nanar.

3 Os bebês, como mencionei anteriormente, precisam da repetição para que o novo se torne conhecido e para que tenham condições de antecipar a sequência que os conduz até o berço.

problema. Para mim, o grave é essa família não dormir a noite toda, justamente tentando resolver o choro.

O pai se mostrava racional e convicto de que tudo isso era muito importante para a sua família, principalmente para o filho. Lucas precisava aprender a dormir. Mas Rodrigo estava inseguro sobre como ensiná-lo a fazer isso.

Ninguém ensina um filho a dormir, como não ensinamos um filho a engatinhar ou andar. Não ficamos fazendo a troca dos passos, indicando se agora é a perna direita ou a esquerda. Se a criança, que já tem toda a condição de andar, passasse o dia no colo, perderia a oportunidade de treinar, testar os movimentos, cair, se levantar e, assim, desenvolver essa habilidade. Para aprender a andar uma criança precisa apenas de espaço, tempo e oportunidade. Em um piscar de olhos, quando nos damos conta, nosso filho já está correndo.

Assim seria com o sono do Lucas. A parte que cabe aos pais estaria feita: uma rotina organizada e coerente. Um ritual do sono acolhedor, em um quarto arrumado com muito amor e carinho, um berço confortável e seguro. Lucas alimentado, limpinho, com sono, depois de um dia gostoso e repleto de atividades divertidas. Lembrando sempre aos pais que o bebê está na casa dele, com a família por perto, só indo dormir com sono. Agora deveríamos dar um voto de confiança ao Lucas e esperar a parte dele fluir. Admito: é um processo muito lógico e racional para uma relação intensa e emocional demais.

Na primeira noite, Lucas demorou uma hora e dez minutos para dormir. Teve muito choro, ele suou, tossiu e ficou boa parte do tempo de pé no berço. Afinal, o berço sempre foi para ele o lugar de chorar e sair e não de ficar, se deitar e dormir.

Algumas vezes o pai tentou apenas acalmar o filho no colo, sem sucesso. Então optamos por não usar esse recurso, afinal não estava adiantando. O pai fez cafuné, deu tapinhas nas costas, mas realmente nada acalmava. Algumas poucas vezes tentou deitar o filho, mas Lucas estava bem resistente. Não era preciso insistir em deitá-lo. A função do pai era apenas mostrar ao filho como ele deveria fazer quando estivesse cansado. No passado, Lucas chegava deitado de modo passivo (dormindo). Agora era esperar ele ter a iniciativa de se aconchegar no berço e se deitar por si só.

Daniela ficou bem aflita, em um misto de sentimentos que iam desde a culpa por ter estimulado esse hábito até pena e repentes de arrependimento por "fazer isso" com o filho. Também sentiu raiva de si mesma, por não ser mais forte e não aguentar por mais tempo a privação de sono, como se passar noites em claro fosse um ato de amor ou uma opção saudável.

Daniela achou uma hora e dez minutos muito tempo para Lucas conseguir dormir. Eu concordei, mesmo que seja uma média nesse processo na primeira noite (45 minutos a 1h30). Realmente é sofrido, para todos os envolvidos, esse tempo de choro e espera impotente e passiva até o bebê engatar o sono. Então, deixei clara a mensagem: "Façam valer o esforço do Lucas". Se com o peito ele dormia em cinco minutos e sem esse gatilho ele demorou uma hora e dez, não seria justo com ele voltar aos hábitos antigos. Seria o mesmo que nadar e morrer na praia. O caminho era seguir em frente para que, se distanciando do *kit* dependente e no seu tempo, Lucas fosse capaz de construir um novo *kit* sono, tão aconchegante quanto antes, mas, ao mesmo tempo, bem mais estável e fiel. Só assim não haveria mais choro.

A mãe conseguiu dar a mamada dos sonhos à meia-noite. Mesmo assim, às 3h da manhã Lucas acordou, o pai manteve o processo até 4h30 e ele voltou a dormir no berço. O pai só ajudou, colocando a chupeta na boca do filho em curtos intervalos (a cada dois minutos) e oferecendo a naninha, em que Lucas batia com as mãos em sinal de desaprovação. Lucas só voltou a dormir às 5h15. Às 6h30 ele acordou para o dia.

A mãe me disse que ficou preocupada, pois percebeu que o filho dormiu por exaustão, já que nada o confortava. Confirmei que ela estava correta e expliquei que, como bebês aprendem na repetição, as primeiras noites inauguram algo novo e desconhecido. Com o passar do tempo, com Lucas sendo assertivo em um modo tranquilo de dormir, o novo passaria a ser o conhecido. No peito Lucas também dormia por exaustão, ou seja, de modo aleatório, apenas sugando sem se dar conta disso. A diferença era que o peito tampava o choro.

Os pais relataram as noites posteriores. Ainda houve muito choro no início da noite por 30 a 40 minutos, o tempo que levava até ele conseguir dormir. Mais do que o choro, eu queria saber o que os pais estavam observando, tanto Rodrigo no quarto, perto do filho, quanto Daniela, pela babá eletrônica. Eu queria saber se Lucas estava encontrando um novo *modus operandi* de dormir. Pelo relato dos pais, ele estava mais apegado à chupeta e dormindo de bruços. Só que se agitava muito quando colocado no berço e acabava demorando para achar essa posição. Às vezes Rodrigo dava uma ajudinha, mas logo

Lucas ficava ainda mais bravo. Ainda acordava na madrugada e estava levando ao menos 45 minutos para voltar a dormir.

Passadas as nove primeiras noites, conforme o método, o pai ainda estava no quarto. O choro continuava intenso no final da rotina, inclusive no banho, de que ele tanto gostava, e durante o ritual do sono. Porém, dentro do berço, logo Lucas parava de chorar e se agitava até achar a nova posição de dormir. Tudo indicava que ele estava antecipando que depois do banho já iria para o quarto e o berço (situação ainda não confortável para ele), e os pais relataram que o filho estava sentindo muito a despedida da mãe. Decidimos fazer a hora do boa-noite com Daniela ser depois da mamada na sala e, em seguida, Lucas iria para o banho somente com o papai[4].

Após duas noites, ele já não chorava ao dar boa-noite para a mãe, pois sabia que iria para o banho (que sentia como algo gostoso). Orientei Rodrigo a ficar um pouco mais tempo no ritual do sono com o filho no quarto, estendendo a hora do colinho. Esses ajustes permitiram ao Lucas ficar mais tranquilo nesse finalzinho da rotina.

Os pais também estavam inseguros com o fato de que, pelo método, na próxima noite seria a saída do pai do quarto. Lucas já estava mais tranquilo na hora de ir para o berço e Rodrigo ainda intervinha a cada 5 minutos, oferecendo a naninha e a chupeta em caso de choro. Lucas estava demorando cerca de 20 minutos para iniciar o sono, e o pai precisava se levantar da cadeira no máximo três vezes. Na madrugada, os pais ouviam resmungos, mas, na maioria das vezes, sem necessidade de Rodrigo ir até o quarto. No geral, nos despertares noturnos, apenas uma vez o pai precisava ficar na cadeira, por no máximo dez minutos, dando uma vez a chupeta e a naninha. Os pais já estavam muito felizes com todo esse progresso do filho.

---

4 Muitas mães se sentem excluídas de um momento da rotina que sempre curtiam muito com o filho. A ideia de o pai assumir o banho e o ritual do sono é apenas provisória. Tão logo o bebê passe a ficar mais calmo, a mãe volta a fazer parte dessas atividades do final do dia. Até porque o objetivo é que, uma vez que as associações de sono não estão diretamente vinculadas às pessoas ao redor do bebê, qualquer pessoa será capaz de fazer todo o passo a passo da rotina, já que o mais importante para o bebê será ser conduzido, com sono, acordado, até o berço. Essa experiência é tão libertadora que, depois que tudo fica estável, a vovó ou a folguista também podem assumir essa rotina para que os pais tenham condições de ir ao cinema, por exemplo. Não só pode como deve existir vida social depois do nascimento dos filhos, mas para isso nem o pai nem a mãe podem fazer parte do *kit* sono.

Nesse contexto, além da insegurança de sair do quarto, os pais temiam que o choro se intensificasse com a mudança. Realmente havia a possibilidade de isso acontecer, já que seria a retirada do item "companhia do papai" do *kit* sono. Não tínhamos ideia do quanto ele poderia já ter se apegado à presença do pai como associação de sono. Na escolha do método gradual, esse é um risco calculado.

Eu não queria que os pais se contentassem com pouco, visto que Lucas tinha condição de evoluir bem mais que isso. Ou seja, iniciar o sono no quarto por ele mesmo, sem necessitar do pai ao lado ou de sua intervenção, nem no início da noite, nem nos despertares noturnos, mesmo que apenas uma vez.

Procuro sempre respeitar o tempo da família, então combinamos seguir em frente por mais algumas noites ainda com o pai na cadeira, com a condição de que Rodrigo evitaria ao máximo intervir ativamente quando Lucas chorasse no berço. Ele apenas faria o barulho do *shshshsh* sentado na cadeira na porta do quarto e, se tivesse de agir de alguma maneira, seria entregando a chupeta, não mais na boca, mas agora na mão do filho, ajudando-o a conduzi-la até a boca. Durante o dia, Lucas já estava sendo treinando no manejo da chupeta com sucesso. Quem consegue isso à luz do sol tem condições de fazer o mesmo no meio da noite. Para facilitar, os pais compraram chupetas que brilham no escuro.

Pais aliviados e seguros com os próximos passos, seguimos em frente por mais cinco noites nas quais Lucas conseguiu se virar muito bem dentro do berço no manejo com as chupetas e, para nossa alegria, se apegou à naninha, ou melhor, à etiqueta dela. Com chupeta na boca e os dedinhos roçando no tecido, Lucas relaxava, se acalmava e, quando estava quase pegando no sono, se virava de bruços. Esse foi o ápice do processo. Saía do forno o seu novo *kit* sono: chupeta, naninha/etiqueta, bruços e ainda contando com o papai na cadeira. Justamente nessa fase, os pais se sentiram seguros para avançar. Perceberam que a presença do pai estava atrapalhando a noite dele, visto que, em pelo menos um despertar, Lucas chorava até o pai se sentar na cadeira, mesmo que de longe: o próprio bebê ficava olhando-o pela frestinha da grade.

Tentei ao máximo mostrar para os pais que a saída do Rodrigo do *kit* sono era só o que faltava para manter com o bebê todo o *kit* completo por toda a noite. Aparentemente apenas um passo de distanciamento do pai, mas um salto incrível de autonomia para o filho. Lucas não estava sozinho. Os pais estariam sempre por perto, e a melhor parte é que Lucas estaria bem consigo mesmo no bercinho.

Lucas chorou por volta de 20 minutos nas três primeiras noites da saída do pai, mas Rodrigo teve de entrar poucas vezes, já que Lucas conseguia se organizar com os itens do seu novo *kit*. Assim que o pai saía do quarto, Lucas ficava de pé no berço, mas logo se deitava de bruços com chupeta e naninha. Logo lembrava do pai, chorava e ficava de pé de novo. Rodrigo teve de entrar umas três vezes no quarto até o filho dormir sem a sua presença. A partir da quinta noite dessa mudança, não houve mais choro e Lucas ficava cantarolando para si mesmo, com barulhinhos que pareciam um mantra para dormir, se ajeitava com a naninha (mexendo na etiqueta) e chupetas, achava a sua posição e logo engatava o sono. Tudo observado pelos pais na câmera da babá eletrônica.

Mais algumas noites e a rotina passou a ser mais tranquila, mesmo que ainda com chorinho na despedida da mãe. Daniela estava mais segura nesse momento em que o filho já tinha um novo *kit* e se prontificou a assumir o ritual do sono. A ideia inicial de o pai conduzir esse processo era apenas de Rodrigo ser o mediador das mudanças nos hábitos de sono do filho. Uma vez que as alterações foram realizadas, esse é o ponto em que outras pessoas precisam circular na hora de dormir para que Lucas tenha a vivência de que, sempre que estiver com sono, o modo de resolver isso será exatamente o mesmo, independentemente de quem esteja direcionando o seu caminho até o berço.

Na noite de estreia da mamãe, ainda mantivemos a rotina de o pai dar o banho e Daniela levou o filho para o quarto do casal para trocá-lo. No ritual do sono, os pais perceberam que Lucas ficou mais agitado com a presença da mãe. Isso era esperado, tendo em vista a novidade para ele da mãe nesse contexto da noite. Na hora de ir para o berço, o choro se intensificou na despedida, bem diferente de como estava com o pai (sem choro). Daniela teve de entrar no quarto umas três vezes até Lucas conseguir dormir. As demais noites ainda tiveram um pouco de choro nas despedidas com a mãe, mas Daniela engatou a primeira e foi em uma reta só até o filho se acostumar com ela. E assim não teve mais choro. Hoje em dia mamãe e/ou papai fazem toda a rotina da noite, se despedem do dia dentro do quarto com o ritual do sono e saem do quarto sem nenhum problema.

Quando o sono do Lucas ficou estável, ou seja, quando ele passou a dormir tranquilo, rapidamente e a noite inteira, partimos para a retirada da mamada dos sonhos e foi tudo muito tranquilo. Lucas não sentiu falta ao longo da noite. De manhã, no reencontro com a mãe, mamava no peito, mas, como passou a acordar com mais apetite, isso trouxe uma mudança de rotina para a família.

Mamãe e papai tinham agora a companhia do filho Lucas na mesa do café da manhã, comendo de tudo, como um menino grande.

Resolvido o sono do filho, a mãe passou a oferecer o peito apenas nos momentos em que Lucas estava bem desperto: café da manhã, a partir das cinco da manhã, lanchinho, após a soneca da tarde, e na rotina da noite, antes do banho. Quando chegou a fase de desmame, ele ficou bem mais tranquilo nesse processo. Estando a amamentação no lugar certo de alimento, ela foi gradativamente sendo substituída pela mamadeira, sem grandes dificuldades nem para a mãe, nem para o filho.

O processo de reeducação do sono do Lucas trouxe aos pais não apenas o alívio das noites de sono tranquilas e reparadoras, mas um novo olhar em relação às capacidades do filho. Daniela reconheceu que, por ser muito controladora, queria dar conta de tudo do seu jeito, sem dar espaço para que o filho e o marido testassem jeitos diferentes. Reconheceu a importância do pai nesse processo, e percebeu que muitas vezes, ao fazer tudo pelo filho, não sobrava espaço para ele desenvolver sua autonomia.

Os *tetês* da Lara

Lara, uma linda e esperta menina de quase 3 anos, acordava várias vezes durante a noite, pedindo leite. Chegava a tomar três a quatro mamadeiras por noite. Ao contrário de Lucas, não adormecia mamando. Algumas vezes só tomava uns golinhos, outras vezes a mamadeira toda, só que ela mesma a entregava para a mãe e ainda ficava uns minutinhos acordada na cama com Joana ao seu lado. No caso de Lara, o leite tinha apenas a função de relaxar e acalmar. O resto ela fazia por conta própria, porém precisava da companhia de um adulto para iniciar e retomar o sono. Joana estava exausta e decidida a tirar essas mamadeiras noturnas. Porém, o pai era bem reticente e inseguro. O casal arrastou essa situação justamente pelas divergências entre eles: Joana tinha certeza de que o *tetê* era puro hábito, mas Ricardo achava que a filha poderia estar com fome. O auge desse conflito aconteceu na última consulta com o pediatra, que estava preocupado com o sobrepeso da criança. Durante a noite ela estava mamando (mesmo de gole em gole às vezes) mais de meio litro de leite. O médico ainda enfatizou que, além das calorias em excesso, o próprio sono entrecortado da criança também poderia estar interferindo no ganho de peso. Agora era uma questão de urgência dissociar o mamar do nanar.

Muitos pais de crianças maiorzinhas (acima de 2 anos) temem que, pela idade dos filhos, seja tarde demais para qualquer tentativa de mudança de hábitos. Nunca é tarde para começar, e a vantagem na idade de Lara é que poderíamos incluí-la de modo ativo em seu processo de reeducação do sono. A desvantagem é que crianças nessa idade costumam ser bem teimosas e persistentes quando frustradas e contrariadas.

Uma vez definidas as mudanças de atitude dos pais diante do despertar da filha, transformaríamos todas essas alterações em novos combinados do sono para a Lara. Os pais escolheram as princesas como enredo do plano de sono. Assim, seriam elas quem enviariam as regras do sono e, ao mesmo tempo, a incentivariam a se esforçar para cumpri-los. Todo esse pano de fundo é apenas o modo lúdico de florear o processo. Avisei aos pais que nenhuma princesa convence uma criança de que tomar *tetê* durante a noite não é gostoso nem faz bem. Não existe magia: aqui se trata de mudança de hábitos. O mundo imaginário ajuda a passar para a criança, por meio de uma linguagem infantil, que dali para a frente haverá mudanças. Da parte da criança, gostando ou não, ela deverá respeitar as novas regas definidas pelos pais com todo o acolhimento e afeto, mas principalmente cercada de limites.

Lara sempre conduziu as noites da casa. Por estarem tão cansados e sem forças, os pais tinham jogado a toalha. Tudo o que a filha pedia ao longo da noite era uma ordem a ser cumprida. Era pura sorte a menina tomar quatro mamadeiras. Se ela acordasse mais vezes, ganharia mais leite. Em algumas noites, ela mamou seis vezes. Com medo dos choros e gritos, as noites estavam caóticas. Fui muito franca com os pais. A partir de agora seriam eles no comando da noite, para o bem de todos. A impressão que eu tive foi a de que estavam sem opção, por isso toparam.

Não tiraríamos nada da Lara. O *tetê* continuaria na vidinha dela, mas fora do clima sono[5]. Neste caso, apenas remanejaríamos cada coisa no seu devido lugar. O *kit* sono atual da menina estava claro: mamadeira e companhia da mamãe. Sendo, assim, definimos o plano de sono da Lara.

---

5 Clima sono é todo o ambiente do quarto preparado para induzir o sono: escuro, calmo e silencioso.

Última mamada: assim como Lucas, Lara tomaria a última mamadeira do dia na sala e não mais no quarto. Assim, tirando o *tetê* do clima sono (deitada na cama), a mamadeira passou a fazer parte da rotina da noite. Para marcar a mudança, quando terminasse de mamar, ela mesma conduziria a mamadeira até a pia, deixando-a "dormir na cozinha" até o dia clarear. Com essa mudança, já seria incluído o hábito de escovar os dentes antes de dormir.

É muito comum os pais, no geral, escovarem os dentes dos filhos depois do jantar e esquecerem ou omitirem para si mesmos que ainda darão a mamadeira no quarto. É tão forte para os pais essa relação entre mamadeira e sono que o leite como alimento se torna secundário. Muitos deles nem se dão conta da incoerência de escovar os dentes antes do *tetê*.

Com a Lara tomando o leite na sala e escovando os dentes em seguida, também evitaríamos a cárie de mamadeira, muito comum nessa relação direta entre mamar e nanar. Certa vez, atendi uma criança com 1 ano e 4 meses com quatro restaurações em decorrência desse hábito (veja o texto explicativo ao final deste capítulo). Vamos lembrar que Lara tomava leite no início da noite e mais três a quatro mamadeiras, tudo isso sem escovar os dentes.

- *Ritual do sono*: uma vez que a mamadeira sairia do ritual do sono, agora precisaríamos colocar algo no lugar que marcasse a hora de dormir. Os pais optaram por ler com a filha *um* livrinho. Não foi à toa que sublinhei o um, já que, sabendo que crianças nessa idade costumam postergar a hora de dormir o máximo que conseguem, eu disse aos pais que, se achassem que essa etapa mereceria mais do que uma história, que dissessem naquele momento. Ficou bem marcado que seria apenas uma história, seguida de uma música e a oração final.
- *Companhia*: geralmente era Joana quem permanecia no quarto até a filha conseguir dormir. Dali para a frente, a mãe[6] a colocaria na cama, se despediria da filha ainda acordada e deixaria o quarto, literalmente tirando o corpo fora do *kit* sono da filha. Fizemos assim porque Joana ficava deitada na cama com a Lara até ela entrar em sono profundo, ou seja, saía de fininho quase sem respirar para não correr o risco de acordá-la. Mesmo

6 Havia a opção de o pai assumir o processo, mas, segundo Joana, o marido era muito sensível a choro e, dos dois, ela era mais capaz de sustentar todo o processo sem se arrepender.

com a melhor das intenções, por se tratar de um hábito de sono[7], o fato de ora estar do lado, ora sumir no meio da noite estava deixando a filha aflita e insegura. Quando Lara despertava e não via a mãe, corria assustada até o quarto dos pais. Ela sabia onde encontrar a mãe, mas, quando se precisa de um gatilho para conseguir dormir, não adianta nada a parte informativa. Se eu preciso do meu travesseiro para adormecer e também preciso dele nos despertares noturnos, não adianta me falarem: "Deborah, pode dormir com o seu travesseiro agora às 21h, mas às 2h da manhã ele vai estar no outro quarto. Tudo bem para você?". Claro que não! *Kit* sono tem de ser sustentado a noite toda.

- *Substituto da mamãe*: a ideia não seria passar para a criança que a partir de agora ela dormiria sozinha. Sempre haveria alguém por perto pela casa, e ela poderia escolher ter ao seu lado um amigo do sono fiel, que se manteria com ela por toda a noite. Lara escolheu três princesas.
- *Combinados do sono*: Lara já se comunicava muito bem verbalmente, e, assim, aproveitamos essa capacidade para envolvê-la no processo de reeducação do sono. Todas as mudanças no plano de sono foram passadas a ela na forma de novos combinados. Falamos para Lara que as princesas queriam muito que ela e sua família dormissem a noite toda e, preocupadas porque todos na casa dormiam mal, enviaram, em uma carta explicativa e com figuras ilustrando todo o passo a passo da rotina, cada um dos novos combinados do sono (Figuras 1 a 4).

No dia da implementação do plano de sono, à tarde Lara recebeu uma caixa das princesas. Com a mãe, a menina, superempolgada, colou as figuras em uma cartolina que foi colocada na sala[8]. O principal combinado era que Lara precisava dormir durante a noite enquanto estivesse escuro e somente acordar e se levantar da cama quando estivesse claro. Se ela cumprisse isso, no dia seguinte as princesas, muito orgulhosas dessa conquista, enviariam a Lara um adesivo para ela colar no mural. Outro combinado era que a mamadeira também dormiria à noite, no escuro, e só acordaria na cozinha quando o dia clareasse.

---

7 O hábito da companhia será tratado de modo detalhado no Capítulo 8.

8 Oriento os pais a não colocarem o mural de combinados no quarto da criança, para que não seja estímulo de conversa nos despertares noturnos. Toda retomada dos combinados deve ser feita na rotina da noite e somente na hora do bom-dia.

- *Combinados do sono da mamãe* (Figuras 5 a 10): as princesas também enviaram tarefas e obrigações para Joana. Ela também precisaria dormir à noite e acordar só de dia. Assim, havia o combinado no mural das princesas de que, depois do ritual do sono com a filha, ela precisaria sair do quarto para escovar os dentes, fazer xixi, colocar o pijama, tomar água e depois ir para a cama.
- *Tarefa de Lara*: dali em diante, Lara seria a responsável por avisar aos pais que eles já poderiam acordar quando percebesse, pela fresta da porta do banheiro do seu quarto, que já estava claro lá fora. Lara gostou muito dessa tarefa.
- *Hora do bom-dia*: a pista concreta de que a hora de dormir acabou e assim Lara poderia se levantar seria a claridade do dia. Se acordasse às 5h30 e lá fora estivesse escuro, ainda seria considerado noite.
- *Enrolação*: nessa idade, quando a criança percebe que choro e gritos não alteram as regras de sono, começa o "momento enrolação". Eles começam a pedir de tudo para postergar a hora de dormir. No primeiro atendimento, já antecipamos possíveis pedidos da Lara nessa linha da enrolação. A mãe adiantou que a menina pediria para ir de novo ao banheiro, iria querer mais de uma história e pediria água. Assim, incluímos no mural a figura do xixi, água antes de ir para cama e apenas um livrinho no mural, deixando claro para Lara que as princesas definiram toda essa rotina. Uma vez na cama, nenhuma solicitação seria atendida.

Combinados do sono das princesas

FIGURA 1 Leite na sala.

FIGURA 2 A mamadeira "dorme" na pia.

FIGURA 3 Pijama + água + xixi + escovar os dentes.

FIGURA 4 Ritual do sono (no quarto): leitura de um livro, uma música cantada, oração e boa-noite para a mamãe.

Combinados do sono da mamãe

FIGURA 5 A mamãe vai escovar os dentes, beber água, vestir o pijama e fazer xixi.

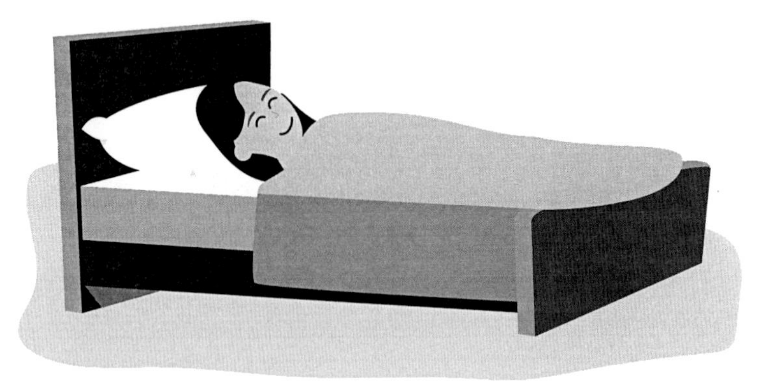

FIGURA 6 A mamãe vai dormir.

FIGURA 7 Lara dorme no seu quarto com as princesas do sono.

FIGURA 8 Lara dorme/se deita à noite (escuro) e só acorda/se levanta de dia (claro).

FIGURA 9 Mamãe acorda de dia (claro).

FIGURA 10 Mamadeira "acorda" de dia (claro).

Dúvida sobre fome

Até aqui nos concentramos nos hábitos de sono da Lara. Como o pai achava que ela acordava por sentir fome, também era preciso acolher essa dúvida. A única estratégia para dar conta dessa demanda foi inserir uma mamada dos sonhos. Assim, com Lara tomando leite sem se dar conta disso, conseguiríamos manter o combinado das princesas de que mamadeira era só durante o dia, quando estivesse claro, e, ao mesmo tempo, nos despertares, mesmo ela pedindo leite, o pai estaria seguro de que a filha estava com a barriguinha cheia.

Dessa forma, os pais escolheram o método do choro controlado. Se não era hora do leite, até o dia clarear não teria mamadeira. Uma vez que os pais validam uma nova regra, os filhos devem incorporá-la como a única opção. Os pais precisam ter paciência e entender que vai haver choro, braveza e resistência, mas que tudo isso vai diminuir e desaparecer quando a criança assimilar a mudança.

A partir de então, com choro, sem choro ou apesar do choro, a mamadeira seria dada só durante o dia. O reforço positivo, por meio dos adesivos e elogios dos pais, seria apenas mediante a conquista da Lara (dormir a noite toda) e não mais "premiá-la" (com leite e/ou companhia) no despertar no meio da noite. A aposta era de que, não tendo mais a opção do *kit* mamar e companhia para nanar, Lara encontraria outro modo de relaxar e dormir com autonomia.

Os pais estavam superconfiantes e animados com todo esse processo. Adoraram o enredo e a forma lúdica como tudo seria apresentado para a filha. Mesmo não querendo desanimá-los, fui logo avisando que, em dez anos de experiência, tive um único caso no qual esse enredo todo resolveu as noites da família. Era muito importante eles serem alertados de que, por se tratar de hábitos, por mais lúdico que fosse o modo como as mudanças estavam sendo apresentadas a Lara, seria uma ilusão achar que as princesas convenceriam a filha de que dormir sem leite e sem mamãe é algo importante para a sua vida. Em um primeiro momento, todo esse enredo tem para a criança a função apenas informativa e, para os pais, as regras que eles querem implementar a partir de agora na casa.

Na noite da implementação do plano de sono, fui recebida aos beijos e abraços por Lara. Os pais apenas haviam contado, no mesmo dia, que eles receberiam a visita da Tia do Sono. Ela já estava na expectativa desde que soubera da minha chegada a sua casa. Lara não tinha muitas informações sobre o que aconteceria naquela noite, apenas que os pais chamaram a Tia do Sono para que os ajudassem a ter noites de sono tranquilas.

Lara até esse momento seguiu tudo direitinho, animadíssima com o enredo das princesas. Tomou com orgulho o leite na sala e me mostrou os dentes limpinhos antes de ir para o quarto.

Depois da historinha, o caos se instalou. Aquela menina sorridente e fofa de poucos minutos atrás, de Bela, virou a Fera. Gritou, berrou, esperneou que queria a mamadeira. Nessa hora os pais viram o quanto leite e sono estavam juntos e misturados. Lara tinha acabado de tomar uma mamadeira cheia na sala.

Joana explicou para ela que já estava escuro, era noite, e a mamadeira já havia ido dormir. Assim que sua mãe se dirigiu à porta do quarto, Lara já se levantou da cama, aos berros. Joana reiterou os combinados (quando é noite é hora de se deitar e dormir) e tentou sair, novamente sem sucesso.

Lara insistiu em se levantar da cama por mais de uma hora e Joana até esse ponto não tinha conseguido ir ao banheiro escovar os dentes. À medida que Lara ia ficando mais cansada, o choro aumentava na mesma proporção que sua resistência. Além do sono, o choro também é de frustração por não estar sendo atendida nas suas exigências. No começo, Joana, toda vez que levava a filha de volta para o quarto, retomava o mesmo enredo das princesas e dizia: "A mamãe vai escovar os dentes, tá bom?". Orientei Joana que só devemos fazer perguntas aos nossos filhos quando é plenamente possível dar as opções sim ou não. Se não há escolha, a mensagem não deve ser passada na forma de interrogação, mas de modo afirmativo.

Joana então foi enfática na afirmação: agora vou escovar os dentes. Não que isso tenha ajudado a filha a aceitar os fatos, mas a parte que cabia à mãe estava sendo feita.

Percebi, com o passar do tempo e o cansaço de ambas nessa primeira noite, o empenho de Joana em tentar convencer Lara. A estratégia foi pouco efetiva. Deixei que mantivesse essa negociação por cerca de meia hora, quando pontuei que a chance de tentar sair do quarto pelo diálogo não funcionaria, pois não era só uma questão informativa. Seria como, em uma dieta, você querendo o chocolate e alguém falando ao seu ouvido: "Fique tranquila, ele está lá na cozinha ou na sala". Tanto a mamadeira quanto a mãe eram associações de sono, logo não funcionaria na linha do convencimento . Ela precisava de tempo para se acostumar a dormir sem esses gatilhos de sono.

Cerca de uma hora e meia depois, saindo e voltando para a cama, já sem muita conversa entre mãe e filha, apenas o mantra (é noite e hora de dormir), Lara desistiu de sair da cama e ficou chorando, sentada, pedindo mamãe e leite. A partir daí, Joana conseguiu cumprir os combinados das princesas, foi escovar os dentes e dois minutos depois voltou até a porta do quarto para reiterar à filha que estava tudo bem e que iria colocar o pijama. Lara não parou de chorar nem um minuto, e, assim, Joana foi e voltou nos tempos do método até que, por cansaço, Lara dormiu abraçada com uma das princesas. Ao todo, esse início da noite demorou duas horas e meia até Lara se entregar ao sono profundo, por volta das 23h.

Lara tomou a mamada dos sonhos dormindo à meia-noite, mas às 2h da manhã acordou gritando, chamando a mãe aos berros, dizendo que queria o *tetê*, e isso se estendeu até as 4h da manhã. Joana foi firme e forte, sustentou os combinados das princesas até o fim. No dia seguinte, retomou com a filha tudo o que aconteceu. As princesas estavam muito tristes e chateadas com Lara, que não respeitou os combinados, mas elas tinham certeza de que ela conseguiria na próxima noite. Essa é a hora do dia para conversar, dialogar e discutir as regras. Lara escutou tudo, mas fez bastante pouco-caso. Joana estava desanimada.

Assim foram as demais noites: muito choro, gritos e levantadas para dormir e mais pé de guerra na madrugada. O pai já estava quase desistindo. O que significaria voltar a três ou quatro mamadeiras noturnas e Joana se mudar para o quarto da filha. Isso não poderia ser uma opção. Joana seguiu em frente.

Passado o drama dessas primeiras eternas noites, Lara começou a apresentar evolução no início da noite, não chorando mais quando a mãe saía do quarto e não pedindo mais o leite nesse horário. Ainda se levantava no meio da noite, mas agora em silêncio. Houve vezes em que os pais nem perceberam a menina dormindo na cama deles. Tudo era conversado com ela no dia seguinte.

Até que certa vez, quando Joana já estava perdendo a esperança e suas forças de resistência, Lara conseguiu dormir a noite toda. Os pais ficaram superfelizes, orgulhosos e animados, e Lara ganhou o seu primeiro adesivo e contou para todo mundo na escola.

Devemos sempre vibrar com as vitórias, justamente na intenção de valorizar o comportamento positivo, em contraponto de não reforçar os negativos. Só que a comemoração só deve vir bem depois, quando as noites boas se tornarem o padrão.

Ainda bem que alertei os pais sobre a comemoração, porque nas noites seguintes Lara continuou despertando, algumas vezes resistindo mais e outras menos. Mantivemos firme e forte o plano de sono, sem grandes evoluções.

Passadas umas 20 noites, decidimos que seria um bom momento para Ricardo colocar a filha para dormir por algum tempo, assim poderíamos avaliar se haveria alguma diferença de comportamento em Lara. Foi uma opção certeira. Lara passou a acordar bem menos, até que o sonho se realizou e as noites tranquilas se tornaram o padrão. Vários adesivos no mural, Lara orgulhosa de si mesma, pais descansados e aliviados. Pelo visto, com Joana, Lara fazia muito mais *mamanha*.

Esse foi o momento a partir do qual retiramos, de modo gradual, a mamada dos sonhos (30 mL a cada três noites, até zerar), o que nada afetou o sono da Lara.

Cerca de um mês após o início desse processo, Joana me ligou, toda feliz e com a voz carregada de emoção. Fez questão de me contar que na noite anterior, na hora do boa-noite, Lara mandou a mãe embora do quarto e disse para ela ir escovar os dentes, sem dar nem um pio. Agora sim, poderíamos comemorar e fechar o processo com chave de ouro.

Outra situação curiosa que os pais me relataram era que muitas vezes eles acordavam de manhã e, quando passavam pelo quarto da Lara, ela já estava acordada, conversando consigo mesma, curtindo numa boa a sua horinha da preguiça. Não foi fácil para nenhum deles, mas quem disse que seria? Ficou claro para essa família que pais no comando, filhos constantes. Com todo amor, carinho e afeto envolvidos, mas principalmente com limites bem cercados.

À noite não é hora de mamar; é hora de nanar.

Quando o mamar atrapalha o sono e a alimentação

Há várias maneiras sutis de estimular o hábito de mamar para nanar. Como já vimos, há os casos mais comuns de bebês que dormem mamando, que relaxam mamando ou que só precisam desse estímulo para ficarem sonolentos. Em todas essas configurações, para muitos pais fica claro que é muito mais uma questão de hábito do que necessidade de o filho ser alimentado no meio da noite. Há os bebês ou crianças que a só mamam um pouco de leite e aqueles que ficam apenas chupetando o bico do seio. Temos também as crianças que mamam mesmo ao longo da noite e as famílias estão convictas de que o filho ou filha tem muita fome na madrugada.

Era o caso de Miguel, de 1 ano e meio. Ele dormia na cama com a mãe (depois era colocado no berço) e estava tomando seis mamadeiras de 200 mL ao longo da noite. Isso mesmo: mais de um litro de leite por noite! Resultado: mãe exausta, casal em pé de guerra e criança irritada, além disso já apresentando quadro de anemia. O fato é que, se alimentando dessa maneira durante a noite, além de supercansado, Miguel comia muito pouco durante o dia nas refeições e os pais davam mais leite, já que era o único alimento que ele aceitava bem. Depois entendemos que, como estava sempre cansado, e sendo a mamadeira sua associação de sono, ele passava o dia pedindo leite para nanar. Um perfeito caos. Como era de esperar, a mãe não tolerava choro, e resolvia sua intolerância com a mamadeira. Ela estava quase no fim da linha quando procurou minha consultoria do sono. A gota-d'água foram os exames de rotina do Miguel, cujos resultados mostraram que ele tinha anemia.

Já na primeira consulta Cecília me relatou que o marido não poderia ajudar, porque estava dormindo no outro quarto da casa, justamente para conseguir ter uma noite de sono tranquila e poder estar de pé no dia seguinte para trabalhar. Dessa maneira, o processo aconteceu com a mãe e a babá. Percebi que seria muito difícil Cecília assumir o plano de sono. O próprio desespero dela, só de pensar que o filho iria chorar, refletia-se no seu rosto. Frisei que seria importante que quem conduzisse esse processo estivesse confiante, calmo e sereno. Optamos então pela babá.

- *Redução de mamadas*: era urgente a necessidade de Miguel dissociar o mamar do nanar. No entanto, mamando seis vezes durante a noite, não era possível tirar tudo de uma vez. Antes de começar o processo, orientei a redução para três mamadas. Se Miguel chorasse na falta da mamadeira, ele ainda estaria na cama com a mãe e ela faria qualquer coisa (colo, carinho etc.) para ele dormir sem leite.
- *Ajustes na rotina*: o ponto central era tirar o leite do *kit* sono do Miguel. Ele continuaria tendo a mamadeira para se alimentar e não para dormir; sendo assim, apenas mudaríamos a ordem das atividades da noite. Antes ele tomava banho, ia para quarto, mamava e adormecia. Agora, ele passaria a tomar banho, iria para a sala, mamaria, escovaria os dentes e só depois iria para o ritual do sono em seu quarto. Para informar esse ajuste ao pequeno Miguel, sugeri que tudo fosse feito por meio de mensagens concretas e repetitivas.
- *Amigo do sono*: elegemos um urso, a quem demos o nome de Noitinho. Esse amiguinho passou a fazer parte da rotina do final do dia. Jantava com o Miguel, depois ficava no banheiro na hora do banho e tomava o leite com ele na sala, participava da higiene bucal e do ritual do sono. Por último, dormia com ele a noite toda. Cecília estava preocupada, pois não achava que o filho se vincularia a objetos. Realmente, se há a opção mamãe naninha (falaremos mais sobre o hábito da companhia no Capítulo 7), ninguém troca um ser humano por uma pelúcia. A ideia central era muito mais fazer o passo a passo com o Miguel do que, em um primeiro momento, a intenção do apego. Seria ótimo, mas não fundamental nesse processo.

Com estes plano de sono, a principal mensagem a ser transmitida ao Miguel era mostrar a ele, por meio da rotina, que a hora de dormir (não mais de mamar) estava chegando. Ou seja, todo o passo a passo da rotina da noite, coincidindo com o seu sono, terminaria no berço (e não mais na mamadeira). Para isso, criamos o seguinte cenário:

- Após o banho, Miguel e Noitinho passaram a ir para a sala tomar o leite. Assim que ele tomava tudo, a babá passou a levá-lo até a janela da sala para mostrar que era noite. Mostrou a Lua e as estrelas e ambos deram boa-noite para o céu. Em seguida, foram até a cozinha colocar a mamadeira para nanar. Assim acabou o *tetê*, que só acordaria quando fosse dia.
- Para marcar que a mamãe não estaria com ele na hora de dormir, ficou combinado que, até ela conseguir assumir esse processo, Miguel e a babá a colocariam para dormir. Isso mesmo: Miguel foi com a mamãe até o quarto dela, cobriu-a (com a ajuda da babá) e deram boa-noite para ela. Assim, ele só a veria na hora do bom-dia. Esse é um ponto que angustia muitas mães, como se estivessem "abandonando" o filho. Separação é uma coisa e abandono é outra. Colocar um limite de que agora é hora de nanar, não é hora de mamar nem hora de mamãe, é, a meu ver, um ato de amor. Essa despedida tem um reencontro no dia seguinte e ponto.
- O ritual do sono, na poltrona do quarto, passou a ser uma historinha com um livrinho simples (não mais a mamadeira). A ideia era fazer um momento gostoso (no começo foi um caos, porque, mesmo tendo mamado na sala, Miguel queria de novo a mamadeira) e ajudá-lo a prever que, após o final da historinha, ele iria para o berço. Isso é organizar a rotina para uma criança pequena, ou seja, ela tem tudo para conseguir prever o que vai acontecer (mesmo que não goste), ao contrário do que ocorria antes, quando, sem ter a consciência do que estava acontecendo, Miguel era abduzido até o berço.

Adaptação tem choro e é normal

Na primeira noite, foi quase "A hora do pesadelo". Miguel chorou por mais de duas horas, vomitou o jantar por duas vezes, um caos.

Achei que a mãe desistiria, porque ver o filho chorar daquele jeito a deixou transtornada. Procuro, nesses momentos, manter a calma e ser a parte racional da história. Quão grave é essa situação (dormir no berço) que faz uma criança pequena responder dessa maneira? Damos algum remédio amargo, com um cheiro ruim e gosmento, que poderia levá-lo a colocar tudo para fora aos berros? Ou o seguramos fortemente pelos braços e aplicamos uma injeção dolorosa? Não, nada disso: apenas colocamos uma criança de 1 ano e meio dentro de um espaço com um colchão ortopédico, feito para se confortar e dormir, depois de um dia gostoso na escola, de um jantar nutritivo, de um banho gostoso e quentinho, de uma mamadeira de leite, uma historinha e uma linda oração de proteção.

Há motivo circunstancial para chorar a esse ponto? Não. Ele tem motivo real para reagir desse modo? Sim. Claro que sim. Miguel reconhece que quando está cansado precisa de colo, mamãe e mamadeira. Não servem só mamãe e colo. Ele também já chorou (por pouco tempo, pois logo veio a mamadeira) quando Cecília se recusou a dar a sexta mamadeira da madrugada.

Logo, o berço está longe de ser esse *kit* "insano" que Cecília tinha se esforçado noite após noite (porque sentia que isso era ser uma boa mãe) para atender nessa associação de sono, que só vinha piorando com o tempo. Ele tomava seis mamadeiras porque acordava seis vezes. Se passasse a acordar dez vezes, seriam quase dois litros de leite e, se ele vomitasse (pelo estômago dilatado) sem chorar, imagine ficar limpando isso com frequência no meio da noite.

Mantendo a minha função, procurei ser firme e ao mesmo tempo acolhedora: "Tudo isso que ele está passando não é culpa do berço. Esse lugar não machuca, não maltrata, não tortura nem pinica. Esse cenário de horror é justamente o reflexo de uma criança que não tem a menor noção do porquê, estando ele cansado, 'me colocaram aqui sem mamãe, colo e mamadeira'". Então, para mudar o cenário, seria preciso fazer valer todo o esforço que ele estava tendo de fazer para encontrar, sem os estímulos antigos (mamãe, colo e mamadeira), outra forma de dormir. O que ficaria no lugar de mamãe, colo e mamadeira eu não sabia. Seria no vazio da falta disso tudo que Miguel encontraria outro modo de dormir, consciente, coerente e constante.

Seria preciso aproximá-lo do berço e não o afastar, quando chorasse. Por isso, Ivani, a babá, sempre entraria no quarto quando ele chorasse. Mesmo se o choro piorasse, ela continuaria entrando e saindo. Cada um faria a sua parte nesse processo. Minha função seria orientá-las, acompanhar o processo, tirar dúvidas e ajudá-las para que se sentissem seguras diante da reação do Miguel. A parte da Ivani seria ser a mediadora da mudança de hábito, a da Cecília seria promover uma rotina da noite, tranquila, sendo assertiva com ele no passo a passo da ordem das atividades do final do dia e apoiar a babá.

Por último, porém não menos importante, a parte do Miguel. Sim, a partir de agora ele seria ativo no ato de dormir. Chorando? Só chora quem não está adaptado. Se a criança sabe dormir e sabe o que esperar desse momento, não chora.

O Miguel chorava desse jeito para comer no cadeirão? Não. Por quê? Porque ele estava acostumado, não esperava por nada diferente quando era hora de comer. Agora, se, por duas vezes, fosse oferecida comida com ele no colo, assistindo TV, no começo ele andaria pela casa, talvez comesse menos e com o tempo se acostumaria a comer no colo. Passados, acredito, três ou quatro dias dessa novidade na hora da alimentação, imagine qual seria a reação do Miguel ao ser colocado para comer no cadeirão. Berraria, gritaria, tentaria sair do cinto, bateria no prato de comida, jogaria a colher no chão.

Eu sou adepta do método de não dar opções conforme o bebê chora. Fica enlouquecedor se guiar pelo choro, fazendo qualquer coisa para ele não chorar. Exemplo: se não chorar, come no cadeirão, se chorar um pouco, come no colo, se chorar muito, come no colo vendo TV. Logo ele entenderá (raciocínio concreto) que, quanto mais chora, mais é recompensado. Uma lógica bem lógica, certo?

Depois de duas horas de muito choro, vômito e insistência em se manter em pé no berço, Miguel se rendeu ao cansaço. Sim, dormiu porque se cansou. Claro, ele ainda não sabia o que fazer sem o antigo *kit* mamãe, colo e leite. Seria só com a repetição do novo *kit* berço, Noitinho e seja lá mais o que ele mesmo criasse que dormiria de modo ativo e efetivo. Miguel também dormia por cansaço com a mamadeira. Ele acordava, chorava (por dois segundos), a mamadeira entrava na sua boca e, sugando, se entregava ao cansaço e voltava a dormir.

Com o passar das noites, Miguel foi encontrando um novo jeito para dormir e, inclusive, se apegou ao Noitinho. A situação foi ficando mais tranquila, o que aliviou a angústia da mãe, ao ir percebendo que, por mais tensas, dramáticas e caóticas que tivessem sido as primeiras noites, ele mostrava evolução.

O progresso a que todo mundo se apega é: não está chorando mais, ou chora só um pouquinho. Sinceramente, esse não é o medidor do progresso da criança. O importante é, na ausência do mamar para nanar, o que essa criança, ela consigo mesma, está usando para substituir o vazio que se formou. Esse é o ponto. O parar de chorar é a consequência. Não adianta nada uma criança parar de chorar, de pé, olhando para a porta a noite toda. A mãe estaria feliz com isso? Eu não. Não adianta nada parar de chorar e continuar cansado, esperando leite. A criança precisa ser ativa no ato de dormir.

E foi isso que Miguel fez. Encontrou uma posição gostosa no berço, ele mesmo testou, na sua braveza, várias formas, até que passadas algumas noites se confortou de bruços. Por fim se apegou ao Noitinho e passou a associar que, quando tem sono, ele usa o seu novo *kit*.

Miguel se apegou tanto ao novo *kit* berço, Noitinho e dormir de bruços, que, passadas dez noites, voltei à casa. Cheguei no final da rotina da noite. Era a hora do *tetê* na sala. Quando viu a mamadeira, pegou a minha mão, me levou até a janela e apontou para o céu. Eu disse: "Você está me mostrando que esta noite vamos ver a Lua e as estrelas?". Depois disso ele tomou a mamadeira na sala. Quando terminou, pegou novamente a minha mão e me levou até a cozinha para "colocar o *tetê* para nanar na pia" e eu fiz o gesto do silêncio: *shshshsh*, o *tetê* vai nanar. Em seguida, pegou com a babá o Noitinho. Ele quis dar boa-noite para mim e para a mamãe. A babá o colocou no berço e eu vi, com meus próprios olhos, que ele, assim que foi colocado no berço, deitou-se de bruços, abraçou o bichinho e ainda virou de um lado e de outro. Ficou se mexendo em torno de uns cinco minutos. Em silêncio e tranquilo. E dormiu. Simples assim.

"Pegadinhas" do mamar para nanar

Como bem falei anteriormente, muitos pais não se dão conta dessa associação de sono, pois ficam muito focados na questão da fome e não na relação com o sono. Justamente por não terem essa tomada de consciência, vão criando, sem querer, situações aparentemente inocentes, mas que continuam a estimular o mamar para nanar durante a noite. Vejamos essas situações:

- *Aguando o leite*: muitas vezes é recomendado para fazer o desmame noturno, quando se trata de leite de fórmula, ir colocando menos pó e mais água na mamadeira. O raciocínio seria o de que, quando o leite deixa de ter um sabor gostoso, o bebê vai deixar de gostar de mamar durante a noite. Muitos conseguem eliminar a mamadeira dessa forma, só que essas mães não me ligam para contar essa conquista. Só me procuram aquelas que, desesperadas, comentam que agora o filho acorda três vezes à noite para mamar água ou "água suja", termo usado para se referir ao leite bem aguado. Uma vez uma mãe me contou, desesperada, que o filho acordava às 3h da manhã toda a noite para tomar 60 mL de água e que, se não desse esse golinho, ele chorava muito. Sempre digo: não "enganamos" bebês e às vezes o feitiço vira contra o feiticeiro.

- *Ora com leite, ora sem leite*: muitos pais são categóricos ao dizer que não estimulam esse hábito nos filhos. Que o filho nunca mama durante a noite. Porém, ele dorme mamando no início da noite e às 5h da manhã, quando ele desperta, os pais dão leite para que ele volte a dormir até as 7h. Se dormisse a noite toda, não seria um problema, mas a criança acorda várias vezes chorando muito durante a noite e demora para voltar a dormir no colo. Minha hipótese é que ela espera pelo leite para nanar. Como explicar para um bebê que entre as 20h e as 5h ele pode dormir mamando, mas nos demais despertares deve esquecer o leite?
- *Ora fome, ora sono*: na mesma linha da "pegadinha" anterior, neste caso a inconsistência na oferta de leite se deve à dúvida quanto à fome. O bebê mamou a última vez às 20h. Se ele acorda às 22h, os pais não oferecem leite porque têm certeza de que ele está com a barriga cheia. Porém, quando ele desperta à 1h da manhã, dão leite, tendo em vista que o filho está há cinco horas sem se alimentar (mesmo que tenha almoçado e jantado bem). No despertar das 2h30 não dão leite, afinal o filho acabou de mamar. Às 5h, a mãe precisa dormir mais um pouco, pois está esgotada, coloca o filho na cama e dá o peito para dormirem mais um pouco. E assim se instala a confusão no bebê, que não sabe o que esperar e chora o tempo todo.
- *Autonomia no mamar noturno*: já vi de tudo nesta vida, e mais nada me surpreende. No entanto, a primeira vez que vi um vídeo enviado por uma família no qual uma criança de 1 ano e 4 meses dormia com três mamadeiras de leite espalhadas pelo berço e sempre que acordava dava uns golinhos e voltava a dormir sozinha, fiquei boquiaberta com a cena e entendi que até no mamar para nanar um toco de gente é capaz de se virar com autonomia. Os pais estavam em parte contentes com essa "conquista", já que dormiam a noite toda. Quem jogou um balde de água fria nos pais foi a dentista, que, em uma consulta de rotina, detectou quatro cáries! Por isso, tiveram de dissociar, com urgência, a relação do mamar com o nanar.

Mamada dos sonhos

Já vou começar bem categórica: essa estratégia não resolve despertares. A mamada dos sonhos, dentro do processo de reeducação do sono, só tira a dúvida sobre a fome.

A mamada dos sonhos deve ser dada com a criança ou bebê inconsciente, dormindo profundamente. Do contrário, trata-se da "mamada do pesadelo", ou seja, aquela que continua reforçando e estimulando o hábito de mamar para nanar.

E aqui entra o dilema de algumas famílias: muita gente que me procura relata que a mamada dos sonhos não adiantou nada e, assim, desistiram porque a mãe, que já estava dormindo à meia-noite, tinha de colocar despertador para acordar nesse horário e mais todas as outras vezes que o filho despertava. O raciocínio é: melhor se garantir dormindo o máximo possível até o filho acordar. A questão é a de que, se os pais não sabem outro modo de fazer o bebê ou a criança dormir sem leite, não terão outra opção a não ser oferecer esse mesmo gatilho sempre que ele acordar. Realmente, a mamada dos sonhos será dada em vão. Essa não é a solução dos despertares; é única forma de separar fome de hábito. Só isso. Se um bebê de 10 meses que mamou à meia-noite acordar às 2h, isso reflete um hábito. Não há por que ter fome se, além de ter se alimentado bem o dia todo, ainda tomou leite duas horas antes desse despertar. Nessa hora os pais devem esperar o filho dormir sem mamar, pois fome não será impedimento para a retomada do sono.

Lembrando que o bebê ou a criança que ainda não sabe dormir sem o gatilho da sucção do leite pode demorar muito tempo para conseguir relaxar, acalmar e retomar o sono. A mamada dos sonhos só serve para antecipar a barriga cheia antes de se ter "fome". Em suma, essa estratégia não é a solução dos problemas. É apenas o modo de os pais estarem seguros para conseguirem separar fome de sono.

Assim, se ficou combinado que o pai vai dar uma mamadeira ou a mãe o peito às 23h e o filho despertar às 22h59, é preciso esperar ele retomar o sono por si mesmo, e só se deve oferecer a mamada dos sonhos depois que ele adormecer profundamente.

Para Jussara, isso não fazia o menor sentido. Se o filho acordasse antes da meia-noite (horário que inicialmente estabelecemos para a mamada dos sonhos), ela não estaria confiante em manter o processo porque ainda ficaria insegura achando que a criança acordou por fome. Gael, de 1 ano de idade, estava comendo bem, mas Jussara não tinha certeza se a porção oferecida era suficiente. A família morava na Escócia e não tinha uma rede de apoio próxima, e esse tipo de dúvida não era tratado nas consultas de rotina com o pediatra.

O jantar de Gael era às 18h e a última mamada, às 19h30. Se ele acordasse às 23h30, mesmo assim a mãe ficava com dúvida sobre a fome. Pela percepção dela, o filho poderia ter fome a cada três horas. Não fazia muito sentido racionalmente, mas o que vale aqui é o sentido emocional da mãe. O pai não tinha opinião formada sobre o assunto. Dessa maneira, combinamos que, para que o processo de dissociar o mamar do nanar fosse efetivo, o único jeito seria oferecer ao Gael uma mamada dos sonhos a cada três horas. Assim, nesses intervalos, Jussara seria continente, tendo condições de sustentar esse processo, permitindo ao filho retomar o sono por ele mesmo, sem medo de deixá-lo "passar fome". A primeira mamada seria às 22h30, a segunda à 1h30 e a terceira, às 4h30. Só assim foi possível levarmos em frente o processo de reeducação do sono. Em uma semana conseguimos retirar uma dessas mamadas e, até Gael dormir com autonomia e a noite toda, mantivemos duas mamadas dos sonhos (a das 23h e a das 4h da manhã).

Bia não poderia mais ter essa associação de sono em nenhum horário em que estivesse cansada. Por isso, mantivemos uma mamada dos sonhos às 4h para que, se ela acordasse às 6h ainda com sono, os pais dariam tempo e oportunidade para que voltasse a dormir com autonomia, seguros de que ela estaria de barriga cheia nesse despertar. No final, deram apenas uma vez. Na segunda noite, aconteceram despertares antes do horário da mamada (1h, 2h, 3h) e os pais esperaram seguindo o método do processo até Bia conseguir dormir sem precisar do peito da mãe. Nessa mesma noite, eles esqueceram de ligar o despertador e a menina foi direto até as 7h30. Ou seja, ela não mamou nenhuma vez das 21h até o horário do bom-dia. Essa única experiência deu segurança aos pais para abrir mão da mamada dos sonhos.

Bebês mamam não somente por fome, mas também por hábito, como vocês bem viram nos casos expostos até aqui. Querem resolver fome? Mamada dos sonhos. Querem resolver sono? Hora de nanar no berço (e no máximo junto com chupeta, naninha e paninho).

Nunca aconteceu de somente a introdução da mamada dos sonhos matar a charada das noites insones. Seria um sonho se o leite, por volta da meia-noite, fizesse com que o bebê não acordasse mais. Se realmente for hábito de mamar para nanar (claro, descartando incômodos clínicos), o bebê ou a criança vai continuar acordando.

Assim, a mamada dos sonhos é o modo de manter os pais seguros de que o filho não chora de fome, mas somente de sono. Só dessa maneira, seguros nesse quesito, é que a família banca o processo de reeducação do sono.

Não é fácil, no meio da noite, abrir mão de uma carta na manga aparentemente eficaz. Leite resolve o choro e passivamente o sono. O que acontece, muitas vezes, é que não só o bebê e a mãe querem dormir. Como o pai também precisa descansar, quando o bebê chora, geralmente ele é o primeiro a dizer: "É fome. Então coloca logo esse menino no peito ou vamos preparar uma mamadeira". Porém, o pai só acordou nesse despertar específico e nem imagina que é a terceira vez que o bebê acordou para mamar só naquela noite. Sem o apoio do marido, essa mulher também não dá conta de enfrentar a situação.

A partir do momento em que entram as refeições, é preciso entender que se alimentar no meio da noite não deve nem pode ser mais uma opção[9]. Logo, mesmo se for fome, os pais devem discutir com o pediatra para ajustarem a necessidade nutricional do filho ao longo do dia. Enquanto isso não se resolve, a mamada dos sonhos deve ser mantida, de modo provisório.

Problemas com a mamada dos sonhos

A partir dos 6 meses de vida, com um bebê mais esperto e mais alerta, essa estratégia para resolver a fome sem afetar o sono pode ser bem disfuncional.

Ao pegar um bebê ou uma criança em sono profundo e enfiar uma mamadeira ou peito na boca dele, corre-se o risco de despertá-lo. Para quem não tolera choro, pense em um filho bravo, mas bravo mesmo, e com toda razão. Ninguém merece ser acordado sem necessidade.

Já tive muitos casos em que era um caos fazer os bebês, depois de despertos, voltarem a dormir. Explico para os pais que, enquanto eles tiverem dúvida quanto à fome, não será possível começar esse processo do desmame noturno.

---

9 Apenas nos casos de prematuridade, baixo peso ou outras questões médicas, sempre com orientação do pediatra.

Resolvam a alimentação do dia, reforcem o jantar e estejam seguros em relação a isso; só assim podemos seguir em frente sem nenhuma mamada noturna.

Existem bebês que, quando se oferece a mamada dormindo, travam a boca e não a aceitam de jeito nenhum. Nesse caso, a conduta é a mesma da situação anterior. Só vamos começar o processo de reeducação do sono quando se resolver a dúvida sobre a fome durante a noite.

Em alguns casos, mesmo mamando dormindo, há bebês que acabam tendo um microdespertar e ficamos na dúvida se estão conscientes dessa mamada. Como saber se isso acontece? Quando o bebê passa a acordar bem na hora da mamada dos sonhos todas as noites. Exemplo: a mãe sempre dava uma mamadeira às 23h e o filho passou a acordar sempre às 22h58. Com certeza essa mamada virou um hábito. Podemos mudar o horário ou tirá-la de vez, se os pais estão seguros quanto a isso.

Como retirar a mamada dos sonhos

A retirada pode ser gradual. Se a mamadeira era de 210 mL, oriento os pais a reduzirem 30 mL a cada três noites. O bebê não sabe que está mamando (afinal, essa mamada é sempre dormindo); no entanto, seu estômago está sendo estimulado a se manter cheio ao longo da noite. Acho importante esse desmame mais lento, tanto por isso como para os pais irem observando o impacto dessa retirada no sono do bebê. Se tirar de uma vez e, justo nessa noite, por acaso, ele despertar, os pais vão achar que é a falta do leite.

Uma família iniciou a consultoria de sono comigo e de imediato optou por não ter a mamada dos sonhos, pois entendia que o leite no meio da noite era claramente um hábito. Nas três primeiras noites o bebê chorou muito, mas por poucos minutos. Só que, no quarto dia, às 4h30 da manhã, ele despertou e chorou de forma intensa até as 5h30, quando o dia começou.

Ficaram muito em dúvida se não poderia ser fome. Perguntei à mãe se ela aguentaria mais umas duas noites sem introduzir a mamada dos sonhos, pelo fato de a retomada do sono nesse horário normalmente ser difícil. Se continuasse nesse ritmo, entraríamos com a mamada dos sonhos (por volta da meia-noite), para ver qual seria a resposta do bebê. Se dormisse até a hora do bom-dia, entenderíamos que o leite ajudou a engatar o sono; se mesmo assim continuasse acordando no mesmo horário, entenderíamos que o despertar estava acontecendo mais pela dificuldade em retomar o sono por ele mesmo.

Eliana concordou em esperar mais duas noites, até porque muitas mães ficam apavoradas de, ao pegar o filho dormindo do berço, eles nem quererem mamar, despertarem bravos (com razão, pois foram acordados) e voltar todo aquele chororô do esforço em retomar o sono no berço. Essa era a aflição de Eliana. E ela fez bem em esperar. Na noite seguinte, ele dormiu direto até as 5h30. Imaginem se justamente naquela noite ela tivesse dado leite à meia-noite e o bebê tivesse essa evolução. Na hora ela acharia que a mamada havia ajudado.

Quando avaliamos se realmente era fome? No caso de Marina, de 11 meses, enquanto havia mamada dos sonhos ela dormia até as 6h30 e, após fazermos a retirada gradual, ela passou a acordar às 5h, ainda com muito sono; e depois que mamava, voltava ou não a dormir. Com medo de degringolar todo o processo (entrar com leite às 5h, mesmo que pela manhã, com a filha com sono), Flávia me telefonou aflita. Contou que a pediatra não queria de jeito nenhum que essa mamada dos sonhos voltasse, e que, caso ela acordasse às 5h da manhã, era para "deixá-la chorar" até voltar a dormir se estivesse com sono. No entanto, para Flávia não havia problema se a menina chorasse no meio da noite e retomasse o sono por si mesma, mas, se fosse às 5h da manhã, no seu *feeling* de mãe estaria deixando uma bebê chorar de fome e por isso ela não conseguia dormir. Concordei com Flávia. Para mim fazia sentido, mas sei que também poderia ser um despertar em um horário chato de retomada do sono. O dilema estava entre a pediatra que batia o martelo que era hábito e uma mãe que insistia ser fome. Como resolver isso? Negociei com a pediatra apenas uma semana de retorno da mamada dos sonhos para um teste. Se fosse fome, a alimentação ao longo do dia seria revista com a médica, e, se ela continuasse acordando, mesmo assim, às 5h, manteríamos o método nesse horário, dando chance para que, com sono, Marina voltasse a dormir.

Uma semana depois da reintrodução da mamada dos sonhos, ficou claro por que Marina passou a acordar de novo às 6h30: era fome ou a sensação de barriga vazia que a impedia de retomar o sono às 5h. Até que a sua alimentação se resolvesse, mantivemos essa mamada. No final a médica orientou que, em vez de tomar um simples leite antes de dormir, Marina começasse a comer um mingau mais reforçado. Algum tempo depois a mãe me contou que conseguiu tirar de vez a mamada dos sonhos sem problema algum.

Na grande maioria dos casos, a retirada da mamada dos sonhos é bem tranquila e não tem impacto algum nas noites de sono. Nesse momento fica claro para os pais que o mamar realmente era por hábito e não por fome. E não fui eu que falei isso, mas o próprio filho mostrou claramente para os pais.

Considerações finais

Vejo, nos dias atuais, que os pais pensam que um bebê vai deixar de mamar ao longo da noite quando não tiver mais fome e, consequentemente, não vai mais acordar. Parece um raciocínio sensato. Acredito que em muitas casas aconteça isso. Mas não são essas as famílias que me procuram desesperadas.

Como vimos neste capítulo, o mesmo leite que "resolvia" o despertar estava justamente atrapalhando o sono.

Lucas, Lara e Miguel acordavam várias vezes à noite para mamar, ou seja, em vez de nos despertares noturnos voltarem a dormir como manda o figurino do ciclo de sono, "lembravam" do leite, acordavam de vez e só engatavam o sono com o peito ou a mamadeira.

É fundamental que, em qualquer horário em que o bebê estiver com sono, o leite não entre no circuito. Qualquer dúvida sobre a fome, a partir dos seis meses de vida, ou se resolve durante o dia ou com a introdução temporária da mamada dos sonhos.

Oferecer leite para o bebê ou criança que desperta durante a noite, na maioria dos casos, tampa apenas o choro, sem resolver o sono. E o céu é o limite. Pode começar com uma inofensiva mamadeira à meia-noite e em pouco tempo o bebê passa a acordar de hora em hora, só parando de chorar com o peito ou a mamadeira. Já tive casos de bebês que acordavam a cada meia hora. A solução da "mãe zumbi" foi colocar a criança na cama com ela e dormir sem blusa a noite toda. Definitivamente isso não faz bem para ninguém.

Como falamos neste capítulo, embutir mamar no *kit* sono pode criar a noção direta no bebê ou na criança de que, sempre que estiver cansada, precisará de leite via peito ou mamadeira.

Ninguém quer que o filho durma chorando, então não se deve estimular hábitos que depois terão de ser rompidos porque, na braveza, na frustração e no cansaço, vão chorar muito, desesperados. A expectativa do bebê e da criança em esperar pelo leite sempre que chora e está cansado inibe qualquer iniciativa de se deitar e relaxar por conta própria. Uma vez que o leite sai de cena, esses bebês e crianças, no vazio da falta, preenchem com grandeza o seu modo próprio de relaxar, se acalmar e dormir. É só a família dar essa chance.

Se os pais não querem choro, então devem focar em resolver o sono, e com certeza não haverá choro.

Portanto, lembrem-se: com choro, sem choro ou apesar do choro, dormir não é mamar, é nanar.

Para complementar este capítulo, convidei o Dr. Cláudio Ejzenbaum, cirurgião-dentista e ortodontista, para trazer informações importantes sobre a cárie na primeira infância.

Cárie na primeira infância – por Dr. Cláudio Ejzenbaum[10]

O recém-nascido depende exclusivamente do leite materno como alimento. Com o decorrer do tempo, são introduzidos novos alimentos e, gradativamente, a independência alimentar em relação à mãe é alcançada. Mas alguns hábitos podem permanecer, como a mamada noturna, usada como mecanismo de relaxamento e gatilho do momento de sono.

Esse pode ser o início de um grave problema, a cárie infantil. O leite, de modo geral, é cariogênico, ou seja, também serve de nutriente para o desenvolvimento de bactérias causadoras da cárie. Quando a criança mama na cama e em seguida dorme, com resíduos do leite na boca, e com a decorrente queda de salivação durante o sono, a boca se torna um ambiente favorável para a proliferação bacteriana, e com o tempo os dentes podem ser afetados de maneira irreversível. Essa é a chamada cárie de mamadeira. É um problema que pode exigir tratamentos dos mais diferentes espectros, dependendo de outros fatores como higiene, acompanhamento odontológico, pH salivar, condições dentárias preexistentes, respiração bucal e infecção cruzada e hábitos. A complexidade pode variar de algumas maneiras:

1. Grau leve: aspecto de vidro despolido e fosco, na região próxima à gengiva, e não cavitada.
2. Grau moderado: aspecto de cavidade na superfície do esmalte, com acastanhamento.
3. Grau avançado: destruição de mais de 1/3 da coroa (conhecida também como cárie rampante).

O leite noturno, ou durante a madrugada, deve ser evitado. Após a mamada, os dentes, mesmo que sejam de leite, devem ser escovados.

O leite tem hora, e é antes da última escovação. Consulte um dentista para informações sobre técnicas e tipos de escova e pasta de dente

10 Cirurgião-dentista, mestre e especialista em ortodontia.

Desenvolvimento dentário

Por volta do sexto mês de idade, ocorre o nascimento dos primeiros dentes da criança, que pode, pelo processo inflamatório do rompimento gengival, apresentar febre, dor e em alguns casos até mesmo reações corpóreas como diarreia. Essa fase de erupção parte do sexto mês até os 2 anos e meio de vida, podendo variar. Ao fim desse período, a criança deve apresentar dez dentes superiores e dez dentes inferiores, mostrando as características gerais do arco, como altura e forma de mordida.

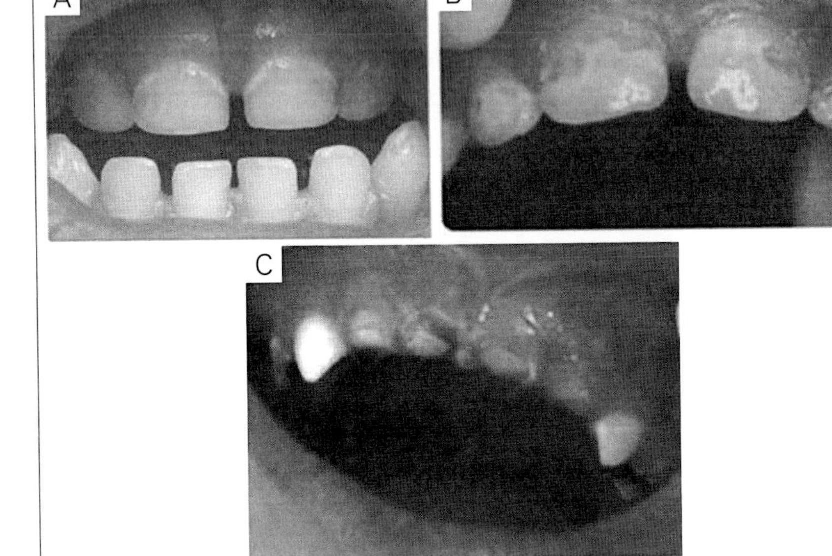

FIGURA 11 Graus de cárie infantil. A: grau leve; B: grau moderado; C: grau avançado.

Fonte: Maria Salete Nahás Corrêa.

Ao redor do sexto ano de vida, com variação de caso a caso, inicia-se a troca de dentes da dentição decídua (leite) para a permanente, em duas fases, seguindo geralmente esta ordem:

Primeira fase de troca:

- Incisivos centrais inferiores permanentes.
- Nascem sem trocar os primeiros molares permanentes.
- Incisivos centrais superiores permanentes.
- Incisivos laterais inferiores permanentes.
- Incisivos laterais superiores permanentes (7 a 8 anos de idade).

Assim cessa a primeira fase de troca. Há um intervalo de até dois anos e reinicia-se a fase de troca, que pode ser chamada de *segunda fase de troca:*

- Canino inferior.
- Primeiro pré-molar inferior.
- Primeiro pré-molar superior.
- Segundo pré-molar inferior.
- Segundo pré-molar superior.
- Canino superior (12 anos de idade).
- Segundos molares permanentes.

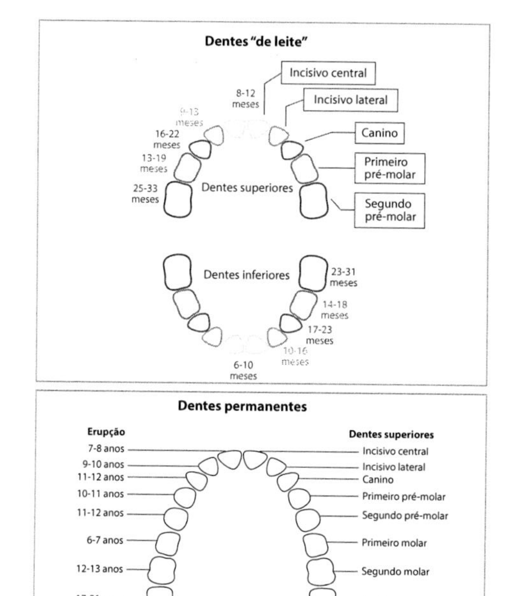

FIGURA 12 Desenvolvimento dental – dentes "de leite" e dentes permanentes.
Fonte: adaptada de VAN DER LINDEN. *Desenvolvimento da dentição.* 1. ed. em português. Quintessence Editora.

O leite materno é mais seguro para a dentição porque não tem aditivos, como antibióticos e outras coisas que são acrescentadas à fórmula do leite industrializado. Mesmo assim, é recomendável escovar os dentes do bebê e limpar suas gengivas mesmo depois da mamada com o leite materno.

7

NINAR PARA NANAR

Imaginem que vocês vivem em Marte e que nesse planeta existe uma maneira peculiar de dormir. Todos os habitantes adormecem envolvidos em cápsulas que se movimentam em ritmos constantes, ao toque de um aconchego, e que, ao mesmo tempo, mantêm seus corpos contidos em uma determinada posição fixa. Assim, ao longo da evolução marciana, os indivíduos foram acostumados a obter conforto no sono. Existem diferentes peculiaridades que resultam em ajustes possíveis para atender ao gosto do freguês: uns gostam de movimentos mais intensos, outros suaves, tem aqueles que preferem a posição vertical, inclinados. Podem ser incluídas melodias, desde canções de ninar e música clássica até mesmo *rock* ou *reggae* e sons da natureza intergaláctica.

Criada a cena proposta, agora imaginem que vocês, certa noite, iniciaram o sono em Marte, daquele jeitinho: contidos nas cápsulas, na posição previamente estabelecida, em movimento, ao som de algum tipo de cantoria ou melodia, e, no meio da noite, em uma fração de fechar e abrir os olhos, do nada, se percebem sozinhos, soltos na imensidão de um espaço vazio, lugar completamente estranho, estático, silencioso, em posição plana, encostados diretamente em um elemento reto até então não identificado, meio mole, meio duro, com textura estranha ao primeiro contato.

O fato é que, pegos de surpresa, vocês foram abduzidos na calada da noite para o planeta Terra, com hábitos bem diferentes dos lá de Marte. Essa cena bizarra retrata, de maneira caricatural, o coitado do bebê que dormiu no colo, sendo ninado, e que no meio da noite foi abduzido até o berço. E nessas horas os pais estranham que o filho acorde tão assustado no meio da noite.

Sustentar a promessa

Quando explico a confusão da situação intergaláctica, os pais entendem a analogia. Uns até acham graça, mas se sentem confusos com o fato de que até determinada fase o filho tinha facilidade de dormir desse mesmo modo e, agora, a situação se complicou. Já conhecemos a explicação: menorzinhos, eles circulavam entre os dois mundos sem ainda terem a capacidade de percepção de onde estavam e muito menos de onde foram parar. Insisto no marco dos 6 meses, momento em que não se "engana" mais os bebês. A partir de então, ou se dorme em Marte ou se dorme na Terra. Nessa fase, eles não toleram ser abduzidos. Ficam muito assustados, bravos, irritados e cansados quando perdem o conforto do *kit* sono habitual. Ou esse *kit* se sustenta a noite toda ou se muda para um novo combo de sono sustentável.

Voltando à Terra, deparo com pais resistentes e inseguros quanto à proposta de mudança de *kit* sono marciano para o terrestre. Uns acham que o filho é novo demais para se adaptar à maneira terráquea de dormir: no berço, parado, por ele mesmo. Outros, por prever que a mudança será trabalhosa e cansativa demais, nem cogitam começar. Há os que consideram uma crueldade impor o modo terráqueo de dormir e entendem que o filho precisa dormir mesmo em Marte. Há as mães que têm muita pena da criança, de ela ter sido acostumada a dormir em Marte e agora precisar sofrer para se adaptar a dormir na Terra. Enfim, uma gama de teorias, conspirações, confabulações e fantasias que só grupos de mães com mais de 10 mil participantes podem complicar o simples hábito terrestre de que bebês dormem no berço e parados. Às vezes me pergunto: com tantas críticas ao berço, por que esse móvel é o primeiro item da lista de enxoval? Daqui a pouco, do jeito que andam as polêmicas nas mídias sociais, haverá queima de berços em praça pública[1].

Quando a família percebe que seu bebê realmente está confuso e assustado, dormindo de um jeito e acordando de outro, encara o desafio de reproduzir

1 Acredito que o movimento "Fora, Berço" começou a crescer nos últimos tempos. Tenho recebido vários casos de bebês que, desde a chegada da maternidade, dormem em cama montessoriana. Assim que o bebê começa a engatinhar e passa a sair da caminha a qualquer hora da noite, o caos se instala e um dos pais passa a dormir com o filho. Há vários modelos de caminhas, inclusive de casal, para atender à demanda da cama compartilhada no quarto do filho. Sem grade e sem maturidade, ninguém segura esse bebê, que fica livre para circular durante a noite, antes mesmo de entender o que significa liberdade.

artificialmente na Terra uma Minimarte: passam a noite com o filho no colo, na poltrona de balanço, ninando, encapsulando, em alguns casos até cantando, por toda a noite. Se todos dormirem bem, que mal tem? Temos aqui os pais inseguros e/ou contrários à indicação de alterar os hábitos do filho, mas, ao mesmo tempo, querendo ser honestos com ele. Sustentando Marte, a mensagem fiel será: "Te prometo carregá-lo e balançá-lo por todos os ciclos de seu sono, até o dia amanhecer".

As famílias que são pró-mudanças e aceitam o berço como o lugar de os filhos pequenos dormirem e não de abdução (chegar já adormecido), quando resolvem encarar a fase de adaptação de uma nova cultura, engatam a primeira e seguem em frente com o processo de reeducação do sono.

Trocando de gatilho

Sônia e Décio me procuraram quando o filho tinha 10 meses. Samuel sempre dormiu no colo mamando e, quando menorzinho, teve muitas cólicas. Esse era o jeito de os pais conseguirem acalmá-lo nos momentos de dor e de sono.

O bebê foi amamentado até os 7 meses e, quando o pediatra liberou as mamadas noturnas, o jeito foi Décio intervir nos despertares. Com a mãe, Samuel procurava o peito e era muito mais difícil a retomada do sono sem esse gatilho, já que dormia mamando no colo, no início da noite. Se despertasse, tinha de voltar para o peito até engatar o sono.

Décio ficava andando pela casa com o filho no colo, muitas vezes aos gritos, até que ele se entregava ao cansaço. Com o tempo, Samuel se acostumou com o colo do pai e dissociou o peito como forma de dormir. Em vez de, com sono, chorar por leite, agora chorava se o pai parasse de balançar. Outro detalhe do *kit* sono de Samuel era que ele não aceitava ficar no colo com o pai sentado; era um choro sem fim. Décio tinha de ficar de pé e andando até o filho entrar em sono bem profundo, para só então ser colocado desfalecido no berço. Os pais contaram que houve noites em que o bebê levou quase duas horas para dormir desse jeito.

Com o passar do tempo, sem o peito como gatilho de sono, enfim Samuel trocou o *kit* sono mamãe pelo *kit* sono papai. Só que isso não trouxe paz às noites familiares. Agora Samuel acordava e queria o colo do pai, em pé e em movimento. Sônia começou a revezar com Décio. No começo, Samuel não acertava a posição no colo da mãe, mas com a insistência acabou cedendo ao seu colo e as noites só foram piorando. Quando me procuraram, os pais estavam acabados, exaustos e impacientes. Queriam uma solução para ontem.

Trocar o peito pelo hábito de ninar, para muitos bebês, é trocar seis por meia dúzia. E olha que a troca foi sofrida para o Samuel. Ele chorou bastante até se adaptar ao colo do pai e depois chorou muito para aceitar o da mãe sem mamar.

O colo foi o modo de os pais bancarem o desmame noturno. Como ambos estavam sentidos e sensíveis, queriam ser acolhedores quanto à falta do peito. Nunca cogitaram deixar o filho no berço para iniciar o sono. Só que aquele berço, que para eles significaria "deixar chorar", "sem afeto", "sem aconchego", "sem apego", era o mesmo lugar em que o coitado do Samuel despertava no meio da noite, sem entender como chegou lá, sem saber o que fazer naquele espaço desconhecido, estático, sem colo e sem papai. Samuel era um dos abduzidos.

Parece que "deixar chorar" no colo é aceitável para os pais, mas "deixar chorar" no berço é algo inconcebível para muitos deles. O fato é que não importa o lugar: se o bebê não se sente confortável, ele chora. Samuel chorava no colo do pai por desconforto. Não era a mamãe, não havia a sucção para nanar, era outro tipo de colinho. Uma vez que não tinha mais esse *kit*, o pai repetidas vezes insistiu no *kit* papai, que seria em pé, movimentando o bebê freneticamente até que nas primeiras noites, por exaustão, Samuel adormeceu. Insistindo de modo ativo nesse novo *kit*, que dava ao próprio Décio o conforto de que estava fazendo tudo pelo filho – e estava mesmo –, conseguiram embutir os novos itens do *kit* papai. Daquele momento em diante, Samuel dormia no colo, em pé e em movimento. Na insistência, Samuel se apegou ao novo pacote.

Se, com o pai, Samuel passasse a dormir a noite toda, eu não estaria aqui contando este caso. De hora em hora, Samuel despertava aos prantos, na imensidão do berço, na horizontal, parado e sem papai. Dormia em Marte e despertava na Terra. Caos total. Neste caso, a recomendação seria sair do peito direto para o berço? Sim, sem dúvida alguma.

Ele choraria, é claro, tanto quanto chorou para aprender a dormir no colo do papai. Só que seria uma troca consistente e contínua. Porém, trocar colo por berço somente é possível quando os pais confiam que o bebê é capaz de se acalmar, relaxar e engatar o sono por ele mesmo. Se ele não está seguro, a sensação de abandono e desamparo é enorme nos próprios pais, sentindo que estão sendo radicais demais, exigindo algo de seu bebê que não é justo com ele, e dessa maneira acabam não sendo persistentes com o manter no berço, como Décio foi com o colo.

Sônia estava segura quanto ao desmame noturno, tendo claro que o filho não precisava mais mamar durante a noite. Décio estava convicto de que colo era tudo o que tinha a oferecer ao filho quanto a conforto, amor e carinho. Ouvir o filho chorar foi difícil, mas era necessário para que ele dissociasse o mamar do nanar, que, enfim, se transformou em ninar para nanar.

No momento em que me procuraram, os dois estavam confiantes na capacidade do filho. Viram que ele era capaz de mudar de hábitos, mas que não adiantava trocar seis por meia dúzia, ou seja, uma associação de sono que gera dependência por outra da mesma categoria. Naquele momento precisavam fazer a transição do colo em movimento para o berço parado.

Como estratégia, nesse processo, escolheram o método do choro controlado. Ficaram realmente na dúvida se o da cadeira seria melhor, mas dois pontos os fizeram descartar essa escolha, percebendo que seria mais para eles se sentirem acolhedores do que para suprir a real necessidade do filho.

Já previram que ficar ao lado do berço sem tirar o filho de lá seria estressante para todos. Eles tinham razão: Samuel sempre teve a vivência de chorar, ficar de pé e sair do berço "que não me pertence", e realmente ficaria muito bravo em ver os pais ao lado dele sem ser tirado de lá. Outro ponto é que temiam de novo ficar trocando seis por meia dúzia (colo por companhia) em um processo aparentemente gradual, que só estenderia o choro e o estresse.

Gradual, *pero no mucho*

Resolveram tirar o esparadrapo de uma vez só. Os pais usam muito a expressão "vamos pelo radical". Acho incrível pensar que ir para o berço acordado é algo tão intenso, e que dormir no colo do pai é considerado suave. Não foi nada fácil para Samuel, ou ele não teria chorado tantas noites no colo de Décio. Para Samuel, sair do peito para o colo do pai não foi nada gradual. Ele levou quase duas horas na primeira noite e só parou realmente de chorar, ou seja, se acostumou com o colo dele, na sexta noite, quando, sem choro, dormiu em cinco minutos com a cabecinha no ombro de Décio.

Troca feita, mas os pais nem tiveram força para comemorar, pois com essa "conquista" – iniciar o sono sem chorar – Samuel continuava a acordar a noite toda, aos berros e precisando do colo do papai para dormir. A conquista de não chorar para nanar trouxe junto a frustração de que as noites continuavam de mal a pior, com Décio cada vez mais exausto e a mãe muito frustrada.

Não foi preciso nenhum ajuste na rotina da noite, pois o mais importante já acontecia: Samuel chegava acordado ao quarto na hora de dormir. Sônia se prontificou a assumir o processo, para dar uma trégua ao marido, que começava a apresentar sintomas clínicos por privação de sono: enxaqueca, irritabilidade, perda de memória e queda de produtividade no trabalho.

Sugeri introduzir uma naninha, apego que sempre incentivo, já que, se funcionasse, seria um aconchego e uma referência sempre presente para o bebê durante a noite. Na hora em que Samuel entrasse no quarto receberia a naninha e a mamãe, junto com ele, daria boa-noite para os bichinhos no quarto; os dois fechariam juntos a janela, se despedindo da Lua e das estrelas. Sônia ficaria sentada na poltrona e faria uma oração, falaria algumas palavras de carinho e proteção, daria um beijo, abraço, iria colocá-lo acordado no berço e avisaria que também estaria saindo do quarto para nanar daqui a pouco (toda ação dos pais deve sempre vir acompanhada de palavras que reforçam a ação).

O modo pelo qual os pais estão dispostos a fazer a transição depende muito mais de uma escolha que, seguros, eles sustentem até o fim, do que um método mais fácil para a criança. Um dia antes de iniciar o processo, me pediram para adiar por alguns dias, pois tinham conversado bastante entre eles depois da primeira consulta e queriam primeiro tirar o ninar no colo do pai. Depois queriam que ele não dormisse mais no colo em pé e só em seguida se sentiriam seguros[2] em partir para a transição do colo para o berço, pelo método do choro controlado.

Preciso dos pais seguros para que possam ser continentes nesse processo. Agendamos para a semana seguinte a inauguração do berço como lugar de dormir. Assim os pais partiram para o desmame do balançar no colo. Iniciaram essa etapa em uma segunda-feira.

A primeira noite foi um caos. Só porque o pai não o ninou, Samuel levou uma hora e meia para dormir, mesmo no colo, em pé, só que agora parado. Na madrugada, ele acordou três vezes e em média levou 50 minutos a cada despertar para conseguir dormir sem movimento. O bom desse passo a passo, devo admitir, é que para muitos pais a retirada gradual os deixa mais seguros de o choro do filho não ser por falta de amor, desamparo, abandono ou pouco afeto. O choro, óbvio e visível, é de cansaço, braveza por não estar conseguindo

---

2 Décio depois admitiu que por ele teria feito a mudança direto para o berço, mas depois do atendimento, em conversa com a esposa, percebeu a insegurança dela e sentiu que, se não fosse do jeito dela, o processo não daria certo. Ele tinha razão.

dormir, misturado com frustração, já que o filho não está sendo atendido naquilo que sempre conseguiu com o choro. Se pudesse falar, Samuel diria: "estou chorando, com sono, movimento por favor!".

Mais um "C"

São casos como esse que me ajudaram a ser acolhedora com as famílias mais sensíveis ao choro e com inseguranças que extrapolam a questão prática de que é apenas uma troca de *kit* dependente por outro autônomo, algo simples na teoria e complicadíssimo quando se trata de filhos. Ou seja, um processo muito racional para uma relação intensa e emocional demais.

Assim, passei a entender que o gradual para os pais pode ser fundamental para o bebê, que, precisando dos três Cs (coerência, consistência e continuidade) para abrir mão de um hábito e se apegar a outro, só se beneficiará disso se os pais desenvolverem o C da continência: sem ele, os demais Cs perdem a força. Isso significa um comportamento sóbrio, de quem tem autodomínio e mantém a cabeça no lugar. Só é possível iniciar esse processo se os pais forem continentes em relação ao comportamento e ao choro do filho. É dizer: entendo o que você quer, mas vou me conter e permitir que você alcance por si mesmo o que precisa: aprender a dormir com autonomia. Só assim os demais Cs serão capazes de fluir espontaneamente.

Sônia precisava do "gradual", mais que Samuel. Eu também fui continente com ela ao acolher sua necessidade. Na quinta-feira tive a notícia de que os pais conseguiram avançar apenas no desmame do movimento, mas que, como tinha sido difícil, acharam melhor partir do "colo de pé" direto para o berço. Perguntei a Sônia se ela preferiria dar mais tempo ao passo a passo. Ela foi categórica ao garantir que, para Samuel, cada desmame estava sendo realmente tirar o esparadrapo devagar, e que ao ver o filho chorando no colo do pai, na sua posição de conforto, mas berrando só porque estava parado, ela compreendeu o quanto suas emoções de mãe distorciam para ela o significado do choro.

Para Samuel não estava faltando amor, nem carinho, nem aconchego, nem proteção, nem afeto, nem presença: ele apenas não tinha mais o movimento. Sônia entendeu que realmente a falta do ninar não era nada grave, aos seus olhos de mãe, para ele reagir daquele jeito. Chorar intensamente a cada dose homeopática de mudança não faz sentido, assim partimos para a troca do restante do *kit*.

Na noite da implementação do processo, fui recebida por pais ansiosos e aflitos. Após tantos meses de privação de sono e choro, eles estavam visivelmente exaustos e sem muita esperança. Apesar de toda a lógica do processo e do tempo que tiveram para refletir desde a primeira consulta, não tinham garantia de que, colocando o processo em prática, o final daquele pesadelo seria de doces e lindos sonhos. Mas reforço que a aposta tem de ser no bebê, no fato de que ele é capaz de aprender uma nova maneira de dormir por si mesmo. E Samuel havia mostrado até aquele momento que conseguia mudar de hábitos: deixou de mamar para nanar, trocou mamãe por papai e já dormia no colo parado. No entanto, os pais só trocaram seis por meia dúzia no que se referia à dependência de associação de sono. Valeu a pena? Muito! Só passando por esse processo, Sônia e Décio estavam seguros quanto à capacidade do filho, mas ainda não estavam convictos de que a mudança teria impacto positivo nas noites de sono dele.

Fico só imaginando os questionamentos que os pais não me confessam. "Como você sabe? Com ajuda ele já dorme mal, acorda mil vezes, e você está me dizendo que, se eu não ajudar, ele vai dormir melhor e a noite toda? Se no colo, com todo o aconchego, já chora, imagina sozinho no berço?"

O que acontece com os bebês e crianças pequenas é que eles seguem uma forma de pensar direta, em linha reta: se você me faz dormir, sempre que eu estiver com sono precisarei que você me faça dormir. Se você me deixar dormir, vou encontrar no berço o meu jeitinho e, sempre que eu estiver cansado, vou dormir por mim mesmo. Complicadamente simples.

Após o ritual do sono, Sônia colocou o filho acordado no berço e teve dificuldade em sair do quarto. Mesmo com tudo acertado no plano de sono, várias vezes ela pegou o filho no colo, tentando acalmá-lo. Depois de uns vinte minutos nesse processo, ela percebeu que essa estratégia estava mais agitando o filho do que o confortando. Teve coragem e saiu do quarto, entrando de um em um minuto, mas dali em diante só se aproximando do berço, fazendo um carinho na cabeça dele e logo se retirando. O choro continuou sem parar. Esse mesmo berço que ele estranhou e dentro do qual se descabelou às 20h era o mesmo das 3h da manhã, quando despertava e deparava com a abdução. Como Samuel vai retomar o sono no berço, na madrugada, se esse lugar é completamente estranho para ele? Aqui entra a lógica do óbvio. Só se dorme no berço e parado se for dormir no berço e parado. Se ele continuar dormindo no colo, sendo ninado e acordando no berço e parado, vai chorar até que alguém o tire "deste berço que não me pertence" – e não pertence mesmo.

Após 30 minutos direto em pé no berço, orientei Sônia: a cada duas entradas, em uma ela deitaria o filho sem insistir em mantê-lo nessa posição. A intenção era apenas oferecer o modelo de como se faz isso. Como Samuel dormia em pé no colo, não só o fato de o pai não poder se sentar, mas também o de ele sempre ter dormido na posição vertical, com a cabecinha no ombro dele, nunca permitiram que o bebê fosse ativo em se posicionar na horizontal, já que era posto no berço desse modo adormecido e já inconsciente. Parece algo tão básico, mas como Samuel, mesmo cansado e com sono, saberia dormir deitado na horizontal por ele mesmo se nunca havia tido essa vivência ativa?

Já passava dos 50 minutos desde que Samuel havida ido para o berço e nem sinal de que dormiria tão cedo. Nesse ponto, percebendo que as entradas no quarto só agitavam mais o filho, passamos para intervalos de dois a três minutos de ausência. As entradas no quarto serviam apenas para que Sônia mostrasse ao filho que ela ia e voltava, mas que não ficaria ali dentro na hora de dormir. Sair do campo de visão era preciso para que Samuel não se apegasse à presença da mãe como parte de seu *kit* sono[3]. Sendo assim, ninguém mais sumiria sem aviso prévio, saindo de fininho sem que Samuel percebesse o movimento de retirada. A partir daquele momento, haveria sempre uma despedida. O mantra da honestidade foi inaugurado nessa noite: se não vou ficar por aqui a noite toda, você precisa saber e ver que não fico. Pesando na balança da consciência, é melhor um bebê ficar bravo com a despedida do que assustado com o sumiço.

Toda vez que Sônia tentava deitar o filho, ele arqueava o corpo, resistindo bravamente e se agarrando nela. Uma cena de horror.

Optamos então por não ficar insistindo em deitá-lo. Quem sabe ficando em pé ele chegaria na posição horizontal por iniciativa própria? Deixaríamos Samuel se virar sem modelo. Nessa altura já havia se passado uma hora de processo, com a Sônia entrando de três em três minutos, dirigindo-se até o meio do quarto, apenas dizendo “é hora de nanar” e, assim como nas outras vezes, devolvendo-lhe a naninha, que estava quase sempre jogada ao chão.

Em determinado momento, Samuel começou a intercalar momentos de choro com resmungos. Dávamos pausa no cronômetro e retomávamos a contagem se ocorria choro intenso, e Sônia entrava sempre após os três minutos. Samuel

---

3 No capítulo sobre o hábito da companhia (Capítulo 8), essa associação de sono será discutida de forma mais completa.

estava se entregando ao cansaço. Quando era 1h30 no relógio, Samuel dormiu em pé, como no colo, com a cabecinha na grade forrada com o edredom. Essa foi a sua posição na primeira noite. Chorou o mesmo tempo que no colo do pai na primeira noite do desmame noturno. Seriam necessárias mais cinco noites para Samuel ter a iniciativa de se deitar e encontrar aconchego na posição horizontal.

Os tempos para dormir variaram de uma hora até 25 minutos nas demais noites. Os despertares noturnos também foram tensos. Na primeira noite, Samuel acordou três vezes e demorou em média 45 minutos para voltar a dormir, de novo em pé na grade. Assim que pegava no sono, Sônia deitava o filho para não correr o risco de ele despencar dentro do berço; algumas vezes ele acordou e chorou novamente. Os pais estavam aflitos e exaustos. As demais noites foram semelhantes, um despertar mais breve e nos demais Sônia teve de entrar várias vezes no quarto até o filho conseguir dormir no berço.

Pedi muita paciência. Eles não tinham para onde ir. Voltar a dormir no colo não era mais opção. Os pais, enfim, colocaram o filho na rota do aprendizado e não tínhamos como acelerar o processo no que se referia à parte do Samuel. Agora ele precisava explorar o berço e não conseguiria fazer isso estando irritado. Tínhamos de acostumá-lo a ir acordado para o berço, esperar a braveza passar, ou seja, a reação dele diante do estranhamento, e apenas observar qual seria sua atitude ativa para iniciar o sono. Ele tinha a "faca e o queijo na mão" e, com a mãe lhe dando o direcionamento, era só ele fazer o corte. Os pais no geral ficam muito aflitos por serem apenas espectadores nesse processo de aprendizagem. Alguns chegam a pensar que não estão sendo bons pais. Sônia estava ajudando o filho com ele, mas não por ele no ato de dormir. Ela estava acolhendo o choro sem interferir no sono do filho.

E assim, na quinta noite, não teve mais choro no início. Samuel, já mais calmo no berço, ainda ficou em pé uns 15 minutos, mas olhou tudo em volta, tranquilo, e se deitou por si mesmo. Depois dessa noite, passou a dormir mais rápido, agora de bruços. Os pais até estranharam ele gostar dessa posição, mas não me surpreendi, já que era assim que, antes, ele dormia no colo do pai: encostando barriga com barriga[4]. Parece que achou algo similar no conforto, agora no "colo do colchão". Ainda acordava à noite, mas os despertares eram

4 É muito comum, com o tempo e menos bravos no berço, os bebês buscarem de modo ativo uma forma de dormir similar ao modelo antigo.

rápidos. Muitas vezes Sônia nem precisou entrar no quarto e, quando precisava ir até lá, uma ou duas vezes eram suficientes.

A partir da sétima noite, passou a dormir tranquilo e a noite toda. Ficava um pouco de pé, calmo, logo se sentava e ficava resmungando até se deitar. Nesse momento, rolava de um lado para outro até se virar de bruços de vez. Comemoramos o aprendizado, porém ainda tínhamos outras batalhas a serem vencidas.

Samuel não chorava mais no berço, mas passou a chorar na saída do banho, ao perceber que estava indo para o quarto. Agora sabendo o que aconteceria, já previa que era hora de ir dormir e não estava gostando. O questionamento da mãe era que, se ele não associava a hora de dormir com algo bom, como iria gostar de ir para o quarto e dormir no berço? Enquanto dormir no berço ainda estivesse associado à perda do colo e à despedida dos pais, a antecipação no banho seria tensa. Comparo com a criança que ainda não está adaptada à escolinha e já chora quando vê o uniforme e a mochila. Enquanto a escola representar ter de dar tchau para a mamãe, ainda não se consegue gostar da diversão que ela proporciona. Depois que a criança está adaptada, passa até a querer ir para a escola no fim de semana.

Bebês só precisam de tempo para perceberem que dormir no berço é gostoso, até mais que o colo. Bebês maiores de 6 meses já são ativos motoramente, precisam de espaço para circular, se mexer e ser dinâmicos na busca pela posição de dormir, quando estão cansados. Pedi calma e paciência para a mãe de Samuel. Ela queria saber como poderia ajudá-lo a tornar esse momento gostoso e especial. Respondi que bastava ela encarar da seguinte forma, mesmo que ele estivesse chorando: nem sempre o que é gostoso será gostoso para o bebê no começo. Papinhas são feitas com amor e carinho, mas há bebês que têm até ânsia na primeira colherada. Viagens de carro podem ser divertidas, mas as primeiras vezes, presos na cadeirinha, podem ser vivenciadas como algo extremamente dramático.

Se os pais estão seguros de que estão oferecendo de tudo para que o ato de dormir seja relaxante e gostoso, agora é o momento de o bebê se acostumar com a nova situação. Algo só deixa de ser novo e estranho quando passa a ser familiar e conhecido. O tempo de repetições é que promoverá essa mudança.

Assim, o que propus para Sônia foi que ela criasse um clima leve, acolhedor e tranquilo em meio ao choro do filho, depois do banho. Combinamos de antecipar um pouco o horário da rotina da noite para dar mais tempo de os dois estarem juntos no ritual do sono. Sônia deu mais tempo de colinho para

Samuel, procurou ficar calma e tranquila nos momentos tensos de choro e mantivemos essa atitude por uma semana. Apesar de ele somente resmungar por depois de ser colocado no berço, o ritual do sono ainda estava sofrido para todos. Em sete noites já deu para ter uma noção de que mais tempo com a mãe não o ajudou a se organizar.

Pensamos, então, em trocar pelo pai na hora do colinho. Assim, Sônia passou a dar o banho, se despedia do filho no banheiro e Décio se tornou o responsável por todo o ritual do sono, desde a troca de roupa à despedida no colinho. Na primeira vez a despedida da mãe no banheiro foi tensa, mas esse momento se tornou mais tranquilo daí em diante. No entanto, nas três primeiras noites com o pai, ele chorou por cerca de dez minutos ao ser colocado no berço. Vamos lembrar que bebês associam a pessoa, e provavelmente, enquanto estava no colo do pai, Samuel encontrou um conforto já conhecido, mas ao ser colocado no berço deve ter passado pela sua cabeça "Que história é essa de sair do colinho gostoso do papai para o berço?".

Chorou, mas logo lembrou do seu novo jeito de dormir, de bruços com a cabecinha de lado, e embarcou sozinho no soninho. Na quarta noite com o pai, já não teve mais choro nem no ritual nem na despedida. Nessa altura do processo, Samuel já estava dormindo a noite toda. Os pais ouviam resmungos no meio da noite, mas, ao olharem a babá eletrônica, viam Samuel se mexendo, buscando a posição de conforto e o silêncio prevalecia na calada da noite. Alívio geral. Bebê dormindo bem e pais ainda em estado de alerta. Demorou bem mais tempo para Sônia e Décio dormirem, eles próprios, a noite toda. Estavam sempre em estado de vigília, acompanhando os movimentos do filho ao longo da noite. Até que ficaram seguros de que Samuel havia aprendido mesmo a dormir, aposentaram a babá eletrônica e voltaram a dormir bem.

Colo é lugar seguro para dormir?

Larissa, uma mãe à beira de um ataque de nervos, era do grupo que estava criando em sua própria casa uma "Minimarte" para atender à dependência do *kit* sono da filha. Mas não estava dando certo. Quando me procurou para pedir ajuda, além de todo o cansaço e das dores nas costas por dormir em uma poltrona havia meses balançando Mia, de 9 meses, ela só se deu conta de que esse não era o melhor jeito de fazê-la dormir quando a menina caiu dos seus braços no meio da noite e bateu a cabeça na quina da cômoda. Por sorte não foi nada grave, porém o susto foi enorme. O incidente foi o fim de seu esforço, até aquele momento em vão, de manter os hábitos de Marte na Terra, lugar em que existe força da gravidade e bebês sem contenção podem cair no chão.

O colo dos pais como lugar de dormir, por mais amoroso, afetivo e aconchegante que seja, não é seguro. Ainda mais permanecendo 11 horas nesse lugar. O que aconteceu com Mia era previsível. Os músculos dos braços perdem o tônus durante o ciclo de sono profundo, e a chance de o bebê cair do colo da mãe adormecida é grande. Já do lado dos bebês e crianças pequenas, eles ainda não têm o controle inibitório dos movimentos e, por isso, durante a noite se mexem bastante. Sendo assim, precisam de um espaço que permita mobilidade e seja ao mesmo tempo confortável e seguro. Que tal o berço?

Com medo de a filha cair novamente, Larissa tentou passá-la para o berço, mas o choro era tão intenso e assustador que ela e o marido logo desistiram. Fizeram umas "barricadas" para prevenir outros acidentes, mas Larissa estava tão tensa que praticamente passava as noites em claro na poltrona, com receio de derrubar a filha novamente.

Os pais me disseram na consulta: "Queremos que a nossa filha durma no berço, mas sem sofrimento e choro". Um bebê que acorda várias vezes, chorando no meio da noite, já está em sofrimento. Não é porque a mãe passa a noite tentando resolver o choro que está poupando a criança de sofrer o desconforto do cansaço. "Os pais ficam tão focados no choro que não percebem quão avassalador é para um bebê, assim como para um adulto, passar meses dormindo mal"[5]. Até agora, com todo o esforço e amor do mundo, ninguém havia conseguido resolver nem o choro nem o sofrimento de Mia.

Mia dormiu praticamente a vida toda no colo da mãe, sendo ninada. Como poderíamos evitar ou impedir que ela sentisse a mudança ou chorasse tendo de dormir no berço, parada, sem o colinho da mamãe? Nós, pais, não temos como controlar as reações dos nossos filhos, mas temos como acolhê-los, passar a eles segurança e dar todo o suporte para que consigam superar suas dificuldades. Mia não sabia dormir com autonomia, estava dependente do colo e do ninar da mamãe para dormir. O único gatilho a ser mantido era a chupeta, que se mostraria de grande ajuda. Tínhamos o agravante de que, no meio da noite,

---

5 WALKER, Matthew. *Por que nós dormimos:* a nova ciência do sono e do sonho. Tradução de Maria Luiza X. de A. Borges. Rio de Janeiro: Intrínseca, 2018.

ela tomava uma ou duas mamadeiras, caso o balançar não resolvesse o despertar. Assim ficou evidente que, além do ninar para nanar, estava incluído como parte do processo o mamar para nanar. Era consenso dos pais que a situação não estava fazendo bem para ela nem para a família. Seguros disso, tínhamos de mudar essas associações de sono. Os pais estariam com ela nesse processo de adaptação sem fazer por ela. Enfrentariam o choro, e Mia seria acolhida no seu desconforto.

Sempre tem choro

Só sofre e chora para dormir quem ainda não sabe dormir e fica esperando passivamente que alguém faça isso no seu lugar. Dormir no berço não é vacina nem remédio amargo. Se o bebê está sofrendo para dormir é porque algo está errado. Então, se a família entende que a filha tem condições de dormir sem precisar de ajuda, é aqui que começa o processo de reeducação do sono, e vamos dar todo o suporte para que a bebê, no seu tempo, se aproprie de formas de dormir que sejam coerentes, consistentes e constantes e que tragam noites restauradoras para toda a família.

Como os hábitos de sono de Mia estavam diretamente associados à mãe, sugeri que o pai assumisse as primeiras noites. Argumentaram que Douglas nunca tinha conseguido fazer a filha dormir. Larissa mostrava-se visivelmente desconfortável com essa sugestão, e Douglas, inseguro diante da reação da esposa. Mas isso era ótimo, porque, com ele, Mia não tinha nenhuma associação de sono. A proposta, aparentemente descabida para os pais, não tinha como intenção trocar Larissa por Douglas como associação de sono. O objetivo era o pai ser apenas o mediador da mudança de *kit* – nem mamãe, papai ou outro adulto como referência de sono para ela dormir.

A ideia central é que, uma vez que o bebê aprende a dormir com suas referências próprias, qualquer pessoa pode desempenhar a rotina de conduzi-lo até o berço, o lugar adequado aonde ele precisa chegar e vai querer chegar, com sono, para se confortar, relaxar e dormir por si mesmo.

Quem nunca teve um filho que dorme "sozinho" (por si mesmo) não tem noção da satisfação de ver, mesmo que pela câmera da babá eletrônica, um bebê calmo, sereno, girando pelo berço, às vezes emitindo sons e barulhos como se estivesse cantando, achando a posição e engatando o sono. Sem choro e sem sofrimento. Quando conto para pais exaustos que na realidade isso é que é o normal, eles me olham chocados. Tenho vários vídeos de bebês e crianças dormindo tranquilamente, enviados por famílias como sinal de gratidão pela graça alcançada. Com autorização delas, mostro essas imagens e vejo olhos surpresos, brilhando como sinal de esperança.

Enquanto isso não acontece e quanto mais dependente o bebê é da mãe ou do pai, iniciar um processo de reeducação do sono só ocorre quando os pais estão desesperados e exaustos demais ou percebem que, mesmo se esforçando para poupar o sofrimento, a privação de sono do filho está muito sofrida para ele e para os próprios pais.

Ou, então, é apenas uma questão de fé e os pais pensam: "Acreditamos que ele possa conseguir autonomia, mas são tantas informações truncadas por aí que acreditamos por acreditar, sem tanta confiança de que tudo dará certo".

No caso de Douglas e Larissa, era muito de tudo. Mãe exausta, bebê com vários despertares, além de uma queda, e uma vaga crença de que em algum momento Mia conseguiria dormir no berço sem ajuda.

Os pais escolheram o método da cadeira, e Douglas topou assumir o processo até a filha aprender a dormir no berço e sem choro. Caso as noites fossem muito cansativas para o pai, pediriam ajuda para a babá. De qualquer modo, se necessário, a troca de responsável deveria acontecer a cada cinco noites, justamente para dar tempo e repetição para Mia ter condições de saber o que esperar deles quando fosse a hora de dormir.

Larissa ficou responsável, como de costume, por toda a rotina da noite. Alteramos apenas a ordem da última mamadeira, que seria dada no quarto do casal, antes do banho. Achamos que seria mais coerente retirar o leite do clima sono do quarto de Mia. A intenção, daquele momento em diante, era mamar como parte da rotina alimentar e não mais a intenção embutida de relaxar e acalmar. Essa função seria dada à chupeta, que é garantida por toda a noite. Após mamar, Mia passou a tomar banho; aproveitando, já introduziram o hábito de escovar os dentes, que era feito pela mãe antes de dar a mamadeira.

Depois do banho, seria a despedida com a mãe, de forma leve e tranquila. Depois a bebê iria com o pai para o quarto, com sono, limpinha e alimentada para o berço. Simples assim.

Papai fez um ritual tranquilo dentro do quarto. Ficou combinado que Mia sempre se despediria dos bichinhos do quarto, e, ao fechar a janela, Douglas cantaria a mesma música toda noite: *Brilha, brilha, estrelinha*. Para o meu alívio, o pai, mais racional e seguro em relação ao processo, estava confiante.

Antes ele dormia muito bem enquanto a esposa ninava a filha a noite toda na poltrona, mas depois do incidente da queda ele ficou preocupado com a situação. E, quando eu lhe disse que, se Larissa voltasse a dormir bem a noite toda, haveria grandes chances de ela também voltar a ser esposa, ele se mostrou animado e esperançoso.

Ao colocar Mia no berço, depois da sua despedida, Douglas se sentou em uma cadeira e colocou um fone com música clássica em seus próprios ouvidos. No primeiro atendimento, ele admitiu que o choro era algo que o irritava e que temia perder a paciência e desistir de tudo. Ficou acertado que a cada um ou dois minutos faria o barulho *shshshsh* e entregaria a chupeta para a filha, fazendo, nesses momentos, um carinho. Essa atitude deixou Larissa mais tranquila, mesmo com Mia continuando a chorar. As primeiras noites serviram apenas para apresentar o berço e o parado como lugar e modo de dormir, respectivamente, contando ainda com a presença e o acolhimento do pai.

Quanto à mamadeira no meio da noite, ficou acertado com os pais que, durante esse processo, para não haver nenhuma dúvida sobre a fome nos despertares noturnos, seria oferecida, à meia-noite, a mamada dos sonhos, sempre com a bebê dormindo. A próxima mamadeira só seria dada a partir das 5 ou 6h, horário do bom-dia, caso Mia acordasse nesse horário e não voltasse a dormir. A mensagem coerente para ela era que, se quer dormir, se oferece o berço, e, se quer acordar de manhã, se oferece o café da manhã (mamadeira). Não se misturaria mais mamadeira com sono. Como tinham dúvida de fome no meio da noite, essa questão deveria ser antecipada com a mamada dos sonhos, e os pais estariam seguros de que, em qualquer despertar, o leite estaria fora do checklist. Modo coerência ligado, seguimos em frente com o plano de sono.

Na primeira noite, Mia quase não aceitou a chupeta nos momentos de braveza. Nas e nas poucas vezes em que ficou com ela na boca, logo a deixava cair quando gritava e chorava. Ficava em pé praticamente o tempo todo. Uma vez o pai a deitava, colocava chupeta e dava a naninha, e na outra não insistia na posição. Passados 35 minutos, Mia passou a ficar sentada, por cansaço mesmo. Não parecia ter mais energia para ficar em pé. Isso ajudou o pai a deitá-la mais vezes e ela começou a passar um pouco mais de tempo na horizontal (dois a três minutos), mas logo se sentava. Nos momentos em que Mia se mantinha deitada, o pai a confortava com a mão nas suas costas e aos poucos ela foi se acalmando, mantendo a chupeta na boca. Acabou adormecendo, totalizando quase uma hora de choro.

Quando me perguntam se, nessa hora do chororô, tenho pena do bebê, eu digo que sim, tenho muita pena de, em primeiro lugar, ele dormir mal. Também fico com dó de ele ter para si uma mãe e um pai exaustos, e, para finalizar minha empatia com relação ao bebê, sinto por ele estar em um lugar feito para dormir, gostoso, limpinho e aconchegante e não ter a menor ideia do que fazer lá. O choro é só consequência de toda essa dinâmica. Como sei que é provisório, não me abalo com isso. Assim que, com o tempo, o bebê encontrar conforto no novo modo de dormir, não haverá mais choro. E o filho, dormindo a noite toda, também vai ganhar pais descansados e com energia para viver bem.

Autonomia

Mia mostrou o quanto era capaz de dormir por ela mesma. Continuou, como de costume, despertando à noite, mas agora no berço e parada. Douglas, nesses momentos, se posicionava na cadeira, do mesmo jeitinho que no início da noite, aguardando a filha retomar o sono, agora em seu novo e autossustentável lugar de dormir. Em média, cada despertar na primeira noite durou de 30 a 45 minutos e a chupeta muitas vezes a ajudou a se deitar. A mensagem de Douglas para a filha era: "Você acordou, mas está com sono, e sempre que estiver cansada vou te oferecer sempre os mesmos itens: berço, chupeta e naninha. O resto, filha, é por sua conta".

Na segunda noite já foi bem melhor. Ela chorou ao se despedir da mãe, mas chegando ao quarto já havia parado. Após o ritual do sono, papai colocou Mia acordada e consciente no berço. Ela chorou ao todo por 35 minutos, mas dessa vez houve pausas maiores, e assim Douglas interveio menos vezes. Deitou a filha apenas três vezes. Após 25 minutos entre levantadas e sentadas, Mia se deitou sem ajuda. Ainda ficou chorando por uns dez minutos e dormiu de chupeta e de ladinho.

Os pais já ficaram mais aliviados pela diminuição do tempo de choro e pelos intervalos em que ela se mostrou mais tranquila. Nessa noite ela acordou três vezes, mas em duas conseguiu dormir sem dar tempo de o pai chegar na cadeira. No despertar das 3h da manhã, Mia demorou 20 minutos e o pai observou que ela ficou se balançando de bruços, com o bumbum empinado. Parecia estar se autoninando. E era mesmo. Mais calma, no berço, ela estava tentando à sua maneira criar movimento no parado. E foi só com o passar das noites que pudemos chegar a essa conclusão. O berço não tinha movimento, e, na falta do balançar, Mia, menos brava, começou a ser ativa no modo de se acalmar, buscando um jeitinho próprio de se ninar. Os pais ficaram surpresos.

Nas demais noites ainda houve um pouco de choro ao se despedir da mãe, mais um pouco de choro na chegada ao berço, mas a chupeta e sua nova maneira de se acalmar tornaram o processo de adormecer mais rápido e menos sofrido. Isso também promoveu um impacto positivo nos despertares. Algumas vezes os pais viram, pela babá eletrônica, a filha despertando, abrindo os olhos, empinando o bumbum, se ninando e retomando o sono tranquilamente. Pais tensos olhando o monitor e, ao final, felizes ao verem a conquista da bebê. Em outros despertares, Mia precisou do pai apenas para colocar a chupeta e Douglas nem ficou na cadeira.

Apego

Na sétima noite, todo o processo de despedida da mãe, o ritual do sono e a chegada ao berço foram ficando mais tranquilos, praticamente sem choro. Ainda mantivemos a mamada dos sonhos, garantindo a segurança dos pais em relação à barriguinha cheia da filha. No entanto, os despertares noturnos, que já estavam melhorando, voltaram a ser mais constantes e mais demorados para a retomada do sono. Douglas percebeu que Mia ficava procurando por ele na cadeira. Isso passou a acontecer no meio da noite. Assim que Douglas se sentava na cadeira, Mia logo se deitava. Percebemos então que o novo *kit* sono da Mia era: berço, chupeta, naninha (passou a se aconchegar), posição de bruços, "autoninação" e... papai na cadeira.

O bebê pode ou não se apegar como parte do *kit* sono a tudo aquilo que se oferece no início da noite. Quem vai nos mostrar isso é o próprio bebê. Tem mãe que se mata estimulando chupeta, de várias marcas, modelos, formas e cores, e nada de o bebê se acostumar com esse gatilho de sono. Outro bebê se apega à chupeta já na maternidade. Tem criança que nem se sabe como aconteceu e como apareceu a naninha e não larga o trapinho sujo e esfarrapado por nada. Já outras, como vimos, se apegam à "mamãe naninha" e a jogam longe quando se oferece uma fraldinha ou um bichinho.

Enfim, uma vez que se estimula um item, mesmo que seja um item humano, há chance de apego como gatilho de sono. E Mia se apegou ao papai, risco calculado quando se trata do método da cadeira. Quando os pais percebem isso – e acho ótimo quando essa tomada de consciência passa por eles –, fico satisfeita de ver que eles não se apegaram à fórmula ou ao método, mas estão olhando para o que a filha está mostrando. Cientes de que papai não pode e não precisa ser parte do *kit* de Mia, eles decidiram avançar no processo.

Douglas então saiu do quarto com a filha ainda acordada. Deram boa-noite para os bichinhos do quarto, fecharam a janela ao som de *Brilha, brilha, estrelinha* e Mia foi para o berço. Douglas avisou que ia sair e, quando ela percebeu o pai se dirigindo até a porta, ficou em pé e começou a chorar. Até a noite anterior ela não estava mais chorando nem se levantando do berço. Logo, estava mesmo apegada ao pai na cadeira. Como a presença do pai não se sustentava a noite toda, agora teríamos de fazer o desmame da companhia.

A cada um ou dois minutos, Douglas entrava no quarto, entregava a chupeta, a naninha e fazia o barulho do *shshshsh*. Uma vez ou outra lembrava Mia de se deitar. Depois de uns dez minutos passou a entrar a cada três minutos, tendo sempre a mesma atitude e dizendo para a filha que era hora de nanar. Em 20 minutos, Mia se deitou de vez, pegou a chupeta, se autoninou e dormiu fungando. Deu peninha de ela ter de passar por isso de novo, mas, a cada ruptura do que vira hábito, o bebê sente a perda e precisa de tempo para se acostumar. Mia precisou de três noites para dissociar a presença do pai. Foram, em média, 20 a 25 minutos para iniciar o sono, e dois ou três despertares ao longo da noite, levando esse tempo para retomar o sono. O pai entrava em intervalos que variaram entre um e três minutos, sempre que Mia chorava. Nos resmungos, ele nem contava o tempo. E assim, na quarta noite, após a saída do pai do *kit* sono, Mia enfim consolidou sua nova e linda maneira de dormir: no berço, com chupeta (ela mesma a colocava na boca), de bruços, abraçada com a naninha, bumbum empinado, se balançando e, o melhor de tudo: tranquila, sem choro e a noite toda. Agora poderíamos comemorar o aprendizado da pequena grande Mia. Sem choro e sem sofrimento.

Tínhamos mais dois passos a avançar: retirar a mamada dos sonhos e a mãe passar a colocar a filha para dormir.

Os pais optaram por tirar primeiro a mamada da meia-noite. Estavam agora seguros de que Mia sabia dormir. Com o sono noturno organizado, ela estava dormindo melhor de dia, o que trouxe um impacto positivo às refeições, ou seja, estava comendo melhor. O pediatra havia liberado fazia tempo o desmame noturno, portanto a cada três noites foram diminuindo 30 mL da mamadeira. De 180 foi para 150, e assim regressivamente. Depois de três noites mamando 90 mL, Mia não mamou mais durante a noite. Em nenhum momento ela acordou, despertou ou sentiu falta do leite – a ponto de, mesmo na hora do bom-dia, não acordar aflita para mamar. A mãe ainda trocava a fralda, preparava a mamadeira, e isso levava cerca de 20 minutos até ela começar a mamar os mesmos 180 mL da meia-noite.

Mais uma batalha vencida, o próximo passo era Larissa passar a colocar a filha no berço. A mãe estava bem ansiosa. Com ela, Mia sempre fazia mais *mamanha*. Reforcei que o pior já havia passado e que Mia, já sabendo dormir, caso chorasse seria muito mais pela associação com a novidade do ritual com mamãe, ou por estranhar não ser o papai. Se Larissa estava segura de que, qualquer que fosse a reação da filha, o modo de dormir seria o mesmo, em caso de choro ela entraria nos tempos do método para que, com o passar das noites, a filha percebesse que o modo de dormir naquela casa era universal, com papai ou com mamãe – e quem sabe um dia com a vovó, para os pais poderem ir ao cinema. Com choro, sem choro ou apesar do choro, dormir sempre seria no berço, com chupeta e naninha. Alertei Larissa de que todo o tempo seu semblante teria de ser de calma, tranquilidade e serenidade. Expliquei a ela: "Já pensou se agora eu ficar com um olhar assustado, com cara de terror, apavorada com a sua entrada no circuito? Eu te ajudaria a ficar tranquila? Claro que não. O mesmo acontece com a pequena Mia. Ela pode até se desorganizar com a sua entrada no quarto, mas você tem que estar inteira para ela".

Sinto muitas vezes que sou alarmista. Por atender muitos casos, antecipo as possibilidades ou os problemas antes que eles aconteçam. Sei que é importante os pais saberem que a reação dos filhos pode ser diferente com cada um em situações rotineiras do dia a dia. Há o bebê que come superbem com a babá e é um drama quando a mãe oferece comida. A mãe deixa a filha na escola e ela dá um beijo e tchau com um sorriso estampado no rosto. Já com o pai, faz aquela cena na porta da escola. Existe a reação da criança e a resposta dos pais: talvez nunca saibamos o que nasceu primeiro, o ovo ou a galinha, mas o fato é que não se deve mudar a forma de agir só porque o filho faz diferença. Acolha a reação sem sair da linha. Foi assim que orientei Larissa em relação à Mia: agir com a naturalidade e sensatez de que nada mudou por ser a mamãe. E assim foi a primeira noite de Mia. Depois do banho, ela foi para o quarto com a mãe, Larissa prolongou um pouco mais o momento mãe e filha e, depois da musiquinha, colocou Mia no berço, deu um beijinho nela e saiu do quarto. Mia se levantou na hora e chorou por dois minutos. Larissa entrou no quarto, deu a chupeta e a naninha e saiu. Mia resmungou um pouco, se deitou e demorou um pouco mais para pegar no sono, cerca de dez minutos, sem chorar. Larissa não entrou no quarto nesse tempo, já que Mia estava calma. Mia dormiu a noite toda. Assim, Larissa passou a sempre colocar a filha para dormir, e Douglas, sempre que estava em casa na rotina da noite, também participava desse momento agora gostoso, tranquilo, rápido, sem choro, sem sofrimento e com noites repletas de lindos e doces sonhos.

Hábito *versus* necessidade

Tanto no caso de Samuel quanto no de Mia, claramente estávamos tratando de hábitos de sono que geraram uma forte dependência, tanto nos bebês quanto nos pais, que, nitidamente, estavam reforçando essa dependência. Samuel e Mia tinham sono e queriam dormir. Era essa a necessidade deles quando estavam cansados. O ninar para nanar era o *modus operandi* para eles engatarem o sono, ou seja, o meio para chegar a um fim.

Vasculhando meus históricos de casos, me recordei de uma criança que, na época em que a conheci, tinha quase 3 anos.

Serginho sempre dormiu a noite inteira sendo ninado, assim como nas sonecas do dia, desde bebezinho. O pai me contatou preocupado com a seguinte situação: o filho tinha crescido, já pesava mais de 15 quilos, e tanto a esposa quanto a babá não conseguiam mais carregar o menino no colo para fazê-lo dormir.

Até então, a noite não era um problema, pois Renan sempre chegava em casa na rotina da noite, conseguia jantar com o filho, dar banho e niná-lo na hora de dormir. Até que era rápido. Não levava mais de dez minutos. O problema eram as sonecas. A mãe tinha um problema na coluna e foi proibida pelo ortopedista de carregar peso. A babá não tinha forças para ficar dez minutos ninando Serginho. Havia meses, então, a rotina do pai era, no horário da soneca, parar de trabalhar, voltar para casa, ninar o filho e sair correndo de volta ao escritório, almoçando às pressas dentro do carro. Surreal, mas sem julgamentos. Quando se trata de filhos, fazemos o que é possível e impossível.

O receio dos pais era o de que, com qualquer mudança de hábito para o menino, que dormia superbem a noite toda, mesmo sendo ninado, ele passasse a acordar durante a noite por dormir estressado. Já esperavam que haveria choro no processo, mas outra preocupação com a soneca era o fato de que esse soninho da tarde ainda era muito importante para que Serginho chegasse bem à hora do jantar, pois ele não comia direito se estivesse cansado. Recebi o *e-mail* do pai no fim de setembro. Marcamos o atendimento para o início de outubro. Combinamos que a urgência na mudança de hábito era mais a soneca, já que interferia no trabalho do pai. Depois que se sentissem seguros, também mudaríamos o hábito no sono noturno.

Não tive mais notícias da família até a véspera do Ano-Novo. O pai me ligou e disse que tinham resolvido começar naquele dia. Ainda pensei nos fogos de artifício que fazem parte dessa época do ano e que podem atrapalhar o sono de qualquer um. Enfim, estavam decididos a começar pela soneca. Elaboramos na época do atendimento um minirritual para o soninho do dia. Serginho iria escolher um amigo do sono. Gilda, a babá, assumiria a mudança; ela somente rezaria com ele na poltrona, os dois juntos fechariam a janela do quarto, falando "bom descanso" para os passarinhos e ele iria para o berço. Gilda sairia do quarto antes de o Serginho dormir.

Feito tudo isso, Gilda não teve coragem de sair do quarto, então disse ao menino que iria arrumar a gaveta dele, e permaneceu no cômodo, porém sem fazer contato visual. Serginho não chorou, não se levantou e dormiu em cinco minutos. Nem eu acreditei. Ainda mais no começo de carreira, eu era bem mais alarmista do que sou hoje – como muitos já me surpreenderam, hoje vou bem tranquila em relação ao bebê e às crianças. Eles não me assustam nem me surpreendem mais. Sei que, da parte deles, tudo pode acontecer: desde nadinha de choro (mais raro quando não se sabe dormir) e o maior berreiro, gritos, cabeçadas e até vômito, tudo isso por estarem indo dormir de um jeito novo; porém, sempre me encantam.

Serginho levou cinco minutos para dormir. Os pais se prepararam por mais de dois meses para esse "grande evento" que seria o filho dormir direto no berço. Até brinquei com o pai: Serginho deve ter pensado: "Ufa, ainda bem que agora o papai não precisa de mim e já pode ir trabalhar tranquilo, direto, sem precisar me pegar no colo no meio do dia".

Não tive mais notícias de Serginho, mas sei que, no caso da consultoria do sono, *no news is good news*.

Conforto e des-conforto

Os pais têm muito medo de saírem da zona do des-conforto. Não estava nada confortável carregar um menino pesado no colo, parar de trabalhar no meio do dia para niná-lo, porém o sacrifício do pai era em nome do conforto do filho ao dormir bem, tranquilo e sem choro.

Sempre há algum ganho secundário em um hábito desconfortável. Às vezes prevalece a tranquilidade, como no caso de Serginho, já que ele dormia bem tanto de dia quanto de noite, com o colo. O desconforto só estava do lado do pai. Serginho, a mãe e a babá estavam numa boa. O primeiro embarcava no sono tranquilo, a segunda e a terceira não precisavam lidar com o peso pesado. O problema do pai era apenas a interrupção do trabalho. Se ele tivesse a opção do *home office*, provavelmente manteriam essa dinâmica por muito mais tempo.

No caso de Mia, o pai estava confortável, em parte por dormir bem, mas sentia falta da esposa, a quem, cansada e parte fundamental do *kit* sono da filha, só sobrava energia para a função cansativa de ser mãe. Larissa, por sua vez, estava nitidamente desconfortável dormindo na poltrona a noite toda, mas confortável na ideia de que valia a pena sacrificar o seu sono pelo bem-estar da filha. Porém, Mia também estava desconfortável no colo, toda hora despertando por balanço e leite até a queda no meio da noite.

No caso do Samuel, ele mesmo estava desconfortável acordando a noite toda. O conforto era mais no aspecto emocional dos pais, que, pelo visto, eram os únicos a se acalmar com o colo. Pelo menos estavam dando carinho.

"Mamãe dá colinho!"

Carolina, na época com 2 anos e meio, sempre dormiu no colo da mãe. Não demorava nem cinco minutos. Era só dar uma ninadinha na cadeira de balanço do quarto e era colocada adormecida na caminha, com todo o cuidado para não despertar.

Certa vez, a mãe teve um evento noturno e não conseguiu chegar a tempo de fazer a filha dormir. Nessa noite o pai ficou incumbido da função. Foi caótico. Carol ficou acordada, aos gritos, esperando pela mãe até meia-noite, quando Cintia chegou em casa. Os pais nunca tinham vivido essa situação e perceberam o quanto a filha estava dependente do colo da mãe. Carol acordava pelo menos duas vezes durante a noite. Uma antes da meia-noite, horário em que Cintia ainda estava acordada, e outra por volta das 3h da manhã, mas era super-rápido. Só de colocá-la no colo, Carol já voltava dormir. Por volta das 5h, ela aparecia na cama dos pais e dormia lá até as 7h. Os pais não se incomodavam com essa situação até a fatídica noite.

Depois do ocorrido, em outras noites o pai insistiu em dar colo para a filha na hora de dormir, mas, depois de muito choro, gritaria e com medo de os vizinhos reclamarem, Cintia acabou voltando à cena.

Miguel e Cintia concluíram que essa dependência do colo da mãe estava tomando uma proporção nada saudável. Era muito importante para Carol também conseguir dormir com o pai e não precisar do colo nos despertares noturnos.

Desenvolvi com os pais um plano de sono bem lúdico. Tudo o que nós, adultos, decidimos para o bem da Carol no atendimento, como mudanças importantes nos hábitos de sono dela, foi transformado em figuras (Figuras 1 a 6).

No dia da implementação do processo, Carol recebeu do porteiro um pacote com um livrinho contendo os combinados da estrelinha do sono, além de uma pelúcia em forma de estrela. No pacote havia uma carta com os seguintes dizeres:

> Querida Carol,
>
> Aqui é a Estrelinha do Sono, e estou vendo que você não está dormindo bem, nem a sua mamãe. Vejo também que o papai está triste, pois quer colocar você para dormir, mas você só quer a mamãe nessa hora. Por isso estou te dando de presente o livrinho dos combinados do sono e ficarei com você na caminha a noite toda. Mamãe, papai e você precisam respeitar tudo direitinho. Tenho certeza de que vocês vão conseguir. Um grande beijo,
>
> Estrelinha do Sono.

Ela adorou toda a encenação, adorou a pelúcia, até descobrir do que se tratava as regrinhas do sono. A Estrelinha estabeleceu os combinados a seguir:

Como mamãe estava muito cansada por acordar tantas noites, precisaria dormir de noite e somente acordar de dia. Assim, Carol colocaria a mãe na cama no início da noite. Papai assumiria o novo ritual do sono, que seria a hora do colinho, com uma história que a menina escolheria (livro ou inventada). Em seguida, Carol, iria para a cama, ainda acordada, dormir com a Estrelinha do Sono. Ao papai caberia ajudar Carol a fazer os combinados definidos pela Estrelinha: vestir o pijama, fazer xixi, beber água, escovar os dentes e ir para a cama. Carol precisava se deitar e dormir de noite, enquanto fosse escuro, e só acordar e se levantar da cama de dia, quando estivesse claro. Colinho e cama do papai e da mamãe somente de dia, no claro.

Foram os pais que definiram comigo as novas regras da casa. Uma vez alinhadas, eles precisavam fazer cumpri-las. Eles tinham ciência de que não seria nada fácil vencer a resistência da filha, mas, uma vez que os pais têm clareza da necessidade de mudança nos hábitos de sono, precisam sustentar essa mudança até o fim. Caso contrário, não se deve nem começar o processo.

Era muito importante deixar claro para Carol que ninguém estava negando colinho para ela, mas haveria limite para o colinho, com momentos definidos. Esse ponto ficou registrado no livrinho dos combinados do sono da Estrelinha:

- Colinho da mamãe na hora da mamadeira na sala.
- Colinho do papai na hora da historinha no quarto.
- Colinho da mamãe e do papai na hora do bom-dia.

Na primeira noite, como era de esperar, Carol demorou cerca de uma hora e 45 para conseguir dormir na caminha. Levantou-se inúmeras vezes, se jogou no chão e muitas vezes o pai teve de carregá-la até a cama. Ela chorou e gritou, a ponto de os vizinhos reclamarem. Sempre que Carol pedia pela mamãe, Miguel relembrava que ela estava dormindo e que iria acordar de dia. Na madrugada, Carol acordou várias vezes e se recusava a ficar na cama. Miguel acabou esperando que ela dormisse na porta do quarto.

Muitas vezes os pais se rendem pelo cansaço ou tensão do momento. Acham que isso nunca terá fim. A questão é que, enquanto o choro prevalecer à regra, a resistência da criança nunca cessará. E a regra era que só de dia Carol teria o colo e que à noite a única companhia no quarto seria a da Estrelinha. Não adiantaria o pai prometer que estaria na porta a noite inteira se isso não fosse sustentado. No dia seguinte a Estrelinha mandou uma nova carta, parabenizando a mamãe por ter "dormido" a noite toda[6], e disse ao pai que ele precisava dormir de noite na sua cama , reforçando que Carol só teria colo e companhia dos pais de dia. Todos cientes do que precisam respeitar, seguimos firmes na segunda noite.

Após quase uma hora de choros, gritos e muitas levantadas da cama, no fim Carol se rendeu ao cansaço, ainda muito brava. Na madrugada o pai con-

6 Cintia não pregou o olho nos despertares da filha, mas se manteve no quarto, sustentando a noite de sono até o amanhecer.

seguiu bancar o processo de levar a filha até a cama sempre que ela se levantava, sem ficar mais na porta.

Nas demais noites, os pais perceberam que Carol encontrou um modo de ter o colo. Toda vez que ela se levantava da cama, já buscava o pai no corredor com os braços estendidos e não resistia mais a voltar para a cama. Um superprogresso, levando em conta que ela não chorava mais, apenas resmungava.

Sem nos darmos conta, o ganho secundário de Carol por se levantar da cama acabou sendo o colo, justamente a forma que o pai dispunha para colocá-la de volta no quarto. Crianças são incríveis e vão tentando, pelas beiradas, driblar as regras. Estratégia dentro do esperado para a idade, saudável e que nos mostra o quanto são espertas e adaptativas.

Nesse ponto, combinamos entre nós que, sempre que Carol se levantasse da cama, o pai a conduziria de volta pela mão. Ao se dar conta disso, Carol fez um escândalo em todas as vezes, tanto no início da noite quanto nos despertares noturnos. Então, era evidente o quanto o colo prejudicava o seu sono, tendo em vista que, sempre que precisava dormir, em qualquer horário, não aceitava a cama.

Em relação à rotina da noite, Carol estava superadaptada. Já colocava a mãe para dormir numa boa e aceitava o pai no ritual do sono. Insistimos que o pai sempre daria a mão para levá-la para a cama. Foi bem difícil e cansativo, mas, depois de dez noites desde o começo do plano, Carol dormiu a noite toda.

No dia seguinte recebeu mais uma cartinha da Estrelinha, que enviou adesivos para ela enfeitar o livrinho como reconhecimento pela sua conquista.

Todos felizes e aliviados. Muitas noites tranquilas se passaram, e, assim, mamãe também voltou a colocá-la na cama, com os seus combinados da Estrelinha. Para surpresa dos pais, a própria Carol mandou a mãe sair do quarto. Ela mesma estava orgulhosa de si, a ponto de contar em uma reunião de família que já dormia a noite toda, dava colo para a Estrelinha do Sono de noite na sua cama e, quando ela acordava de dia, a mamãe e o papai davam colinho para ela. Um colo descansado, revigorado, curtido por todos dessa família.

Interpretação equivocada

Ninar para nanar pode ser gostoso, aconchegante e relaxante às 19 ou 20h. Agora, levantar-se a cada despertar e ter de fazer isso inúmeras vezes durante a noite, achando que é parte da maternidade sustentar Marte na Terra, é surreal e, diga-se de passagem, insustentável.

O argumento das mães é o de que elas não conseguem negar aos filhos algo que entendem como inerente às necessidades básicas do bebê ou até de crianças maiores. Seria como se recusar a dar água quando o filho está com sede, alimento quando está com fome ou trocá-lo quando está sujo. O colo é entendido e incorporado pela família nesse nível de necessidade básica.

Essa relação toma proporção a ponto de os pais entenderem que negar o colo é o mesmo que se recusar a dar conforto para o filho dormir. E quando a coitada da mãe, exausta, que passa a noite inteira ninando o filho, desabafa nas redes sociais, aparece uma enxurrada de comentários reforçando que bebês e crianças precisam mesmo de colo e balanço para dormir, que isso passa e deixará saudades, que ela tem mais é que aproveitar a fase e que recusar o ninar no colo é mais do que negar conforto para dormir – é negar amor ao filho.

E a coitada da mãe, que "só" estava exausta, agora também se sente culpada e a pior mãe do mundo. E é assim que chegam até mim mães e pais zumbis, que ficam chocados quando digo que os filhos deles precisam dormir no berço ou na caminha e não no colo. Alguns me perguntam: "Mas não é a mesma coisa?". O colo e o balançar são os meios para chegar a esse fim. Se estivesse dando certo, seria maravilhoso ninar por cinco minutos às 20h e só reencontrar o filho por volta das 6 ou 7h. Se o colo está atrapalhando o sono contínuo de toda a família, vamos mudar os meios para chegar a um fim reparador.

Anos de experiência me fizeram perceber o quanto sustentar Marte na Terra é desgastante para todos os envolvidos. Só quem tem filhos entende como tanto amor envolvido faz os pais passarem a noite toda dando colo e balançares frenéticos, sentindo que estão no esforço de prover amor, aconchego e carinho de que os seus filhos tanto precisam para se sentirem seguros. Do outro lado do telefone intergalaxial sem fio há bebês e crianças abduzidos, no meio da noite, em um colchão na horizontal, estáticos, inseguros e assustados, sem saber onde estão. O que eles querem? Voltar a dormir. A necessidade essencial é resolver o sono. Só não sabem fazer isso em terra firme. Uma vez que se oferecem os novos hábitos fixos, estáveis e autoacessíveis a noite inteira, eles se deitam, relaxam. Se for para saírem da estratosfera, que seja apenas com os mais lunáticos sonhos.

Murais abordando a questão do colo

Combinados da estrelinha do sono

FIGURA 1 Ritual do sono (boa-noite no quarto da Carol): mamãe vai dormir no próprio quarto.

FIGURA 2 Papai assume o ritual do sono, contando uma história.

FIGURA 3 Carol dorme na cama com a seu "amigo do sono" (estrelinha ou ursinho de pelúcia).

FIGURA 4 Carol dorme de noite (escuro) e só acorda de dia (claro).

FIGURA 5 Papai e mamãe também acordam de dia (claro).

FIGURA 6 Colinho de dia.

8

COMPANHIA DA MAMÃE OU DO PAPAI PARA NANAR

Dormir agarradinho com o filho, fazer carinho, cafuné ou até mesmo ficar abraçadinho no colo, cantando, contando uma história até ele dormir, é, para muitos pais, um momento muito especial, gostoso e de muito aconchego. A infância passa muito rapidamente e mesmo os pais de primeira viagem conseguem perceber que as fases voam e se angustiam ao pensar que logo mais as crianças não vão querer mais colo ou ficar coladinhas.

E, num piscar de olhos, logo chegará a fase em que me encontro no momento com meu filho mais velho, de 17 anos. Desde o ano passado, ele nos informou que não quer mais passar as férias de fim de ano conosco, viagem que era tradição há anos em nossa família, e que agora prefere estar com os amigos. Dura realidade, mas sei que esse movimento de rupturas é saudável. Faz parte da vida de mãe levar "foras" de vez em quando (mais constantes do que eu gostaria). O fato é que, enquanto durar essa proximidade física, corpo a corpo, os pais devem mesmo aproveitar.

Em muitas casas, os pais só chegam do trabalho à noite. Nesse contexto hoje em dia, a hora de dormir acaba sendo, para muitas famílias, o único momento de estarem todos juntos. O reencontro com o filho acaba acontecendo justamente na hora em que se deveria dizer boa-noite. Todos estão cansados, mas também com muitas saudades, então como não querer ficar juntos, agarrados, tentando até mesmo postergar o encerramento do dia? Um modo de aproveitar o pouco tempo com qualidade é ficar com o filho até ele fechar os olhinhos e assim encerrar com chave de ouro o fim do dia. Até aqui, a companhia para dormir faz todo o sentido, e o esperar o sono chegar com o filho promove a sensação de que o momento passado juntos foi aproveitado até o fim.

Quando e como a associação da companhia atrapalha o sono? Qual o limiar entre aproveitar esse momento de qualidade da rotina do fim do dia e virar parte do *kit* sono do filho a noite toda?

Mães e pais muitas vezes ficam se martirizando, se questionando como esse hábito começou ou quando tudo desandou. Se foi na fase em que o bebê mamava no peito e a mamãe ficava junto até dormir ou quando o pai o ninava no colo na hora da cólica e, depois, já mais pesado, ficava só do ladinho confortando. No caso de crianças maiores, pode ter sido em uma noite em que a criança teve um pesadelo e o pai ou a mãe dormiram com ela como forma de confortá-la do susto. Ou na fase dos medos, em que o único modo de ela se sentir segura era esperá-la pegar no sono.

Enquanto deu certo, ou seja, enquanto a hora de dormir era tranquila e toda a família dormia bem, essa presença foi importante. Mas, se agora não está funcionando, não tenham medo de realizar o desmame da "companhia". Ninguém vai deixar uma criança sozinha, trancada em um quarto escuro. Esta é a maior insegurança dos pais: que esse processo seja traumático, a ponto de muitos acharem que ausência é sinônimo de abandono. São palavras que têm significados bem diferentes. Ausência significa afastamento temporário; abandono é justamente o oposto: ato ou efeito de largar sem intenção de voltar.

Sendo assim, o foco nessa mudança de hábito não é abrir mão de ficar com o filho na hora de dormir; é apenas dissociar a presença da mãe ou do pai como hábito de sono.

Neste capítulo, vou expor alguns casos de mamães e papais cuja presença insustentável tornou-se parte do sono dos filhos e como conseguiram, literalmente, tirar o corpo fora de seu *kit* sono, sem deixar de ter com eles o momento de qualidade da rotina da noite, nem deixar de dar afeto e acolhimento, mas com limites claros e consistentes, que permitiram noites de sono reparadoras para toda a família.

Companhia que agita

Com todo o amor do mundo, vejo o esforço dos pais para esperar os filhos dormirem, e, no fim das contas, muitos não se dão conta do quanto a presença deles no quarto é ou passa a ser um estímulo que distrai e excita o bebê. São os casos em que os filhos ficam agitados assim que colocados no berço. Acham que ainda não é momento de nanar, mas sim hora de brincar. Só de olhar para os pais ao lado do berço, ficam de pé, chamando a atenção, jogando tudo o que estiver ao seu alcance no chão. No começo, fazem gracinhas que às vezes os pais tentam ignorar, mas, como é fofo demais, acabam dando risada e assim o momento de dormir é adiado a perder de vista. Chega a hora em que bate o cansaço (ou melhor, a exaustão) e começa o intenso chororô ou a "pilhação" do bebê, a ponto de os pais até se questionarem se o filho perdeu o sono. Quando passa da hora de dormir, o filho azeda mesmo, e iniciar o sono pode levar intermináveis horas.

"Cheguei a um ponto em que prefiro limpar o banheiro do que fazer a minha filha dormir", desabafou Fernanda, mãe de Micaela, de 1 ano. "Pelo menos na limpeza do banheiro sei a hora em que vou sair com tudo pronto." No caso dela, uma noite poderia demorar vinte minutos, mas nos últimos tempos estava levando duas horas até a filha pegar no sono.

O pai tentava colocar a filha para dormir nos fins de semana, quando conseguia estar em casa no horário de a Mica dormir, mas era tanto choro e gritaria que ele perdia a paciência e Fernanda tinha de entrar em ação. Com todo esse estresse, a chance de já ter passado das duas horas chorando no berço era grande. Com o tempo, desistiram de tentar outra pessoa que não fosse a mãe.

Mesmo Mica dormindo a noite toda, o momento do boa-noite era tão desgastante e Fernanda saía do quarto tão irritada e exausta que ia direto para sua cama. Ela e o marido passaram a brigar e perceberam que, além de afetar a qualidade da rotina da família, Mica perdia horas de sono no início da noite que não conseguia recuperar ao longo do dia. Fernanda decidiu que era hora de mudar.

O objetivo do processo de reeducação do sono da Mica era dissociar mamãe do nanar. A hipótese principal era que a presença da mãe no quarto agitava a filha na hora de dormir. Fernanda tinha convicção de que esse era o problema.

Mica adorava o pai, mas o rejeitava na hora de dormir. Era como se a mamãe fosse o "chocolate" do sono dela e papai, o "chuchu": sem gosto e sem cheiro de sono. Por isso, achamos melhor o pai "chuchu" entrar em ação na "dieta do sono" da Micaela. O que estava em jogo não era o vínculo afetivo (Mica era louca pelo pai), mas a relação estabelecida com a necessidade da presença de Fernanda na hora de dormir. Fazer dieta olhando para o chocolate e não poder ficar com ele é mais sofrido que olhar para o chuchu. A ideia não era Mica passar a se apegar ao pai como associação de sono, mas ele ser o mediador do "desmame da companhia" da mãe na hora de dormir.

Jan se programou no trabalho para sair mais cedo e chegar em casa depois do jantar da filha. Assim, tinham um tempo juntos para brincar antes de iniciar a rotina da noite. A mãe e o pai deram o banho nela e fizeram a troca de roupa na cama de casal. Combinamos que, para mostrar a Mica que a mãe sairia de cena, eles a colocariam na cama para dormir.

É muito importante uma comunicação efetiva e antecipatória para que a criança entenda o que vai acontecer dali para frente. Isso não significa que ela vai aceitar de bom grado. Tendo apenas 1 ano, a fala do adulto precisa vir necessariamente acompanhada de uma ação. Nessa idade não basta apenas ser pai e mãe, é preciso também saber conduzir todo um enredo.

Fernanda disse para a filha que estava com muito sono, mostrou pela janela que estava de noite, bocejou e pediu para a menina levá-la para a cama. Jan conduziu a cena toda. Ajudou a filha a cobrir a mãe com o edredom e dar boa-noite para ela[1]. Até esse momento estava divertido, mas, quando Mica processou a despedida, já começou o choro intenso. Os pais estavam seguros e previam esse momento. Combinamos que seria uma despedida breve e tranquila da parte deles. Da parte da Mica, parecia cena de portão de embarque de aeroporto, mas mamãe não estava partindo para o outro lado do mundo, estava apenas dormindo no quarto ao lado. Com o tempo e a repetição dessa cena, na terceira noite Mica não chorou mais na despedida.

O pai preferiu o método da cadeira. Pedi para ele escolher um bichinho para ficar no colo da filha, que chamaríamos de amigo do quarto. A intenção era sempre mostrar que ela teria uma companhia no quarto e papai e mamãe estariam sempre por perto. Lembrando que não é um processo de convencimento, mas sim uma maneira de acolher com um recurso lúdico e sustentável.

Apenas um parêntese: a ideia de um "amiguinho do quarto" surgiu de um caso de uma criança que atendi há alguns anos, em que a babá dormia apenas três vezes por semana no quarto com a criança. Era uma questão de logística. Não havia quarto para a funcionária na casa e não tinha a opção de ela dormir todos os dias. Nas noites em que a babá dormia no quarto, a menina dormia a

---

1 Importante diferenciar o tchau de despedida, quando se sai de casa, do boa-noite quando se despede apenas da noite, deixando claro para os pequenos que os pais estão por perto, na casa.

noite toda. Quando a babá estava de folga, a bebê acordava e apontava para a cama vazia. A estratégia foi a babá dormir toda a noite com a boneca Zezinha (o apelido da babá era Zezé). Assim, a cama nunca ficava vazia. Nos dias em que a babá ia embora, ela se despedia na porta de casa da menina junto com a Zezinha: "Zezé está indo embora e a Zezinha vai dormir com você". Deu certo. Se ela acordava de noite, via a boneca na cama ao lado e voltava a dormir.

Voltando ao caso da Mica, Jan ficou sentado na mesma poltrona em que a esposa sempre ficava por horas até a filha dormir com o coelhinho no colo. Mica nem ligou para o pobre do bichinho. Nas três primeiras noites, Mica chorou bastante, chamando pela mãe. O pai sempre respondia: "*Shshsh*, mamãe foi nanar". Isso é acolher com limites. "Agora não é hora de mamãe, é hora de nanar." Para Mica, mamãe e nanar ainda estavam juntos e misturados.

Na quarta noite, com Mica bem mais calma e pedindo bem menos pela mãe, o pai começou a sair do quarto fazendo breves combinados. "Vou fazer xixi e já volto. O coelhinho fica com a Mica." Ela chorou um pouco, mas 30 segundos depois o pai já voltou e se sentou novamente. "Mica, agora papai vai escovar os dentes e volta já. Fica com o coelhinho." Ela logo chorou e ele apareceu na porta. "Filha, estou aqui pertinho", e, para a surpresa de todos, Mica esperou tranquila o pai voltar. Todo orgulhoso, Jan mostrou à filha que seus dentes estavam limpos.

Nessa etapa do método, Jan ainda ficou na poltrona até a filha dormir. Continuaram esses combinados de ir e voltar por mais duas noites. Na sexta noite, ele deixou o coelho na poltrona e disse: "Papai vai fazer xixi, escovar os dentes e depois dormir. O coelhinho vai ficar com você aqui sentado". Claro que ela chamou várias vezes pelo pai, mas dali para a frente a conversa era sempre a mesma. "Papai está pertinho, aqui do lado, e o coelhinho está aqui com você." Estava tudo bem tranquilo: Mica estava levando no máximo dez minutos para dormir e o pai precisava entrar no máximo três vezes no quarto, para mostrar que estava por perto.

Jan manteve essa conduta no fim de semana. No domingo à noite a mãe assumiu o processo, exatamente da mesma forma que o pai. Para prepará-la para a mudança, Fernanda e Mica colocaram papai para dormir. Até esse ponto, tudo bem tranquilo. Quando a mãe terminou o ritual do sono, colocou--a no berço e disse as mesmas palavras que o pai, o choro foi intenso. Esse é o ponto que podemos chamar de *mamanha*. A criança está adaptada à nova realidade, mas apresenta uma reação completamente diferente da que estava tendo só porque mamãe entrou em cena. Isso estava bem claro para Fernanda, que entrou no quarto a cada 2 a 3 minutos, apenas para reiterar o que estava fazendo (xixi, escovar os dentes etc.). Mica estava tão exausta de tanto chorar que acabou dormindo. A mãe ficou arrasada, mas era previsível que, com ela, a reação da criança seria diferente, só que agora ela e o pai estavam mais seguros de que a filha sabia dormir sem precisar de companhia. Só precisava transferir esse aprendizado com a mamãe no circuito.

Na quarta noite com a mãe, a situação já estava bem mais tranquila. Na hora de colocá-la no berço, ela já apontou para o coelho e mamãe e até deu boa-noite e um beijo nele. Afinal de contas, ele se tornou o substituto de papai e mamãe na hora de dormir. Mica não chorava mais quando a mãe saía do quarto, mas chamava umas três vezes. Em uma delas, quando a mãe entrou, ela mostrou os dentes. "Isso filha, mamãe já escovou os dentes, agora a mamãe vai ficar no computador e depois vai nanar"[2].

E, para quem preferia limpar banheiro, Fernanda passou a curtir com a filha os momentos gostosos do ritual do sono: o livrinho, a oração e o boa-noite para o coelhinho. Nos fins de semana, Jan também passou a colocar a filha no berço sem problema algum. A boa companhia prevaleceu na hora de ir dormir: sem demora, sem enrolação, com começo, meio e fim.

Momento da enrolação

No caso das crianças mais velhas, a presença de um dos pais no quarto é um estímulo que muitas vezes as distancia do tédio que deveria ser a hora de dormir. Pai ou mãe no quarto, as pessoas mais importantes de suas vidas, estimulam a interação. Há desde as crianças que querem contar como foi o dia delas ou conversar sobre outros assuntos, brincar, correr pelo quarto etc. Assim começa a agitação. Estão com sono, mas o estímulo da presença do quarto faz com que se levantem da cama, queiram mexer nos brinquedos ou comecem a

---

2 Quando o processo chega a este ponto de tranquilidade, mamãe e papai não precisam mais fazer a encenação de que vão dormir, porque agora a criança já entende que os pais estão por ali sempre que precisar, embora não mais disponíveis. Vale sempre contar para a criança o que vão fazer após colocá-la para dormir. Eu sempre dizia para os meus filhos: "Agora vou cuidar de mim".

fazer vários pedidos (xixi, água, leite etc.). Os pais querem terminar logo com a agitação e acham que atender à demanda é o preço do pedágio para que o filho durma. Dessa maneira, a hora de dormir se torna o "momento da enrolação".

Foi o que aconteceu com Maria Lúcia, mãe da Carolina, de 4 anos, quando me procurou. Na época, ela já estava contando dez histórias para a filha na hora de dormir e, ao se dar conta de que cada vez a menina estava precisando de mais e mais livros para se entregar ao sono, procurou ajuda.

Mal sabia ela que a filha era como meu marido: pode estar exausto, mas, se a série da TV está interessante, é capaz de assistir a vários episódios sem piscar o olho, ou seja, o próprio estímulo divertido os mantém acordados. Já no meu caso, não me convide para ir ao cinema na sessão das 22h, porque com certeza dormirei na abertura do filme e despertarei de um sonho profundo nos créditos.

Maria Lúcia entrou no círculo vicioso da enrolação a ponto de não saber mais o que fazer, principalmente quando a filha despertava no meio da noite e solicitava uma nova história.

Na elaboração do plano de sono, para ajudar a mãe a compreender a necessidade de ela mudar suas atitudes em relação à hora de dormir, fiz a seguinte analogia: "Vamos fazer de conta que, em vez de ser a respeito da Carolina, estamos falando do seu marido. Antes de dormir, ele quer contar várias situações e histórias que aconteceram naquele dia em seu trabalho. Você está superatenta, já deitada na cama. Só que, detalhe, ele não para de falar. O que você faz nessa situação?". Ela nem titubeou: "Amor, agora é sério, estou cansada e, então, vou dormir. Amanhã você me conta o resto. Boa noite!".

Com alguém no ouvido da gente, não é possível se desligar. Era justamente o que estava acontecendo com a Carolina. A diferença era que ela estava adorando as histórias e, entre dormir e ficar acordada, a segunda opção era bem mais atrativa. É necessário muita maturidade para a criança colocar limite nos adultos. Este é o papel de educar: na infância, os limites precisam vir de fora para dentro.

Então por que não se podia falar para uma criança a mesma coisa que Maria Lúcia diria para o marido? Por culpa, por pena, por medo da reação dos filhos, por querer evitar o choro ou a birra. "Acabou, agora é hora de dormir!" Claro que os pais podem e devem colocar limites, mas, às vezes, precisam que alguém de fora os autorize a dar um basta. Com Carolina foi assim. Ficaram preestabelecidos limites, levando em conta toda a logística da família, o jeitinho da criança e até onde ficava o ponto de parada da mãe.

Assim, no ritual do sono, ficou estabelecido que seriam lidas apenas duas histórias, dando a opção de a filha escolhê-las. O ponto-final da noite ficou bem marcado: momento da oração, um beijo de boa-noite e Malu saía do quarto com a filha acordada. História encerrada e missão cumprida. Isso não quer dizer que, no início, Carolina aceitou de bom grado. Houve choradeira, escândalos, leva e traz de volta para o quarto, mas ela teve de aceitar as novas regras como únicas e intransponíveis. Assim, quando Carolina ainda despertava no meio da noite, o combinado era que, enquanto estivesse escuro, era noite, sendo então hora de dormir, já que as duas histórias tinham sido encerradas. Tudo dito, falado e marcado no mural dos combinados (ver Capítulo 6). Nada de estabelecer conversas no meio da noite, apenas dar o direcionamento. Hora de dormir não é hora de contar histórias. Em torno de cinco noites a menina passou a dormir bem a noite toda.

Antes desse processo, durante a noite, sempre ficava uma pendência porque Carolina dormia no meio da leitura do livro. Uma vez aconteceu isso com Alicia, minha filha. Ela dormiu enquanto eu lia o livro e, no meio da noite, me acordou brava, dizendo que eu não havia contado o final da história. Entendi, nessa vivência, que a noite, para as crianças, até elas terem a noção de tempo do relógio, é um bloco só, literalmente em um fechar e abrir os olhos.

Mesmo os pais que me dizem que procuram não atender aos pedidos dos filhos para contar mais uma história ou interagir em mais uma brincadeira, sem perceber caem na enrolação direitinho: "Filho, agora é hora de dormir, fica quietinho, amanhã você tem que acordar cedo para ir à escola...". E, assim, achando que não estão conversando, estão batendo o maior papo.

Diálogos com filhos pequenos não exigem sintonia na conversa. O que importa é um falando e o outro ouvindo, mesmo que a conversa não faça sentido.

Um pai me disse que se fazia de "múmia" dentro do quarto, ou seja, ficava imóvel e em silêncio esperando o filho dormir, mas se deu conta de que só o contato visual já era um estímulo de distração. A todo momento, o menino ficava procurando pelo pai com o olhar, se mantendo acordado e, quando os seus olhos se cruzavam, pronto: o filho desatava a conversar.

Já Fernanda me procurou relatando que a filha Rafaela, de cinco anos, ia toda noite dormir na sua cama. A hipótese da mãe era que ela tinha medo de ficar sozinha e que o fato de sempre depender de um dos pais para iniciar o sono acabou gerando uma dependência.

No histórico da criança constava que, no início da noite, ela sempre precisava da mãe na hora de dormir. Fernanda ficava com a filha no quarto até que ela pegasse no sono. Muitas vezes esse processo era rápido e em outras noites bem demorado, porque a menina fazia de tudo para enrolar até dormir. Nessa idade, as crianças muitas vezes resistem na hora de dormir, já que tudo pode ser mais divertido do que o tédio de ficar deitadas sem fazer nada, mesmo que exaustas. Começam a fazer vários pedidos aos pais: querem água, xixi, cocô, levantam-se da cama e, em meio a todas essas solicitações, passam a estabelecer diálogos com a mãe ou pai, o que configura justamente a distância do clima necessário para a hora de dormir: silêncio e zero estímulo.

Denomino esse momento a hora da enrolação. Inclusive a minha filha, que nunca quer água de dia, antes de dormir pede para tomar um "micro, mínimo, minigole" e certa vez a questionei: "Que estranho, você que diz que não gosta de água durante o dia, e justo à noite tem vontade?" E ela me respondeu: "É para te enrolar".

Esse é o ponto em que o limiar entre medo, insegurança e enrolação pode ser bem sutil. Até onde é medo (fantasias, pensamento, imaginário), insegurança (de ficar sozinha) e até onde é enrolação? Sinceramente, pode estar tudo junto e misturado. E a proposta do processo de reeducação do sono é colocar cada coisa no seu lugar, para que só assim seja possível promover as mudanças necessárias que vão permitir a autonomia do sono das crianças nessa faixa etária.

O foco, nos casos em que as dificuldades do sono envolvem o medo dirigido, o medo coisificado (que equivale a monstros, bichos, bruxas etc.), é ajudar as crianças na superação do que as amedronta na hora de dormir e permitir apenas a enrolação que não seja prejudicial, aquela que faz parte da idade. Logo, uma enrolaçãozinha inocente não será um problema, como a da minha filha. Depois da história e dos exercícios de fono (parte do nosso ritual), saio do quarto e volto com a água. Esse é o nosso combinado. Eu poderia já deixar a água no quarto, mas estabelecemos, de modo subliminar, o nosso link de presença e ausência, sem que isso afete o meu sono e nem o da minha filha.

A seguir, vamos explicar, de modo didático, o que é "hábito da companhia", o mais comum nessa faixa etária, sabendo que, na prática, tudo pode estar tão misturado e emaranhado que se torna impossível, em um primeiro momento, identificar quando terminam o medo, a insegurança e a manipulação e onde começa a enrolação.

Estímulo distrator: isso ocorre quando a própria presença da mãe incentiva a interação por meio de conversas, diálogos, discussões, mesmo que seja explicando que agora não é hora de falar, que é hora de dormir. Nisso, a criança, já distraída e com os ouvidos antenados no bate-papo, se aproveita dessa brecha para resistir ao sono.

Enrolação: engatando o item acima, a hora que deveria ser para dormir vai se mantendo e se transformando na "hora de ficar acordada". É o caso típico de queixa dos pais de que as crianças dormem tarde e ficam exaustas e irritadas durante o dia.

O que ocorre muitas vezes é que, pela resistência dos filhos, os pais não conseguem dar o ponto de parada. Assim entram na enrolação da criança, achando que uma hora ela vai se cansar e se entregar ao sono. Doce ilusão. É bem mais certeiro que os pais vão se cansar primeiro que os baixinhos. O efeito pode ser justamente o contrário: enquanto os pais oferecem estímulos distratores aos filhos, o que deveria ser a hora de colocar um ponto-final no dia se torna, literalmente, uma história sem fim.

Na casa de Dayse, quando escurecia, ela, assim como Fernanda, também ia ficando muita aflita e angustiada. Não tinha ideia de quanto tempo poderia levar para a filha Anne dormir e assim ter um tempo para jantar e se arrumar para dormir. Desde pequena, a filha demorava para iniciar o sono, mas a situação foi piorando com o tempo. A menina, na época com 2 anos e 10 meses, já dormindo em uma caminha, tinha cada vez mais estímulos para despertar. O que mais intrigava a mãe era que, com o pai, Anne dormia em, no máximo, 15 minutos. Com mamãe, a *mamanha* podia se estender por horas. Com ela a enrolação só aumentava: ora queria ler mais um livro, em outro momento fazia xixi duas a três vezes, pedia água, cafuné, carinho no pé. Houve muitas vezes em que a mãe chegou a desistir de esperar e a filha foi para a sala ver TV até se render ao sono no sofá depois da meia-noite. Dayse atendia a todos os pedidos da menina na esperança de que aquele seria o último e, no fim das contas, estava dando a ela, sem perceber, a opção de se manter acordada.

O pior é que, à medida que Anne ia ficando mais cansada, o estresse da exaustão fazia com que boa parte desse tempo fosse com muito choro e gritos. Ambas estavam exaustas, até porque, além de demorar para iniciar o sono, Anne acordava no meio da noite, ia até o quarto dos pais e só voltava a dormir se algum deles ficasse com ela no quarto. A outra opção era deixá-la dormir entre eles.

Dayse estava segura em assumir o processo, mesmo sabendo que encontraria muita resistência por parte da filha. "Tenho certeza de que, na primeira gritaria da Anne, o pai vai desistir."

A mãe estava no seu limite. A hora de dormir não estava sendo acolhedora nem saudável para ninguém. "Ela chora comigo no quarto, grita, a situação está um caos a noite toda. Não temos nada a perder. E tenho esperança de que, pelo menos fazendo algo diferente, toda a família tenha noites de sono tranquilas." Com essa frase, Dayse me passou a confiança de que ela e a filha iriam superar todo esse drama. Quando a mãe chega nesse ponto, de saber que o que ela está fazendo e não está dando certo, vejo que ela encontra forças para enfrentar os desafios que estão pela frente.

Estava muito claro para os pais que era preciso "desmamar" a companhia. Anne dormia com companhia, e a própria forma de fazê-la dormir estava atrapalhando o seu sono e o de toda a família. Os pais optaram pelo método do choro controlado e o adaptamos levando em conta a idade da Anne. Foi criado com os pais o Mural da Princesa do Sono (Figura 1), que exibia os novos combinados. Anne gostou da princesa até entender do que se tratava. O comentário dela foi incrível: "Eu não gosto de princesa que faz combinados". E a mãe foi firme e acolhedora, dizendo: "Muitas vezes a mamãe também não gosta de alguns combinados, mas, mesmo sem gostar, é muito importante sempre respeitarmos as regras".

Alinhamos que o ritual do sono seria contar apenas duas histórias (Anne escolheria os livrinhos), depois a oração e o boa-noite da mamãe. Tudo seria

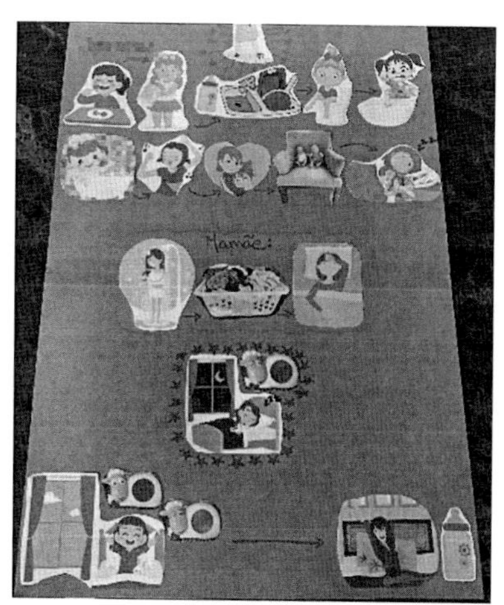

FIGURA 1 Mural da Princesa do Sono.

Fonte: acervo da autora.

feito com elas juntinhas deitadas na cama. Antecipamos no mural todas as possíveis "enrolações" que Anne poderia tirar da cartola para estender o momento da despedida. Assim, fazer xixi, beber água e o número de histórias ficaram afixados no mural, tudo em uma sequência preestabelecida. Anne escolheu ainda uma boneca para ser a sua amiga do sono e deixou outra de pé na porta, no mesmo lugar em que a mãe sempre ficava. Mamãe também recebeu tarefas da fadinha e teria de cumpri-las assim que saísse do quarto da filha. Dayse ia dobrar as roupas, trabalhar no computador e dormir, conforme ilustrado no mural.

Nas primeiras noites, Dayse, sempre que saía do quarto, prometia voltar tão logo fizesse o combinado da fadinha. "Vou dobrar as roupas e já volto." Claro que Anne não aceitou e foi atrás. Assim que ela passava pelo batente da porta, a mãe voltava a filha para cama. Poucas palavras eram ditas para não agitar a filha, porém Dayse sempre a encorajava, falando que confiava que ela seria capaz de esperar ela retornar. Dayse assumiu o compromisso de ajudar a filha a respeitar a principal regra da fadinha: deitar-se à noite e só se levantar de dia[3]. Assim, sempre que a menina se levantava, a mãe a levava de volta para a cama. Uma hora e 45 minutos depois de incontáveis idas e vindas para o quarto, Anne permaneceu chorando e chamando pela mãe. Essa foi a oportunidade de Dayse ficar um minuto fora do quarto. Anne estava aos berros, mas na cama, com a porta aberta, e mamãe voltou ao quarto como prometido. Depois que todos os combinados da mãe foram cumpridos, Dayse avisou que ia dormir. Não havia mais a promessa de voltar, no entanto Dayse continuou a cada dois minutos voltando ao quarto, reiterando que era noite, hora de dormir e que estaria no quarto ao lado. Enquanto houvesse choro, a filha teria todo o acolhimento e incentivo, mas, dali para a frente, a nova regra da casa era: dormir na caminha com as "amigas do sono" e que mamãe estaria por perto, mas não prometia mais ficar no quarto de Anne a noite toda. Nesse clima de exaustão geral, Anne dormiu.

No dia seguinte, Dayse retomou os combinados. Mostrou-se empática em entender o quanto estava difícil para Anne, mas deixou claro para a filha que

---

3 Neste caso específico, a criança dormia mais tarde e acordava por volta das 7h30. Para diferenciar o dia da noite, os pais compraram um relógio em forma de ovelha que muda a cor e fecha e abre os olhos no horário pré-programado.

ela conseguiu esperar pelo retorno da mamãe no quarto e que isso já era uma grande conquista. Anne pareceu feliz com o comentário.

A segunda noite também foi difícil, mas o processo durou 45 minutos no total, entre levantadas da cama, choro e muita reclamação, porém bem melhor do que na primeira noite. Os despertares noturnos ainda foram mais complicados, até mesmo pelo cansaço, mas em compensação duraram menos tempo.

Dayse estava cansada, mas focada e persistente no processo. Em uma noite, Anne disse que queria a mãe bem perto dela. No dia seguinte, combinei com Dayse de contarem quantos passos uma estava perto da outra. Eram três passos entre os quartos e cinco até a sala. Também tivemos a ideia de amarrar um barbante ligando as maçanetas dos dois quartos. Estar perto não significa ficar grudado. No caso de Anne, essa simples estratégia ajudou muito. Todo dia antes de dormir, contavam quantos passos estavam perto uma da outra, até fizeram pegadas no chão na forma do pezinho de Anne, e as portas amarradas simbolicamente representavam a ligação sustentável por toda a noite. Ainda houve resistência nas demais noites. Dayse sempre firme nos combinados, se segurando para não perder a paciência ou acabar cedendo por cansaço. A mensagem nos despertares era sempre a mesma: "Estamos todos perto de você e agora é noite, hora de dormir. De dia você pode chamar mamãe e papai".

Até que, finalmente, Anne passou a dormir a noite toda. Ela mesma ficou superorgulhosa de si mesma. A fadinha enviou adesivos para enfeitar o mural, não para presenteá-la, pois dormir é obrigação, mas como um incentivo pelo seu esforço em superar uma dificuldade.

Papai também assumiu o processo 15 dias depois da evolução de Anne. Mas com crianças tudo tem de ser "registrado em cartório", ou seja, a fadinha enviou combinados também para o papai e avisou onde mamãe estaria enquanto eles estivessem juntos no quarto. Todas as novidades precisam ser previamente antecipadas. Deixamos que Anne fosse ativa na condução da rotina, explicando tudo o que papai teria de fazer com ela, assim como as obrigações que caberia a ele cumprir. E até hoje, quando recebem visitas em casa, Anne pede para ir para a cama dormir e em dez minutos os pais já estão de volta na sala para curtir os momentos de adultos. Todos se surpreendem com a "maturidade" de Anne, o que não deveria ser surpresa alguma, pois esse é o modo normal de dormir: tranquilo, rápido e com hábitos sustentáveis a noite toda.

Presença aflitiva

Ninguém engana os bebês e as crianças. Não importa a idade, com o tempo muitos percebem que os pais ficam no quarto somente até eles fecharem os olhos e, depois, vão sair dali. Essa é a vivência diária: "Quando fecho os olhos, meu pai some do quarto", comentou uma vez um menino de 3 anos.

Essa situação pode gerar um sono aflitivo. É aquele bebê que está quase fechando os olhos e, no susto, abre rapidamente para ver se o pai ou a mãe ainda está por lá. Ou a criança que parece que pegou no sono profundamente, a mãe sai quase engatinhando do quarto para o barulho do assoalho não a despertar e, quando está quase abrindo a porta, escuta uma vozinha: "Mamãe, você está aí?".

Há pais que são bem honestos com o filho e falam abertamente que vão sair assim que ele dormir. E adivinha. Demoram muito mais para pegar no sono. Enquanto ficam de olhos abertos, literalmente garantem a companhia de um dos pais.

Imaginem que, para eu dormir, precise do meu travesseiro. Eu o recebo às 21h na minha cama para me confortar e dormir. Na hora em que estou deitada com a cabeça em cima dele, me dizem: "Deborah, pode dormir tranquila com seu travesseiro. Assim que você pegar no sono, eu vou tirá-lo de você, mas fique tranquila, pois o seu travesseiro estará aqui no quarto ao lado". Qual a chance de eu relaxar, sabendo que o meu apego para dormir será tirado tão logo eu estiver distraída no meu sono profundo?

O que muitas vezes acaba acontecendo para resolver essa questão é um dos pais passar a noite toda com o filho para garantir a companhia integralmente.

Acontece de muitos bebês e crianças até dormirem rapidamente e tranquilos no início da noite, a ponto de os pais nem imaginarem que a raiz do problema do sono está justamente nesse começo da noite. São os pais que me ligam e falam: "Não tenho problema em colocar o meu filho no berço para dormir, só fico perto dele e ele dorme em cinco minutos. No entanto, de madrugada, tenho que ir e ficar lá com ele".

O acordo que os pais gostariam de fazer com o filho é um tanto utópico: "Eu te garanto minha presença até às 20h, mas lide com a minha ausência às 21h, 22h, meia-noite, 3h, 4h da manhã". O que se promete no início da noite, para bebês e crianças, deve ser cumprido nos despertares noturnos. Garanta sua presença a noite toda (no seu quarto ou via cama compartilhada) ou se despeça do quarto com o filho acordado, mostrando que não fica no mesmo cômodo, mas que está sempre por perto.

Era assim com o pequeno Diego, de 10 meses. Dormia rápido com a mãe, pai ou babá ao seu lado e, quando acordava no meio da noite, logo ficava em pé e chorava desesperado até alguém entrar no quarto. Assim que a porta se abria, ele logo se deitava e voltava a dormir. A justificativa de todos na casa era a de que ele ficava inseguro em ficar sozinho.

Pedi para os pais imaginarem a seguinte cena: seu filho está brincando com um de vocês no tapetinho. De repente você se distraiu e ele sumiu. Você começa a chamar pelo seu nome e sai correndo pela casa, sem saber para onde ele foi, até que ele aparece de volta na sala.

Seria bem diferente de você estar com os olhos fixos no seu bebê e o ver engatinhando em direção ao corredor. Na primeira cena, você o perdeu de vista; na segunda, você sabe que ele vai sair da sua vista.

Contar com essa antecipação do movimento de saída é fundamental para crianças de todas as idades ficarem seguros, de modo consciente, do que está acontecendo à sua volta, mesmo que não gostem disso.

Muitos pais têm receio de dar boa-noite e sair do quarto com os filhos acordados, ou seja, conscientes. Eles temem que os filhos fiquem traumatizados e se sintam abandonados e rejeitados, mas não se preocupam em sair de fininho do quarto deles, sem mostrar ou avisar. É justamente o sair de fininho, sem mostrar ou avisar, que deixa os filhos desesperados quando acordam.

Procuro reforçar sempre a importância da antecipação, da previsibilidade, da necessidade de despedida, da saída consciente do quarto dos filhos, antes que eles percam a consciência com o sono e se distraiam adormecendo. Sumir é bem diferente de se despedir.

Vamos supor que você está em um supermercado com seu filho e, ao se distrair fazendo compras, você vira para o lado e percebe que ele sumiu. Bateu o desespero? Imagino o seu coração disparando e você, aos gritos, chamando por ele.

Cena dois: você fazendo compras com o seu filho e ele diz: "Mamãe, quero bala". Você responde: "Agora não". Mas, ao olhar para ele, você percebe que está caminhando pelo corredor, em direção ao setor de doces. Nessa hora você deve estar brava pela desobediência, mas não assustada, visto que ele avisou que estava indo, mesmo a seu contragosto.

Essa é a diferença entre esperar pela distração (adormecer) e sair de fininho, sem que o outro perceba a sua atitude, e avisar que está saindo, mesmo que a contragosto. A primeira implica desespero e a outra, braveza.

A analogia do supermercado ajuda muito os pais, e isso também vale para outros avisos de saídas e despedidas, qualquer que seja a idade da criança. Por exemplo, quando os pais vão trabalhar, nunca devem sair escondidos com medo do choro. Melhor o filho chorar sabendo que você foi embora, do que chorar depois sem saber o que aconteceu. Essa previsibilidade, com o tempo, na repetição da rotina, os ajuda a perceber as pistas das despedidas. Uns já choram quando a mãe pega a bolsa ou o pai, a chave do carro. Mas também conseguem prever que papai está chegando ao ouvir lá longe o barulho do elevador e a maçaneta girando. O bom das despedidas é que depois há gostosos reencontros. No sumiço, o pânico é geral, e, nesses casos, o reencontro marca a sensação dúbia de alívio misturado ao medo de sumir novamente.

Essa explicação deu segurança para os pais do Diego optarem pelo método do choro controlado. Mostrar ao bebê de modo consciente o movimento de saída do quarto, alternando momentos de ausência com presença, ao contrário do que imaginavam, deixou Diego muito mais seguro. Ele passou a perceber que os pais vão e voltam, mas não somem. Esse é o desespero dos bebês que acordam no susto da ausência, porque estavam contando com a presença. Diego chorou muito bravo nas primeiras noites. A babá assumiu o processo. Ele tinha razão, queria ela no quarto. Mas ela não poderia prometer algo que não sustentaria, ou seja, passar a noite toda no seu campo de visão. Muitos poderiam dizer: o que custa alguém dormir a noite toda com ele? Está nas mãos da família a escolha entre estimular os hábitos que podem gerar dependência ou estimular os hábitos que promovem a autonomia. Seria bem possível que, se alguém dormisse em uma cama ao seu lado, Diego dormisse a noite inteira. O ponto aqui é que a dependência da companhia de alguém para dormir era completamente inviável nesse caso e na grande maioria das situações.

Ter uma pessoa a noite toda dormindo com o pequeno Lico, da mesma idade do Diego, não funcionou na sua casa. Ele até dormia a noite toda com a babá noturna no mesmo quarto, contanto que ela se mantivesse ao seu lado das 20h às 6h. Ela, ou quem quer que dormisse com ele, precisava estar jantada, de pijama e de dente escovado em silêncio na cama ao seu lado, da hora de ir para o berço até o despertar. Caso contrário, Lico acordava e demorava muito tempo para passar o susto do sumiço de quem quer que fosse o prometido daquela noite. Durante a semana, a família garantia ao bebê o *kit* companhia com a babá e, nos fins de semana, os pais se revezavam. Os pais estavam inseguros se era mesmo uma necessidade ou um costume do filho. Até que um dia foram à casa dos pais do Diego e viram como ele passou a dormir depois do processo de reeducação do sono. Tranquilo, sem choro e sem precisar de companhia a noite toda. Como conseguiram? Apenas se despedindo e acostumando o filho a dormir na ausência. Em uma semana, os pais viram o filho tendo despertares e retomando o sono sem susto e sem choradeira.

Dormir "sozinho": o que vem a ser isso?

A questão do ficar "sozinho" dentro do quarto é algo que tem tomado proporções tão estratosféricas que no futuro é possível que as famílias só vivam em lofts para que ninguém fique "sozinho". Estamos falando de cômodos, dormitórios, ambientes dentro de um lar, separados apenas por paredes, cada vez mais finas, onde há pessoas sempre por perto prontas para atender a criança ou o bebê no que ele necessita, não necessariamente no que ele foi acostumado ou quer naquele momento. Essa é a garantia de que a criança não está sozinha. Ela pode sentir falta, estranhar ou ficar brava com a ausência, mas não está sozinha. O abandono de incapaz, segundo o Estatuto da Criança e do Adolescente (ECA), acontece quando se deixa uma criança sozinha na casa, mas no quarto ela está legalmente sendo assistida[4].

Uma das maiores angústias dos pais é deixar o filho "sozinho" no quarto na hora de dormir. Uma vez cheguei a uma casa para um atendimento presencial e a mãe me apresentou ao filho de 4 anos como a "tia do sono que ia ensiná-lo a dormir sozinho". Vi no rosto da criança uma carinha consternada. Na hora retruquei: "Mamãe, você sabia que nenhuma criança fica sozinha em casa? Sempre tem um adulto por perto. Vou ajudar o Antonio a dormir sem precisar de ajuda, com vocês bem pertinho dele e com os amigos do sono dentro do quarto". Pedi para Antonio me mostrar o quarto dele e o dos pais. E perguntei: "Você está perto ou longe dos seus pais?". E ele me respondeu: "É tudo bem pertinho".

Claro que isso não convenceu Antonio, mas trouxe alívio, tanto para ele quanto para a sua mãe, diante do peso do "ficar sozinho". Crianças pequenas

4 ECA, art. 133 – "Abandonar pessoa que está sob seu cuidado, guarda, vigilância ou autoridade, e, por qualquer motivo, incapaz de defender-se dos riscos resultantes do abandono. Pena: detenção, de 6 meses a 3 anos".

entendem tudo no concreto. João e Maria foram deixados sozinhos na floresta, assim como a Branca de Neve. Estar sozinho pode estar associado a desamparo e solidão. Quando falamos para uma criança "Você vai conseguir fazer isso sozinha", estamos apostando que ela é capaz de se virar sem a nossa ajuda. Tudo é uma questão do significado que cada um atribui a uma vivência. E, nessa hora, a forma como os pais encaram a situação pode contribuir de maneira positiva ou negativa para a experiência do filho. Dormir sem precisar da companhia dos pais é bem diferente de "largar sozinho" à própria sorte no quarto.

Se os pais estão seguros de que, na hora de dormir, o filho está na casa dele, em seu quartinho e em sua cama ou berço com eles ou com outro adulto por perto, prontos a atendê-lo, se necessário, o processo de reeducação do sono se torna mais leve e menos fantasioso, sem tanto peso nesse aspecto.

Não existe abandono

Uma pergunta que os pais sempre me fazem é: "E se meu filho se sentir abandonado?". Em primeiro lugar, acho a palavra "abandonar" muito forte. Pegando a definição: ato ou efeito de largar, de sair sem a intenção de voltar; falta de amparo ou de assistência.

Se a família interpreta que dar boa-noite, avisar que vai sair do quarto e retornar para dar a assistência naquilo que diz respeito ao ato de dormir sempre que o filho chorar ou chamar for considerado abandono, não temos nem como começar esse processo. Com essa forma de significar a ausência do quarto, não existe nem sequer a possibilidade de se retirar do recinto. Nesse caso, os pais precisam dormir com ele para lhe garantir presença e assistência ativa (fazer dormir). O filho, nesse caso, fica na posição de incapaz (não que realmente seja), tanto de dormir sem companhia como de ter autonomia do sono, portanto vai necessitar da ação sempre ativa por parte dos pais e/ou cuidadores para conseguir dormir.

O que analiso, em muitos desses casos, é que há forte projeção dos pais em relação ao filho. Mas muitas famílias conseguem sair desse exagerado enredo. Eles esperam que eu diga: "Podem ficar tranquilos que o seu filho não se sentirá abandonado". Mas quem sou eu para dizer, em nome da criança, o que ela sente ou sentirá? O que digo a eles é que, se porventura o seu filho se sentir "abandonado", vocês sempre irão até o quarto mostrar que estão por perto, mas que hora de dormir não é hora de mamar, nem de brincar, nem de mamãe, nem de papai – é hora de nanar, simples assim.

Então daremos conta de tudo o que for necessário para que o seu filho tenha uma boa adaptação nesse processo de mudança de hábitos.

Companhia exclusiva

Essa é uma associação de sono às vezes sutil e imperceptível, até que o grande momento caótico acontece.

Gabriela, de 2 anos e 5 meses, sempre dormiu com a mãe no início da noite, o que nunca foi um problema, já que ela dormia a noite toda. Karina parou de trabalhar quando a filha nasceu e assim sempre esteve disponível na rotina, tanto de dia quanto de noite. Até que uma vez ela teve um evento social e, nessa noite, o pai, que nunca tinha participado desse momento da hora de dormir, foi quem conduziu a rotina do fim do dia e foram juntos para o quarto. O pai estava animado por ter a oportunidade de colocar a filha para dormir, algo inédito entre eles. Jantaram juntos, brincaram, ele deu o banho e foi com ela para o quarto ler um livrinho. Até aqui Rafael seguiu à risca a rotina anotada pela esposa.

No momento em que Gabi percebeu que não haveria mamãe, começou a hora do pesadelo. Chorou, gritou, levantou-se várias vezes chamando pela mãe, mesmo que o pai tenha avisado que naquele dia seria tudo com ele. Nesse momento sempre insisto com os pais: informar é uma coisa, convencer é outra, e tem ainda o aceitar, que muitas vezes está bem longe dessas opções. Para vocês terem uma ideia, o estresse foi tão grande que o pai ligou para a esposa e ela voltou para casa.

Com a chegada da mãe, Gabriela precisou de cerca de dez minutos para se acalmar e pegar no sono. Nesse momento, os pais perceberam a imensa dependência dela com relação à mãe para dormir. Gabi ficou bem com o pai durante toda a rotina da noite, mas na hora de dormir ninguém mais serviu, apenas a mamãe.

Gabi amava o pai, adorava brincar com ele, mas o dormir sempre foi associado à companhia da mãe. Na sua ausência, ela não conseguiu se acalmar, relaxar e dormir. Os pais se preocuparam com tamanha dependência, e não fazia sentido sustentar o hábito de só a mãe colocar ela na cama. Karina pensava em iniciar uma pós-graduação no próximo ano e seria bem possível que, duas noites na semana, o pai ou a babá ficassem responsáveis pela rotina da noite. Decidiram que era a hora de mudar.

Começamos a mudança durante a semana com a babá, que cuidava da Gabi desde pequena. Os pais acreditavam que talvez com ela fosse ser mais tranquilo, tendo em vista que muitas vezes, durante a semana, era a Dudi que ficava com a menina na hora de dormir na soneca. Ou seja, a babá já tinha tido a vivência de colocar a Gabi para dormir. Ledo engano.

Fizemos um livrinho com todos os novos combinados da Galinha Dorminhoca (um livro confeccionado à mão, com anotações e desenhos alegres), personagem favorito da Gabi. A mamãe avisou que, naquela noite, a Dudi a colocaria na cama e se deitaria com ela para ler o livrinho. Gabi já começou a chorar nessa hora. A mãe mostrou à filha, através das figuras do livro, onde estaria pela casa e o que estaria fazendo. Gabi nem deu ouvidos. Na hora de ir para o quarto, foi um escândalo homérico. Nem a babá reconheceu a criança que ia para a cama com ela numa boa na soneca, mesmo com a mãe em casa.

Gabi demorou cerca de 50 minutos para se acalmar e dormir, com a babá ao seu lado. Tentou várias vezes sair do quarto para ver a mãe. Karina apareceu duas vezes na porta do quarto para reiterar que estava em casa, ocupada com alguns afazeres, e que hoje era a vez de a babá ficar com a filha. Nessas horas vem uma culpa imensa nas mães. "Estou aqui disponível e, ao mesmo tempo, indisponível para a minha filha?" Sim, é muito importante e saudável esse tempo de espera entre o que se quer e o que se pode ter naquele momento. A mãe não fugiu, sumiu ou simplesmente desapareceu. Ela foi clara e honesta com a filha, deixando-a com uma pessoa querida, amorosa, e que só a está colocando na cama para dormir. Só isso. Karina pensou várias vezes em desistir, mas o marido conseguiu mostrar que a reação da filha era esperada pelas circunstâncias da forte dependência da companhia da mãe. O problema não precisava ser evitado, mas sim enfrentado de uma vez por todas. Para o bem da Gabi. E assim seguimos em frente com a babá por cinco noites.

Gabi estava indo muito bem com a babá. A família não tinha a pretensão de avançar no processo a ponto de saírem do quarto com a Gabi acordada. Como ela sempre dormiu a noite toda, a presença no quarto até ela iniciar o sono nunca foi um problema, não tendo impacto algum nos despertares noturnos. Muito pelo contrário, a menina dormia das 20h às 8h da manhã. Literalmente um sonho.

No fim de semana, o pai assumiu o processo no lugar da babá, agindo do mesmo modo: lendo o livrinho e ficando do lado da filha até ela pegar no sono. Gabi se despediu da babá na sexta-feira, como de costume, e, na hora de abrir a porta, a Galinha Dorminhoca enviou o livrinho do papai. Superempolgada, a menina mostrou ao pai tudo o que ele teria de fazer na folga da babá. Sempre explico aos pais que a animação da criança com o enredo não significa que ela aceita de bom grado as mudanças. Dito e feito. Não estava mais fazendo escândalo com a babá, mas com papai a gritaria estava de volta. Agora era o pai que quase desistia. As crianças reagem dessa maneira como forma de expressar o que não estão gostando e sua frustração com o fato de as coisas serem diferentes do que queriam. Estão cansadas e bravas com a situação. O pai de Gabi depois me perguntou se a filha poderia ter raiva dele ou se ela deixaria de gostar dele, tendo em vista a reação de braveza diante das mudanças implicadas no processo, no qual ele estava envolvido. Não se pode deixar de estabelecer limites com medo de perder o amor dos filhos. Só se pode amar quem se respeita.

Essa preocupação do pai me fez lembrar de um caso que atendi há muitos anos. Era um menino de 11 anos que acordava várias vezes à noite para dormir na cama dos pais. Quando cheguei à casa, ele me contou suas questões de sono, bem na defensiva, desconfiado, e fomos conversando e negociando o que era viável e o que era prejudicial do sono. Ele queria todas as luzes da casa ligadas. Combinei com ele apenas uma luzinha de tomada no corredor. Ele queria todas as portas dos quartos abertas. O pai não aceitou, pois o seu próprio sono era muito leve. Ficou acertado apenas a porta dele aberta. E assim fomos estabelecendo limites claros e alinhados com toda a família. O menino me fuzilava com os olhos (pelo menos essa foi a minha sensação). Alguns dias depois, recebi uma ligação da mãe me contando que as coisas estavam caminhando bem, mas o que ela queria mesmo dividir comigo era o comentário do filho: "Ela é que é uma psicóloga de verdade, veio até a minha casa ver de perto os meus problemas".

Fiquei bem surpresa com esse comentário, já que saí de lá achando que ele estava me odiando. Porém, no fim das contas, toda a contenção dos limites, levando em conta as suas questões, o encorajou a enfrentar as suas dificuldades. Crianças e adolescentes sentem-se seguros com os adultos no comando, não no sentido de exército, mas de liderança, de direcionamento. A referência de um adulto no controle da situação, em algumas situações, pode até deixá-los bravos, mas com toda a certeza vão se sentir seguros e amados. Esses são os principais ingredientes para a recíproca ser verdadeira: amor e limites andam juntos.

Enfim, no domingo, Gabi já estava dormindo tranquila com o pai, que, mais seguro do processo, preferiu estender a sua participação por mais duas noites, mesmo com o retorno na babá na segunda-feira.

Para Gabi saber se seria o papai ou a babá a pessoa responsável por aquela noite, o livrinho da Galinha Dorminhoca era o modo lúdico e infantil de avisá-la. Papai tinha o seu e a Dudi, o dela. Depois do jantar, o papai, na frente da babá, explicou que hoje seria a sua vez, mostrando os combinados do livrinho dele. Para surpresa geral, a hora de dormir foi tranquila, mesmo sabendo que a Dudi estava de volta.

A troca do papai pela Dudi foi supertranquila. Ela chegou a perguntar pelo papai na hora de ir para a cama com a babá na quarta-feira, mas foi só relembrá-la de onde ele estava e o que estava fazendo que foi suficiente. Dormiu em dez minutos.

No fim de semana, foi a vez de a mamãe receber o seu livrinho. Gabi ficou toda animada e as duas noites seguidas foram com Karina. Na segunda, a babá voltou e ela chorou ao saber que seria a babá e não a mãe, mas logo ficou bem. Dormiu rápido. Passamos então a revezar. Duas noites cada um, inclusive a mamãe. Como Gabi se adaptou muito bem, passamos a fazer um sorteio. Viramos os três livrinhos para baixo, assim ela não sabia qual deles era de quem, e sorteávamos aleatoriamente o responsável pela noite. Ela adorou a brincadeira. Fizemos isso por duas semanas e depois ela passou a escolher uma pessoa diferente para cada noite. Apesar de toda a dificuldade em dissociar a mamãe da companhia exclusiva, a troca foi justa: exclusividade por flexibilidade de companhia e, assim, não houve mais estresse na ausência da mamãe.

"O que você tem para me oferecer?"

O hábito da exclusividade pode ter variações. Depois de atender tantos casos, fui percebendo que os bebês pequenos, assim como as crianças, associam tanto a pessoa como o estímulo que ela oferece. Uma mãe me contou que, para o filho dormir, ele precisava da sua presença e da mamadeira. Se no meio da noite ela entrasse no quarto sem o leite, era choro na certa. Se o pai fosse com a mamadeira, ele não aceitava o leite e a gritaria era tanta que acordava até os vizinhos. O menino só conseguia dormir se fosse o "combo exclusividade": mamadeira com mamãe.

Há alguns anos, fiz uma consultoria na qual a única pessoa que conseguia ter consistência no processo era a babá. Quando o pai entrava no quarto no meio da noite, a menina, de pouco mais de 1 ano, pedia colo e apontava para a sala. Ela queria ver TV no meio da noite. Se fosse a mãe, ela chorava para mamar no peito; já com a babá, assim que ela aparecia na porta, a menina se deitava e dormia no berço. E me diziam: "Você vê como ela é esperta?" Sim, claro. Ela sabe exatamente o que cada um de vocês tem para oferecer no meio da noite. Papai oferece a sala com TV; mamãe, o colo e peito; e a babá, o berço.

Foram os bebês e as crianças que me mostraram essa relação direta entre hábito e o seu representante legal (no sentido figurado da palavra – "ele é legal e faz o que espero dele"). Um caso, em especial, foi crucial nessa conclusão.

Cadeirinha do bem ou do mal?

Nathan, um bebê de 8 meses, passava o dia no sling, grudado na mãe. Filho temporão de Jéssica e primeiro de Wagner, nenhum dos dois tolerava o choro por nada. Assim, a única maneira de Nathan ficar quietinho era passar praticamente 24 horas grudado na mãe. Ele dormia na cama dos pais a noite toda mamando. Jéssica dormia sem blusa, pois eram inúmeros despertares noturnos. O pediatra estava preocupado, pois, além de Nathan não estar dormindo bem, apresentava atraso no desenvolvimento sem causa orgânica. O médico tinha como principal hipótese a falta de sono e pouco estímulo durante o dia.

No primeiro atendimento, os pais, já sabendo das informações prévias da consultoria em relação à tolerância ao choro e mesmo racionalmente entendendo todo o processo, não foram adiante com o plano de sono, que era basicamente ir dissociando mamãe do nanar.

O pai me falou que estava à procura de um método sem choro. Como se o choro fosse consequência da estratégia e não justamente da dificuldade de Nathan em conseguir dormir por estar grudado na mãe.

Dado todo o contexto, os pais optaram por colocar o bebê no berçário para amenizar um pouco o desgaste de Jéssica e promover estímulos ao filho. Passadas algumas semanas, voltei a falar com os pais e eles foram categóricos dizendo que não concordavam em "deixar o bebê chorar".

Em meio à conversa, perguntei como Nathan se comportava no berçário e como ele dormia lá, sem a mãe. Wagner relatou que havia sido informado de que o filho dormia bem naquelas cadeiras de balanço. Mas desconfiou da informação. Ele pediu que os funcionários filmassem a hora em que o colocavam na cadeira e gravassem o menino dormindo. A gravação confirmou que Nathan dormia nas sonecas exatamente da forma descrita pela escola: na cadeira, tranquilo – sem balanço ou qualquer outro estímulo. Perguntei ao pai se não achava que valeria a pena ter essa cadeirinha em casa para, pelo menos nas tardes, Jéssica ter um refresco.

Concordaram, mas antes quiseram fazer um teste com uma cadeira emprestada. No desespero, perguntaram se poderiam levar a cadeira da escola na sexta-feira e devolver no domingo. A escola concedeu esse empréstimo. Na hora da soneca, Jéssica colocou Nathan da mesma maneira orientada pela escola e, para nossa surpresa, ele chorou, gritou, berrou e os pais nem conseguiram amarrar o cinto. Na época, até eu me surpreendi. No entanto, depois de anos de experiência, era óbvia e previsível a reação de Nathan. Cansaço com mamãe equivale a colo e peito; e cansaço com as tias do berçário equivale a dormir na cadeira. Ou seja, a cadeirinha com mamãe "fazia o bebê chorar" e a mesma cadeirinha com as tias do berçário "fazia o bebê dormir". Ora ela era do mal e ora ela era do bem, já que, para os pais, o mais grave era o choro e não a privação de sono do filho.

A partir dessa experiência, fiquei muito atenta à relação que cada bebê ou criança mantém com os pais e cuidadores na hora de dormir e realmente me surpreendi ao verificar como mesmo os mais novinhos conseguem diferenciar e se apegar com intensidade ao *modus operandi* exclusivo que cada adulto oferece quando os pequenos estão com sono. A relação que se estabelece nas incontáveis noites difíceis é: "Acordei, chorei e gritei; agora, deixa eu ver quem entra aqui para saber o que tem para hoje".

A dependência exclusiva de companhia, em muitas famílias, deixa o sono do bebê ou da criança nas mãos do outro, não desenvolvendo o seu próprio jeito de dormir, visto que o relaxar e o adormecer dependem do outro.

Uma vez que se dissocia a exclusividade da companhia do *kit* sono, a criança ou o bebê passa a ser o dono do seu processo de adormecer. O adulto terá a função apenas de conduzi-los ao lugar onde se dorme. O resto será exclusivamente por conta dos pequenos.

Papai e mamãe naninha

Típica condição em que as partes do corpo da mãe (pai ou cuidador) se tornam associação de sono. Ou seja, não basta aparecer e dizer: "Pode dormir que a mamãe está por aqui". O filho tem de estar grudado nela, das maneiras mais bizarras possíveis: mexendo nos cílios, apertando as axilas, orelha, tirando cutículas das unhas, enfiando os dois dedos na narina, apertando a gengiva, mexendo no cotovelo. Mexer no cabelo é bem comum, mas também há os que apertam os mamilos, cutucam a pinta da mãe (chegando até a machucar), beliscam a mão. Vendo de fora, até parece engraçado, mas, para quem é apertado a noite toda, a situação é humanamente desconfortável e insustentável.

Não basta só ser mãe; tem que ser naninha do filho. Muitos desses filhos acabam migrando para a cama dos pais, onde se torna mais viável ter a mãe disponível e, diga-se de passagem, esgotada, por toda a noite. Assim como o bebê pode se apegar a um paninho, mantinha, naninha e precisar roçar naquilo sempre que despertar ao longo da noite, do mesmo modo a mãe ou pai, até a babá, são apertados, descabelados, até machucados quando são parte essencial do *kit* sono do filho.

O principal argumento dos pais é que os filhos nunca aceitaram nada de pano, de tecido ou qualquer que seja o material. Nessa loucura da exaustão, sobra muito pouco do racional. No desespero da privação de sono, tudo acaba sendo permitido, contanto que o filho durma. Porém, nos casos que atendo, isso não acontece. Ninguém dorme. Os pais ficam apenas se esforçando em garantir o *kit* sono, se tornando parte integral dele, e passam a noite na condição insalubre de se manterem naninhas. Do lado dos adultos, claro que não há sono reparador. E, do lado das crianças, o que percebo é que vai se criando um sono aflitivo que piora ainda mais as noites de sono, fazendo com que os pequenos passem tanto a acordar mais vezes como a demorar para voltarem a dormir naquela agonia de que, se fecharem os olhos, os pais-naninhas vão sumir. Muitas famílias me relatam que, com o tempo, o filho começou a apertar ainda mais forte a mão, ou a ter um sono ainda mais leve, a ponto de os pais ficarem horas no quarto até conseguirem se desvencilhar das amarras para saírem de fininho. Isso mesmo: todos na casa passam a dormir aflitos e alerta.

Do lado dos pais, as vivências de noites maldormidas fazem com que o toque de recolher soe antes das nove da noite, todos correndo para a cama, assim que, enfim, o filho pega no primeiro sono. Muitas mães relatam a tensão que sentem ao ver a noite se aproximando, já prevendo o caos que é a espera da hora de dormir: um momento tenso e angustiante. Do lado dos filhos, a experiência me mostra que a inconsistência e a incoerência da maneira como se configuram as mensagens e hábitos de sono geram as mesmas sensações neles.

Os pais ofereceram, mesmo que no automático, sem intenção, a opção de serem naninhas dos filhos.

Sei bem que muitas vezes nem sabem como toda essa loucura começou, mas entendem exatamente onde está terminando: a mãe, no meio da noite, totalmente zumbi, enfiando a cabeça dentro do berço para a filha mexer nos cílios dela, rezando para que retome o sono, até o próximo despertar.

A questão aqui, enquanto pais, é se permitir ser uma opção de hábito de sono. Uma vez que no processo de mudança dessa associação os pais estabelecem limites e literalmente tiram o corpo fora do *kit* sono do filho, só então se cria um espaço possível para que seja preenchido com outras "naninhas" mais honestas e viáveis por toda a noite.

É unânime a fala dos pais quando incentivo estimular uma naninha como possibilidade de associação de sono. A resposta mais comum é me dizerem que já tentaram muitas vezes, mas que o filho nunca se apegou. O ponto-chave é que até agora a oferta era na seguinte linha: "Você quer um pedaço da mamãe ou esse bichinho de pelúcia?". O filho faz a sua escolha e os pais passam a noite toda dando conta de sustentá-la.

Fácil apontar o dedo, mas difícil mudar uma dinâmica muito intensa. Dormir agarrado aos filhos, por mais que para muitos pais possa ser desconfortável, faz com que eles sintam que vale o sacrifício em nome do afeto e do vínculo. No entanto, o quanto mães ou pais zumbis podem ser afetuosos dando o nariz para o filho apertar às 2h da manhã? O apego, no fim das contas, é à parte e, nesse caso, não ao todo. Uma vez perguntei a um "pai naninha": "Você já tentou se sentar ao lado do berço sem dar a orelha para ele?". Não me surpreendi quando ele me disse que o filho não parou de chorar até o pai o pegar no colo e ele alcançar uma das orelhas.

Mãe descabelada

Danilo, de dez meses, só dormia mexendo no cabelo da mãe. Natasha acreditava que esse hábito havia se desenvolvido na época da amamentação, quando, ao mamar, ele ficava tocando no cabelo até que adormecia. Mesmo quando chegou o momento do desmame e ele não adormecia mais mamando, continuou adormecendo no colo, mexendo no cabelo da mãe. Natasha percebeu que não podia mais dar conta dessa situação insana, já que, mesmo trazendo, por muitas noites, o filho para dormir na cama com ela, ou seja, garantindo o *kit* sono completo, nos despertares noturnos ele se agarrava aos cabelos dela até conseguir voltar a dormir, à custa de uma mãe quase careca e totalmente alerta.

Mesmo nessa situação insana durante as noites, Natasha achava que a associação com o mamar era o problema do sono do filho. Quando foi retirado o leite durante a noite, Danilo chorou muito, mesmo no colo da mãe e brincando com o cabelo dela. O choro acontecia tanto na hora de dormir como em todas as vezes em que acordava no início da noite. Passadas algumas semanas, ele desvinculou o mamar do sono, porém continuou acordando várias vezes, mas só querendo o colo e o cabelo da mãe.

Ela entrou em contato comigo nesse ponto. Estava cansada, exausta e desanimada, porque, mesmo não mamando mais durante a noite, o filho continuava acordando muito. Já ao telefone perguntei a ela: "E o que precisa ser feito para ele voltar a dormir?". Resposta, adivinhem: desvincular, além do peito, o colo e o cabelo de mamãe do seu *kit* sono.

Natasha decidiu seguir em frente nessas dissociações, mas optou por uma mudança gradual e não gostou da minha sugestão de passar essa próxima etapa para o pai. Argumentou que ele não teria paciência e que não se sentiria segura com ele assumindo o processo. Como ela encabeçou as mudanças, preferiu seguir a intuição de mãe e manter o passo a passo.

Partimos então para a retirada do cabelo. Antes de ir para o berço, mantivemos o colinho, mas com Natasha usando uma touca na cabeça. Como o hábito era o cabelo, sugeri que Natasha comprasse um bichinho cujo rabo imitasse uma mecha de cabelo. Já antecipei para a mãe que raramente bebês aceitam de bom grado essas mudanças, mesmo que aparentemente sejam gatilhos semelhantes. Mantivemos Danilo no colo de mamãe porém sem o cabelo dela, oferecendo o rabo do cavalinho. Danilo realmente ficou muito bravo. Gritou, chorou, berrou, se irritou, se agitou e demorou mais de uma hora para dormir no colo da mãe. Ficou claro para Natasha que o cabelo dela tinha um peso muito importante no sono do filho. Mas estava segura em avançar. Danilo precisou de mais de uma semana para parar de solicitar o cabelo da mãe.

Tendo de lidar com o vazio da ausência do cabelo de mãe, ele, com sua incrível capacidade de adaptação, acabou por se apegar ao rabo do cavalinho. Poderia não ter se vinculado, ou passado a mexer em seu próprio cabelo ou em nada. Essa era a parte de Danilo, um bebê pequeno em seus primeiros meses de vida e enorme em seu potencial para se apropriar de algo novo, na ausência do antigo. A mãe não estava privando o filho de carinho nem de afeto, apenas do seu cabelo, que não era sustentável na mão do bebê por toda a noite. Segura em relação a esse ponto, Natasha se manteve firme em seguir com o plano de sono.

Em cerca de sete noites, bem difíceis, aliás, Danilo passou a dormir ainda no colo, mexendo no amiguinho fiel do sono (este sim era garantido por toda a noite), a ponto de Natasha já ficar com o filho no colo sem precisar da touca.

Enquanto eu vibrei com essa conquista, Natasha estava bem desanimada. A retirada do cabelo não havia ajudado em quase nada no sono do Danilo. Mesmo sem mamar e sem o cabelo da mãe, ele continuava acordando várias vezes. Era fato: o *kit* sono do bebê ainda era inconsistente. Colo e mamãe ainda faziam parte dos gatilhos de sono, e, uma vez que Danilo despertava no meio da noite, puf... mamãe e colo sumiam. Danilo se desvinculou da relação de naninha com mamãe, mas ela continuava como presença marcante, associação de sono, do combo cansaço. Natasha então se sentiu segura em desmamar o colo. Passou a colocar o filho acordado no berço após o ritual do sono, mas ainda não estava segura em sair do quarto com o filho acordado. Sem mãe segura não existe processo de mudança. Ela me perguntou se haveria outra opção. Resgatei a sugestão de o pai assumir essa etapa. Natasha aceitou, aliviada.

Renato concordou em seguir com o método da cadeira e, assim, ir se afastando do berço, diminuindo aos poucos a interação e intervenção, até chegar à porta do quarto. Depois de quatro noites, não houve melhora em relação ao choro com a presença do pai. Renato se convenceu de que ficar do lado do filho não estava ajudando. O risco seria insistir nessa estratégia até Danilo associar que hora de dormir é sempre no berço com o papai do lado e ter de "desmamar" da companhia do pai. Natasha, a contragosto, aceitou que o pai passasse para o método do choro controlado nos tempos curtos – no máximo três minutos de ausência.

Foi muito melhor, no caso de Danilo. Vozes críticas ao método diriam que, se está difícil com o pai ao lado, imagine então com ele fora. A recomendação seria voltar ao colo, já que esse bebê precisa desse aconchego. E muitos pais não querem sair do quarto, pensando justamente dessa forma, mas se surpreendem quando percebem que a própria presença estava deixando o filho muito mais nervoso e agitado.

Danilo chorou na despedida. Renato entrou várias vezes, oferecendo apenas o *kit* sono de bichinho com cabelo e em seguida se retirando. Mesmo aos prantos e sem o pai no campo de visão, Danilo, com sono, se permitiu explorar mais o berço. Dormiu bem mais rápido e com menos choro do que antes. Nas demais noites e madrugadas o processo foi o mesmo e, em poucas noites, Danilo já estava dormindo a noite toda.

Críticos a postos dirão que ele desistiu de chorar por não ter sido atendido. Danilo parou de chorar porque passou a ter com ele, sempre e por toda a noite, o seu *kit* sono completo: berço como lugar de iniciar e retomar o sono, pônei com cabelo, sabe como chegar à sua posição de conforto (bruços e no fundo do berço) e não se angustia quando desperta e papai e mamãe não estão lá.

Quando Danilo tem algum despertar no meio da noite (algo normal do ciclo do sono), Natasha vê, pela babá eletrônica, um bebê se sentando de olhos semifechados, procurando o rabo do cavalinho, se aconchegando e retomando o sono novamente. Sem choro, sem gritos, sem sustos e com toda a autonomia de que um bebê é capaz.

Foi um processo difícil, cansativo, principalmente para Natasha. Ao todo, quase 20 noites de choro. Ao final, os pais reconheceram que ser a mamãe naninha não estava fazendo bem ao filho. Depois que Danilo passou a dormir a noite toda, Natasha admitiu que ela ainda não conseguia dormir bem. É comum, depois de todo o processo, a mãe ou o pai se darem conta de que os filhos também eram as naninhas deles.

Papai e mamãe como guardiões do sono

Por volta dos 2 anos, a criança entra no mundo de fantasias e começa a fase dos medos imaginários: medo de bruxas, monstros, personagens maus. Esses seres fantasmagóricos não são nem de verdade nem de mentira. São de faz de conta. Para os pequenos, não adianta ir na linha de que não existem, porque no mundo da criança eles são fantasmagoricamente reais. Lembro de quando eu, pequena, assistia a filmes de terror com meu pai e ele me dizia para não ter medo porque por trás das cenas havia um set de filmagem. Eu gritava do mesmo jeito: zumbis eram zumbis e não pessoas maquiadas.

Na linha da proteção, prometer presença e depois sair de fininho, além da traição da confiança, pode gerar muita insegurança e um sono aflitivo na criança, que ao despertar percebe a ausência.

Com essa consciência, quando o meu filho mais velho tinha 4 anos, ele assistiu a um desenho animado sobre monstros que saíam do armário no meio da noite. Em casa, na hora de ir dormir, eu, a babá ou o pai sempre contávamos uma história. E era só dar boa-noite e sair do quarto com ele acordado. Só que em uma noite ele lembrou dos monstros e estava visivelmente apavorado. Não era uma opção eu ficar no quarto até ele dormir. Afinal de contas, monstros não "trabalham" em horário comercial. Eu, uma humana, não teria como passar a noite impedindo a entrada de seres imaginários no quarto.

Aquela noite foi difícil: ele acordou três vezes e em todas fui ao quarto, mostrei que estava perto e estava tudo bem. No dia seguinte, conversamos sobre o ocorrido.

Expliquei para ele que moramos em um prédio seguro e que, se por acaso algum monstro aparecesse, o porteiro iria nos avisar e não o deixaríamos subir.

Descemos na portaria e conversamos sobre esse assunto com o porteiro José. Ariel me fez várias perguntas e eu fui estimulando que ele mesmo as respondesse. A fantasia era dele, então, nada mais justo que ele desenvolvesse todo o enredo. A seguir estão as perguntas que ele me fez e as respostas que ele mesmo deu:

> "E o que o monstro vai falar para a família dele?"
>
> "Que ele veio na minha casa sem ser convidado."
>
> "E o que a mãe dele vai dizer?"
>
> "Ela vai brigar com ele."

Dali para a frente, toda noite que ele falava do monstro, eu o relembrava da proteção do porteiro José. Quando acordava assustado, me chamando ou indo até a minha cama, eu sempre o levava de volta tranquila, dizendo que estava tudo bem e que o José estava de olho na portaria.

O medo imaginário era do meu filho e eu o acolhi, mas o ajudei a enfrentar e a resolver sua fantasia com um antídoto para o que ele criou: da ordem do imaginário. Eu sou humana e não posso fazer guarda para um ser de outra dimensão. Não poderia prometer passar a noite toda velando o sono dele, e seria injusto ficar no quarto no início da noite e sair de fininho quando ele adormecesse. O "sistema de segurança" tem de ser efetivo a noite toda. Dormir na minha cama nunca foi uma opção, e qual a chance de um dia o monstro ir embora e levar com ele o hábito de dormir comigo? Vão-se os monstros e permanecem hábitos nada saudáveis para o sono de todos. Sendo assim, sustentei o porteiro José até o fim dessa história toda.

Já com a minha filha caçula, achei que, sendo bem experiente no assunto, quando ela falou que estava com medo do lobo mau, fui logo contando a história do porteiro. No entanto, havia um grande problema: o lobo da Alicia era bem mais astuto que o monstro do Ariel. Ele driblava os porteiros e entrava pela sacada do quarto dela. Por essa eu não esperava! Não basta só ser mãe e pai: temos de ser criativos. Comentei que o lobo tinha um focinho muito grande e assim sentia muito fácil os cheiros por onde passava. Então, criamos juntas um spray fedido de faz de conta e toda a noite eu o passava no quarto antes de ela dormir. Assim que o lobo, lá embaixo do prédio, sentisse o odor horroroso, não teria coragem de subir até o quarto.

No entanto, Alicia insistia para eu ficar no quarto junto com ela. Como eu estava segura de que não mudaria hábitos de sono por causa de um lobo mau de meia-tigela, deixei com ela um cachecol com um pouco do meu perfume. Disse para ela que eu estaria sempre pertinho do quarto, mas que deixaria um "pedacinho" da mamãe a noite toda a seu lado. Sempre que sentisse medo, ela deveria abraçar o cachecol. Mesmo assim ela passou a acordar no meio da noite e eu reiterei e sustentei todo o enredo da proteção. Com o passar do tempo, ela foi deixando o cachecol de lado e esquecendo de pedir o spray fedido. O lobo mau desapareceu das noites da Alicia e prevaleceram os hábitos de sono.

Hoje Ariel tem 17 anos. Comentei que eu iria escrever sobre como ele superou o medo dos monstros e ele me falou: "Mãe, eu lembro até hoje de um dia acordar, ficar com medo do monstro, lembrar do porteiro José, virar para o lado e dormir. Foi bem efetiva essa sua ideia".

Já Alicia, anos depois dessa história do lobo mau, certa vez sentiu o cheiro daquele perfume que coloquei no cachecol e me disse: "Mãe, esse perfume me lembra do lobo mau".

Isso me fez perceber que o próprio antídoto de proteção se torna o evocador do medo. O medo do monstro evoca a presença imaginária do porteiro; já o medo do lobo remete ao cheiro.

Nesse sentido, uma vez que os pais optaram por acolher o medo, o caminho é não personificar a proteção em forma humana (companhia até dormir) e encorajar a criança a buscar uma proteção simbólica, da ordem do faz de conta, para que ela própria supere o seu medo com a ajuda dos pais.

O que observo muitas vezes é que o medo dos filhos remete a aflições dos próprios pais e o desamparo também é sentido por eles, que se identificam com a insegurança dos filhos, e, quando vão ver, estão de mãos dadas, cada um se protegendo de seus próprios fantasmas.

Fantasia contra fantasmas

Marisa, mãe de um menino de 6 anos, me procurou desesperada porque recentemente o filho tinha passado a ir toda noite para a cama dela, dizendo estar com medo de fantasmas e insetos. No início, por acolhimento, colocou-o no meio da noite para dormir com ela e depois, sem forças para lidar com a situação, manteve essa conduta.

Marisa e o pai de Igor se tornaram, por acidente, guardiões do sono do filho. No momento em que me procuraram, a proposta era terem de modificar o sistema de "segurança" e criar com o Igor uma nova rede de proteção. Exaustos, faltava aos pais criatividade. Somente para deles, já que Igor tinha esse recurso de sobra. Cada vez era um medo diferente. Não que fosse manipulação, visto que esses medos são criados pelo imaginário fantasioso da criança. Lembrando que não são de verdade nem de mentira: são de faz de conta!

Só que a solução de muitos pais acaba sendo algo concreto: Está com medo do fantasma? Dorme comigo que te protejo; logo, mamãe e papai se tornam os mais novos "caça-fantasmas" do lar. Fantasma é da ordem da fantasia, e papai e mamãe, de carne e osso, são da ordem do real. Passar a noite com o filho, caçando fantasmas, realmente não faz o menor sentido.

A sugestão foi usar a mesma matéria-prima (fantasia) para criar o antídoto contra o medo. Porém, isso só acontece quando os pais conseguem sair desse lugar de guardiões do sono em que eles mesmos se meteram.

Alguns dias depois de nossa conversa inicial, surgiu uma ideia, inspirada em uma lenda dos índios canadenses (a do amuleto chamado *dreamcatcher*): Igor tinha um chaveiro apanhador de sonhos (Figura 2), uma pequena argola contendo uma mecha de crina de cavalo, ou um objeto similar construído com cordões e fios, decorado com penas e contas, que algumas pessoas acreditam ter o poder de dar bons sonhos ao seu possuidor.

Marisa me relatou como foi a primeira noite depois da apresentação desse amuleto dos sonhos: "Igor pediu para deixar o amuleto no quarto dele. No meio da noite ele veio para mim. Tirei forças sei lá de onde e, em vez de me render a tê-lo na minha cama, levei ele de volta. E ele disse: 'Já que tenho o *dreamcatcher*, vou tentar de novo, senão eu volto pra sua cama'. Não discuti. Cobri ele e ficou lá até de manhã".

Disse a Marisa que considerava apenas uma batalha vencida. Afinal, ela estava propondo uma troca aparentemente desleal: em vez de dormir na cama com mamãe e papai, ele dormiria sozinho no seu quarto com o *dreamcatcher*. Logo ele iria perceber isso.

FIGURA 2 Chaveiro apanhador de sonhos (filtro dos sonhos).
Fonte: Freepik.

Dito e feito. Como eu já tinha alertado, no dia seguinte ela me contou: "Comecei a falar como esse *dreamcatcher* é poderoso e tudo mais. Enquanto eu falava, ele só mexia a cabeça, dizendo não".

Só deu certo porque os pais se apegaram a isso como uma verdade, no nível do faz de conta, e não permitiram que nada tirasse o poder do amuleto. Igor até tentou, aparecendo várias vezes na cama da mãe. Não tendo a opção de ficar por lá, foi obrigado lidar com a raiz do medo e o *dreamcatcher* fez essa função.

Sempre que Igor acordava, a mãe o devolvia para a cama, reiterando a proteção dos seus sonhos pelo amuleto protetor que mamãe e papai deixaram para ele, protegendo os seus sonhos por toda a noite. Com o tempo, a falta dos pais enquanto guardiões foi preenchida por um novo sistema de proteção imaginária que permanecia com Igor por toda a noite. Só que isso não garantiu de imediato as noites de sono da casa deles. Lembram que, misturado com o medo, também há o ganho secundário, a enrolação, a manipulação e a teimosia da idade?

Novo relato de Marisa: "Em outra noite ele teve pesadelo e achou estranho o *dreamcatcher* não ter funcionado direito, já que teve um sonho ruim, mas coloquei ele na sua cama e disse: 'pode dormir que ficará tudo bem'". No dia seguinte, ele agradeceu aos First Nations (os índios que criaram o *dreamcatcher*)".

Quero reforçar e relembrar que toda a parte lúdica dos processos não tem a missão de convencer a criança a aceitar as mudanças impostas, mas a função de informá-las, com uma linguagem infantil, sobre o novo contrato do sono, que a partir de agora foi alterado: antes era a criança que conduzia as noites da casa, e de agora em diante serão os pais que estarão no comando. Ao deixar um ser de um metro de altura tomar as rédeas da família, só podemos mesmo esperar pelo caos. Entre dormir e não dormir, podem ter certeza de que, para a maioria dos pequenos – e até os grandes adolescentes –, ficar acordado é bem mais divertido, mesmo que estejam exaustos.

O medo sempre estará presente até o fim da vida de todos nós, em qualquer idade. O medo em doses aceitáveis é um saudável mecanismo de proteção. Sem ele, corajosos e seguros demais, correríamos sérios perigos de vida. Assim, precisamos encorajar as nossas crianças a enfrentar seus medos e inseguranças, com eles, mas não por eles no processo de superação. Pais não sustentam ser guardiões do sono a noite toda. A promessa de proteção no início da noite e a surpresa da ausência na madrugada, além de não ajudarem os filhos a superar o medo, criam um clima de insegurança que potencializa ainda mais a tensão na hora de dormir.

Quando o medo vira insegurança

Foi o que aconteceu na casa do João Miguel (JM). A mãe me contou que ele era uma criança medrosa: pensava sempre em bruxas e monstros. Quando passou por essa fase aos 2 anos, os pais o levaram para a cama do casal e o tempo passou até que eles se deram conta de que o menino já dormia com eles há dois anos.

Assim, os pais perceberam que o filho estava grande, em todos os sentidos, e não era mais confortável dormirem em trio. Muitas vezes o pai ia dormir no outro quarto. JM dormia a noite toda, mas os pais estavam cansados e apertados.

O filho nunca mais manifestou ter medo de algo específico, mas, sempre que se tocava no assunto de mudá-lo de quarto, ele se mostrava resistente e inseguro.

Os pais estavam dispostos a tentar fazer a transição de quarto e promover a autonomia do sono da criança.

Desenvolvemos o seguinte plano de sono, dividido em quatro etapas:

1. Inauguração do “novo quarto”: JM recebeu uma carta do seu super-herói favorito, explicando que ele tinha uma missão a cumprir, dormir em seu quarto, e sua mãe o ajudaria a conhecer esse novo lugar de dormir. Fizemos toda a encenação de inauguração, com uma faixa que ele cortaria para entrar no “novo quarto”. Para florear o processo, os pais compraram uma colcha e almofadas do super-herói. Nas três primeiras noites, a mãe dormiu no quarto com ele em um colchão ao seu lado. Essa etapa era somente a mudança de quarto. Ainda com mamãe ao seu lado, mas o incentivando a dormir na sua cama. JM resistiu, mas, por fim, dormiu segurando a mão da mãe, cada em seu quadrado. Após essas três noites de adaptação, avançamos para a segunda etapa.
2. Saiu mamãe, entrou papai. JM recebeu o aviso pelo super-herói de que a mamãe voltaria a dormir no quarto dela e agora era a vez do papai ajudá-lo na adaptação ao quarto. Seguimos com o método da cadeira. O colchão, que estava ao lado de JM, foi colocado de volta na cama anexa e, no lugar da mamãe, ficaram dois amigos do sono: um bonequinho com a camiseta do papai e outra bonequinha com uma blusa da mamãe. O processo era superfofo, mas nada acalmava JM, que queria sair do quarto e dormir com a mamãe. Márcio foi firme e acolhedor. Depois de mais de uma hora, JM

dormiu na sua cama, no quarto novo. Durante três noites, o pai dormiu na cama anexa com os amigos do sono. Na madrugada, JM acordou várias vezes e em todas o pai o levou de volta para cama. Após essas três noites, passamos para a terceira etapa.

3. Márcio continuou na cadeira e ainda dormindo no mesmo quarto, na cama anexa. Porém, o pai recebeu alguns combinados e ficou acertado pelos super-heróis que ele sempre retornaria ao quarto. Toda vez que o pai se levantava, JM saía atrás dele. Entre choros, gritos e muitas idas e vindas, o pai conseguiu nessa noite sair do quarto por 30 segundos. Na segunda noite, o pai foi mais persistente e conseguiu, por fim, fazer saídas curtas, de um minuto cada. Até esse ponto, continuou dormindo no mesmo quarto do filho. Passamos, então, para a quarta etapa.
4. Saída definitiva do quarto: JM foi avisado pelo super-herói de que agora o papai precisava dormir na cama dele. Depois da leitura do livro, Márcio deu boa-noite e saiu do quarto com o filho acordado, sempre fazendo e cumprindo a promessa de voltar. JM ficou muito bravo e se levantou inúmeras vezes. E Márcio sempre reiterando estar perto e lembrando ao filho que os amigos do sono estavam ao seu lado.

Uma semana depois, JM se apropriou do seu quarto e cama, de forma tão tranquila que até a mãe passou a colocá-lo para dormir sem nenhuma resistência.

Neste caso, os pais, para acolher o medo, optaram por fazer a cama compartilhada, pois na época sentiram que era a melhor escolha. E foram felizes até que a cama se tornou pequena e a dependência da mãe, enorme.

Para JM o medo se foi, mas ficou a insegurança de dormir "sozinho". Muitas vezes os pais se confundem até pelo fato de o medo e a insegurança estarem tão misturados que fica difícil separar com clareza um do outro.

JM foi acolhido em suas inseguranças, mas os pais sustentaram os novos hábitos.

Uma vez que o hábito da companhia está prejudicando a qualidade de sono da família, qualquer que seja o motivo, é chegada a hora de promover o "desmame". Como puderam ver, trata-se de um processo gentil, acolhedor, que leva em conta a faixa etária e as inseguranças da criança. Só que, para dar certo, os pais precisam estar seguros de que dormir sem companhia não equivale a desamparo, solidão, rejeição ou abandono. Qualquer um desses sentimentos inviabiliza o processo.

O que prevalece é a honestidade. Promete-se apenas o que é possível ser sustentado a noite toda. Se os pais não vão velar o sono do bebê ou da criança noite adentro, então que se despeçam e não sumam. A saída do quarto tem de ser consciente, não mais de fininho. E, com certeza, com toda a família dormindo bem, pais e filhos serão ótimas companhias uns aos outros, no reencontro do bom-dia.

9

PEPETA PARA NANAR

Chupeta em inglês é *pacifier* (pacificador). Sua função é acalmar, confortar e manter a paz nos momentos de desconfortos físicos, irritação, tédio, cansaço e choro dos bebês. A sucção promove um relaxamento e, como ficaria inviável passar o dia pendurado no seio ou mamadeira, santa chupeta que estás no céu da boca! Não é hora de mamar, mas o bebê continua irritado: dá-lhe o suga-suga para a paz voltar a reinar.

À medida que o bebê vai crescendo, na teoria a chupeta deveria perder, naturalmente, a função pacificadora de tudo a qualquer hora, restringindo-se a ser um item importante de seu *kit* sono. Isso geralmente ocorre por volta dos 4 meses de vida, quando os desconfortos típicos da idade, como gases, cólica, entre outros, vão perdendo a força. Quanto menos irritabilidade ao longo do dia, menos a chupeta seria necessária. No caso de um bebê já mais organizado, estável clinicamente, os desconfortos passam a ser menores. Durante o dia, os incômodos se concentram principalmente nos momentos de fome, quando o leite ou alguma refeição dão conta dessa demanda; quando sujo, nada que uma boa troca de fralda não resolva; e no sono, a chupeta pode ser de grande ajuda, na função de acalmar e relaxar, permitindo que o bebê engate seu descanso diurno ou noturno.

Nesses anos todos atendendo bebês e crianças pequenas, de forma geral, considero a chupeta um bom hábito de sono. Esse gatilho é confiável, já que os pais podem garantir aos filhos que ela estará com eles por toda a noite. Só que é preciso entender o que significa essa promessa da chupeta. Como ela cai da boca, por mais que se prometa chupeta por toda a noite, ela não necessariamente fica presa aos bebês até o amanhecer. Justamente nesse ponto é que, como em um passe de mágica, o personagem bom do sono pode se transformar no ser malévolo da noite.

Existem os críticos da chupeta. O que acontece é que, nos primeiros meses de vida, muitos pediatras não recomendam a chupeta porque ela pode interferir na amamentação. A outra questão é que o uso da chupeta, na primeira infância, tem de ter começo, meio e fim. Muitas vezes o recém-nascido tem dificuldade de se acalmar, e não é possível que a mãe esteja o tempo todo, 24 horas por dia, ao seu lado, a oferecer o peito. Mas a chupeta está lá, é uma representante do bico do peito, para o sugar, que é muito prazeroso para o bebê. Mas o uso não pode durar muitos anos, porque depois de um tempo começa a interferir no desenvolvimento da arcada dentária e na fala.

A RETIRADA DA CHUPETA

O uso da chupeta pode causar danos desde o início da sua utilização. Durante o desenvolvimento da face, maxila e mandíbula, a chupeta pode agir como um aparelho ortodôntico às avessas. Mas há momentos em que as consequências do seu uso tornam-se mais agressivas como componente de danos do sistema orofacial. Isso pode ocorrer ao final da erupção do último dente de leite, quando a mordida já tem o seu dimensionamento determinado, o que se dá aos dois anos e meio, aproximadamente. Nessa fase, a criança deve já ter abandonado o hábito. Assim, evitam-se maiores danos ortopédicos e ortodônticos.

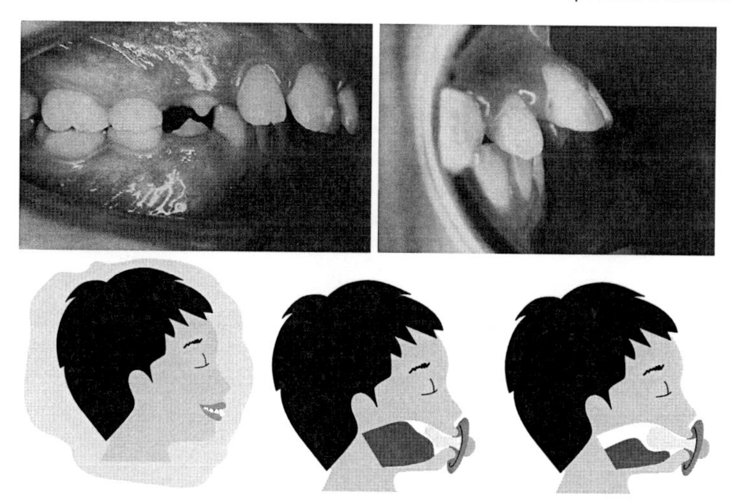

Fonte (fotos): FERREIRA, Flávio Vellini. *Ortodontia*: diagnóstico e planejamento clínico. 4. ed. São Paulo: Artes Médicas, 2001. Adaptado pelo Dr. Claudio Ejzenbaum (odontopediatra).

Conheço mães que prometiam jamais dar chupeta para os filhos. No entanto, bastou o primeiro berreiro, na maternidade ainda, para que uma chupeta aparecesse na boquinha de seus bebês. Outras que compraram uma de cada modelo e os filhos não só cuspiam como tinham ânsia só de encostar as chupetas nos lábios.

Eu sou a favor da chupeta, contanto que ela seja uma boa associação de sono. Isso vai depender muito do apego do bebê, mas principalmente de como a família encara essa chupeta. Apenas como coadjuvante ou o principal na cena do sono?

Tenho vários depoimentos de mães que não querem dar chupeta porque acham ruim criar um hábito que depois vai ter de ser interrompido, o que vai acabar sendo um sofrimento. Minha opinião é a de que, muitas vezes, os bebês precisam de um aconchego externo, sustentável, mesmo que provisório, porque ainda são imaturos. Outro exemplo é a mamadeira: de uso temporário, mas bem útil no processo de desmame, sendo posteriormente trocada pelo copo. Enquanto se tem uma função, vale a intenção. As despedidas da mamadeira e chupeta, lá na frente, podem até fazer parte do ritual de passagem de bebê para criança, com todos os sabores e dissabores que o crescer implica tanto para os filhos quanto para os seus pais.

Eu costumo dizer: “Se dormir bem, que mal tem?”. Se a chupeta ajuda e a gente sabe que o bebê está numa fase em que ainda não é capaz de se acalmar, por que não usar? Quando for o momento de tirar, vamos incluir a criança nessa despedida e mostrar a ela que agora já tem capacidade de se acalmar sem a chupeta e podemos dizer adeus a ela.

Vício?

A mãe de Lia, quando a menina tinha quase 6 meses e meio, me procurou desesperada, pois a filha acordava a cada meia hora por causa da chupeta. Dalila me contou que, antes de a filha nascer, tinha lido tudo sobre o sono dos bebês e que desde que Lia chegou da maternidade procurou seguir à risca as recomendações. Do quinto para o sexto mês dissociou o mamar do nanar colocando a filha acordada no berço no sono da noite e introduziu uma mamada dos sonhos para garantir a barriga cheia até a introdução alimentar.

Mesmo com todos os seus esforços em manter a filha na linha, os despertares noturnos continuavam, e ela sempre dependia da chupeta para retomar o sono. Como estava piorando a cada noite, Dalila, exausta e sem saber mais o que fazer, acabou contratando uma babá noturna. A função dessa funcionária era ser plantonista noturna. Permanecia a noite toda praticamente em pé ao lado do berço, acertando o *timing* no momento do despertar, para colocar a "maldita" chupeta na boca de Lia. A bebê mal abria os olhos, grudava a boca na chupeta e engatava direto o soninho. Desse modo, a mãe, segura de que a filha estava dormindo bem e tendo alguém nessa insana função, também conseguia dormir a noite toda.

Quem não estava feliz com essa situação era o pai de Lia. Antonio não se conformava em ter de pagar uma babá noturna só porque a filha estava viciada na chupeta. O casal já estava em pé de guerra fazia algum tempo. Antonio criticava a esposa, dizendo que ela era "bitolada" com rotina, horário para tudo e várias teorias sobre sono e, na prática, nada funcionava para que a filha dormisse a noite toda. Dalila retrucava o tempo todo. Ela estava exausta, frustrada e deprimida. Nessa época, ela começou a fazer terapia e passou com o psiquiatra, que introduziu um antidepressivo e um ansiolítico. No fundo, ela sabia que a privação de sono tinha um peso enorme no seu estado emocional.

A gota-d'água dos conflitos entre o casal foi a contratação da babá. Antonio deu um ultimato à esposa para resolver a situação. Somente pagaria a babá por mais um mês. Dalila, apenas entre nós, reconheceu que realmente não se justificava essa despesa mensal e que, no fim das contas, ela tinha a consciência de que, enquanto a babá ficasse nessa função, Lia continuaria dependente da chupeta.

Ela também sabia que cedo ou tarde teria de encarar o problema, nem que fosse nas férias da funcionária, quando ela ficasse doente ou em situações, já sentidas na pele, em que ela estava de folga.

Para o pai, a saída simples era tirar a chupeta e "desencanar", que uma hora ela ia engrenar. Dalila tinha esperança de que pudesse haver um meio-termo. O melhor dos mundos seria a filha ter na chupeta o aconchego para dormir sem a dependência por toda a noite. Quando ela contou para o marido que tinha marcado consulta com uma consultora do sono, ele ficou uma fera, principalmente por se tratar de mais um possível gasto em vão. Foi nesse contexto que Dalila e Antonio apareceram no meu consultório. Literalmente, ele veio arrastado pela esposa, entrou na sala bocejando e se esparramando na cadeira, como quem diz "Vim aqui porque fui obrigado".

Conversamos por quase duas horas. O problema não era a chupeta em si, mas manter a ilusão para a Lia de que a chupeta era parte do seu corpo. Com receio do choro e dos despertares, a mãe, e depois a babá, não estavam permitindo que Lia lidasse com a falta do objeto quando caía de sua boca. Ao se perceber sem a chupeta, por uma fração de segundo, ela já se desesperava e, ao se desorganizar, acabava demorando para voltar a dormir.

Até esse momento, o pai continuava bocejando, fazendo cara de paisagem. Eu precisava dele como aliado do processo, levando em conta que a mãe estava deprimida, desmotivada e sem esperança nenhuma.

Outro ponto que ressaltei na consulta era que a babá, fazendo guarda a noite inteira, praticamente em pé ao lado do berço, estimulava o hábito da companhia. Assim, o *kit* sono atual da Lia era chupeta na boca o tempo todo e babá em seu campo de visão. O risco era o de que ela também poderia chorar quando a babá estivesse dormindo longe de seu alcance. Dalila comentou que isso já estava acontecendo, porque certa vez tinha visto pela câmera a filha chorando com a chupeta na boca. A babá, nessa hora, levantou-se rapidamente da cama para colocar a chupeta na boca e, para sua surpresa, a chupeta já estava lá. Na hora em que a bebê viu a moça, parou de chorar. Rosa só teve de fazer um carinho na barriga e logo Lia retomou o sono. Lia se assustou e chorou pela falta da babá.

Rosa poderia ajudar no processo, tornando-se, aos poucos, dispensável. Não sei se ela ia gostar disso, mas, tendo boas recomendações, teria grandes chances de obter um novo emprego, menos insalubre. Mesmo sendo babá noturna, ninguém merece passar a noite velando o berço, em constante estado de alerta. Quando mencionei a palavra "dispensável", nessa hora o pai acordou de seu "sono profundo" e se interessou pelo desenrolar da conversa.

No plano de sono, não houve necessidade de qualquer alteração ou ajuste na rotina, pelo fato de que Lia já estava acostumada a ir acordada para o berço. Elogiei a mãe, porque tudo estava bem redondinho e porque todo o seu esforço em colocar a filha em uma rotina estruturada e organizada com certeza já era meio caminho andado nesse processo. Dito isso, o clima ficou ainda mais tenso entre o casal. Percebi de cara o olhar fuzilador de Dalila em direção ao marido. Sério, deu medo. Antonio, nessa hora, desconversou e voltou para a sua área de interesse: como tornar a babá dispensável.

Voltando ao plano de sono, mostrei aos pais que tínhamos dois desafios: transformar o "vício" da chupeta em um simples hábito para dormir e eliminar a companhia da babá como associação de sono.

Os pais optaram pelo método do choro controlado. Assim, depois da rotina da noite, como de costume: jantar com a babá, brincar no tapetinho com papai e mamãe, mamadeira na sala no colo de Dalila, boa-noite para as estrelas e a Lua na janela da sala, e, por fim, Rosa levaria Lia para o quarto. O ritual do sono era sempre o mesmo: na poltrona, a bebê, já de chupeta e paninho, ouvia a música de sempre em um aplicativo no colo de Rosa, que em seguida lhe desejava boa-noite. Nessa primeira noite, a babá contou para ela que ia sair do quarto. No berço, a bebê se ajeitou de ladinho como sempre gostava de dormir e, nesse movimento, a chupeta caiu da boca. No começo apenas resmungou um pouco, depois deu uma choradinha e, com o passar do tempo, o choro se tornou mais intenso.

A principal estratégia, aparentemente simples, era a de que, sempre que a chupeta caísse, a babá, fora do campo de visão, esperaria inicialmente um minuto de choro (pela falta da chupeta e/ou a presença da babá) e só depois a colocaria na boca. Na primeira noite o tempo de espera pela chupeta seria bem curto e a cada noite seria necessário aumentar um minuto até chegarmos ao máximo de cinco minutos sem chupeta.

A babá teria sempre de colocar a chupeta na boca da Lia, tendo em vista que ainda não era esperado, pela idade dela, ter condições motoras de fazer isso com autonomia (atitude esperada apenas por volta dos 7-8 meses).

Os pais, e até mesmo a babá, seguiram a conduta sem a menor convicção de que daria certo. Se a menina já despertava direto sem a chupeta e rapidamente colocando-a de volta já era um risco acordar de vez, previam o caos quando chegasse no tempo dos cinco minutos de espera.

Como a saída da babá era fato consumado e, do jeito que estava, a mãe não teria a menor condição de assumir, seguiram mesmo descrentes com as orientações. Estes são casos que me preocupam: aqueles em que os envolvidos fazem algo apenas porque o outro disse que funciona. Quando se trata de filhos, preciso que a família e os cuidadores estejam convictos de que o processo faz sentido.

Racionalmente tudo pode até parecer óbvio. Lia deve, primeiro, perceber a falta da chupeta. Uma vez que está com sono, cansada e querendo dormir, ela precisa se esforçar para, no vazio dessa falta, encontrar outras maneiras de adormecer. Não conseguindo, a chupeta voltaria para a sua boca pelas mãos da babá. A aposta sempre – insisto em repetir –, em cada um dos hábitos de sono, é na capacidade de o bebê conseguir se autoacalmar e iniciar o sono por si mesmo. Eu era a única que acreditava na Lia. O choro dela, gritando pela chupeta, deixava todos na casa abalados e sentindo que estavam lhe fazendo mal. Tudo foi muito tenso e em alguns momentos senti que eu era a vilã da história.

Eu realmente temia que todos desistissem sem ter dado a Lia a chance de provar que, sim, ela era capaz, só precisava de tempo e oportunidade.

Minha cartada final foi que, se em uma semana Lia não encontrasse outra forma de dormir, mesmo aumentando um pouco mais a espera pela chupeta, para seis a sete minutos (Rosa continuaria entrando no quarto a cada três minutos, mas sem dar a chupeta), eu mesma concordaria com o pai de que a solução seria tirar de vez a chupeta.

O começo de qualquer adaptação de algo novo pode ser bem difícil, mas com o tempo o "remédio amargo" vai se adocicando até chegar ao ponto de deixar de ser um remédio. Dormir é gostoso e o bebê tem garantido com ele tudo de que precisa a noite toda.

Foi um processo bem difícil. Os pais não entendiam o porquê de um bebê chorar querendo algo e ter de esperar por isso em um tempo curto na teoria, mas interminável na prática. Minha sorte é que eles foram até o fim mesmo sem muito entendimento. Lia chorava muito nas primeiras noites e em um tempo crescente teve de esperar pela chupeta. No início ela se mostrou completamente passiva, como sempre foi com a guarda da babá.

Chorava de barriga para cima, esperneava com as perninhas e os bracinhos. Era nítido que estava exausta e esperava de boca aberta a "tampa do choro". Sem isso, ela não tinha outro recurso para aliviar o sono.

Digo sempre que o tempo de espera, mesmo com choro, deveria ser considerado sagrado. Se eu colocasse essa frase nas mídias sociais, em algum perfil voltado ao universo materno, seria linchada em modo público, com emojis do mal e palavras de calúnia e difamação: "Como você ousa deixar um bebê, indefeso, desprotegido, exausto, chorando, sem atendê-lo?".

Atender o choro não necessariamente significa atender o sono. O foco com Lia era resolver o sono e, assim, ela não choraria mais.

Esse é o tempo em que com sono, limpinho e alimentado no berço, o bebê precisa, literalmente, se virar para encontrar seu descanso. E, na quinta noite, com os pais bem incomodados e bravos comigo, passados três minutos de choro na primeira contagem, Lia aleatoriamente achou o paninho no berço e o esfregou no rostinho. Nessa hora, parou de chorar e dormiu sem chupeta. Pela primeira vez em seus seis meses de vida, pegou no sono sem nada na boca.

Foi uma alegria geral. Como cena de jogo de futebol: todos olhando fixamente para a tela e, num manejo certeiro, Lia virou de lado e dormiu. A plateia pulou de alegria, em um grito silencioso para não correr o risco de acordá-la com as comemorações de seu primeiro gol. Uma batalha vencida, mas a guerra ainda não.

Persistência

Os despertares noturnos continuaram e só a chupeta, após cinco minutos, resolvia até o próximo. Muito choro vai deixando todos aflitos, bravos e nervosos, sem esperança de redenção. Era difícil a minha função de contê-los em algo que sabem que vai resolver o estresse do momento. Mas foram em frente e a reação de Lia, ao pegar o paninho, ao menos deu a eles um fiozinho de esperança.

Na sexta noite, Lia conseguiu fazer a mesma coisa após 20 minutos de choro (recebendo a chupeta a cada cinco). Pegou a fraldinha, esfregou no rosto e dormiu. Naquela noite, em dois despertares fez a mesma coisa sem choro e a babá nem precisou se levantar da cama. Os pais, vendo que a filha, por mais que a chupeta, fosse importante, reunia condições de dormir sem ela, ficaram mais animados com o processo.

Na sétima noite, ela já chorou bem menos no berço. Alternava resmungos com choro, e nesse contexto a babá demorou mais que cinco minutos para dar chupeta e, em determinado momento, todos a postos olhando a babá eletrônica, Lia encontrou a chupeta e, aos seis meses e meio, colocou-a na boca. A plateia foi ao delírio. Dalila até chorou de emoção. Eu também não acreditei. Nunca tinha visto um bebê tão pequeno conseguir pôr a chupeta na boca. Geralmente espero por mais um mês para estimular o treino da autonomia da chupeta. Ela foi uma fofa. Fez direitinho o movimento com as mãos e colocou na boca. Como era aquela chupeta que parece um bico de seio, sem lado certo, foi só enfiar na boca. Um pequeno gesto para um bebê, mas um salto gigante em seu desenvolvimento.

Agora os pais entenderam que o tempo de espera, mesmo que com choro, permitiu a Lia ser ativa na busca de seu modo de dormir. Como a chupeta não era parte do seu corpo, ela só poderia se dar conta disso com a falta dela. Assim, na ausência, no vazio, a pequena grande Lia se virou linda e literalmente. E assim, a partir daquele momento, combinamos que só se colocava a chupeta em sua boca caso ela não a encontrasse no berço. Uma vez que Lia já havia mostrado ser capaz, não faríamos mais nada por ela, mas com ela. Podíamos facilitar a sua vida; assim, foram colocadas quatro chupetas em pontos estratégicos no berço.

Passadas algumas noites, perceberam que, se posicionadas em cima do protetor lateral, era bem mais fácil para ela encontrá-las. E foi lindo. Nos despertares noturnos, ela levantava o bracinho, apalpava o protetor, pegava a chupeta, colocava na boca e retomava o sono, muitas vezes de olhos fechados. Em muitos despertares, retomava o sono sem chupeta, apenas achando a posição de ladinho ou puxando o paninho perto do seu pescoço. Uma bebê descansada, uma mãe aliviada, um pai agradecido e uma babá desempregada.

Quem procura acha

Rafael, de 1 ano e 10 meses, acordava toda noite porque perdia a chupeta. Mesmo a mãe deixando várias espalhadas no berço, ele sempre chorava durante a noite e Suzy corria até o quarto para acudi-lo antes que acordasse a irmã de 6 meses. Assim eram as noites naquela casa. Suzy contou que, certa vez, levantou-se umas sete vezes durante a noite, aí teve uma crise de choro no meio da madrugada e tomou a decisão de jogar todas as chupetas fora e deixar o filho chorar até se cansar. Quando uma mãe surta de exaustão, normalmente ela quer sair do oito e pular de salto até o oitenta. Quando ela entrou em contato comigo, apesar de querer tirar a chupeta, achava que não era o momento, por estar com uma bebê pequena e sentir que a chupeta ainda era importante para o filho.

No primeiro atendimento, perguntei o porquê de Rafael não colocar sozinho a chupeta na boca. Ela me respondeu que ele não a encontrava. Solicitei que observasse uma noite, pela babá eletrônica, o que ele realmente fazia quando despertava. Na verdade, ela nem sabia direito, pois, como temia que Rafael acordasse a irmã, já saía correndo do quarto e enfiava logo o "tapa-choro" na boca dele, impedindo, assim, o caos geral.

No dia seguinte, me ligou e contou que observou por dois minutos o filho durante a noite e que ele ficava sentado, chorando, passivo, sem a menor reação de procurar a chupeta. O que estava acontecendo era que o choro funcionava como uma campainha. Algo assim: "Mãe, acordei. Vem colocar a chupeta na minha boca".

Se Lia, com 6 meses e meio, foi capaz de ter autonomia com a chupeta, imagina o Rafael. A orientação que dei à mãe foi a de que, antes de dormir, ela deixaria duas chupetas espalhadas e um potinho de tecido com a imagem de uma galinha de desenho animado com duas chupetas dentro em um dos cantos do berço e contaríamos para o Rafael que a Popô deixou lá, para ele, uma *pepeta*.

Quanto à irmã, Anna, sugeri como plano A ligar um ruído branco como tentativa de abafar o choro do Rafael no meio da noite. O plano B seria o pai se responsabilizar pela retomada do sono da filha caso ela acordasse com os gritos do irmão.

Antes de dormir, Suzy colocou o filho no berço, mas não deu a chupeta na boca. Ela disse para ele pegar sozinho uma das pepetas e ele escolheu a que estava no potinho de pano no canto do berço.

Nas primeiras noites, antes de dormir, Rafael se distraía um pouco com o potinho, mas depois pareceu perder a graça. Sempre que Rafael dormia, Suzy entrava no quarto, reposicionava o potinho, colocava duas chupetas dentro dele e deixava outras duas espalhadas pelo berço.

A principal recomendação para Suzy era a de que, quando o filho acordasse, ela esperaria os tempos sagrados antes de entrar no quarto. Uma vez lá dentro, sua atitude seria apenas de estimular o filho a pegar a chupeta, mesmo que isso levasse horas. Ele era capaz, só não estava conseguindo, por isso ela deveria lhe dar tempo, oportunidade e direcionamento para que, tendo a faca e o queijo na mão,, ele se virasse em busca do que estava procurando.

Rafael continuou acordando no meio da noite, mas Suzy só aparecia, no início, depois de dois minutos de choro. A cada noite aumentavam os tempos, até cinco minutos sem entrar no quarto. Sempre que entrava, ela estimulava o filho a pegar a chupeta. Na primeira noite ele demorou 45 minutos. Recusava--se a pegar sozinho. Ela entrava a cada cinco minutos, sempre falando a mesma coisa: "Rafa, agora é hora de nanar, pega a sua pepeta na casinha da Popô". E o choro continuava. Suzy repetiu esse processo até que Rafael pegou uma das chupetas do berço, deitou-se e dormiu.

A guerra das chupetas

Uma batalha vencida, mas a guerra das pepetas ainda estava no começo.

Na segunda noite, a hora de dormir foi supertranquila. Ele aceitou pegar a chupeta, deitou-se e logo dormiu. Porém, na madrugada o anjo Rafael parecia possuído. Continuava a chorar em todos os despertares, esperando passivamente que a mãe colocasse a chupeta na boca dele. Suzy seguia firme e forte, apesar de exausta, o esquema de esperar e depois incentivar o filho a pegar a pepeta da Popô. Já não levava quase uma hora, porém, levantar-se cinco vezes ao longo da noite e em cada uma delas esperar o filho pegar a maldita pepeta deixava Suzy muito desanimada e prestes a desistir. A alegação era de que não estava melhorando em nada as noites e que, colocando rápido na boca do filho, pelo menos ela voltava a dormir logo e ganhava tempo até o próximo despertar.

Esse é o tipo de situação em que me sinto lutando contra a maré. Quando os pais têm um gatilho que resolve rápido o choro e o sono, o que eu ofereço como estratégia é bem injusto. Os pais estão exaustos e a proposta nua e crua é deixá-los ainda mais cansados. Lembro da seguinte analogia: você tem um encanamento vazando. Assim que percebe uma gotinha caindo, corre e coloca uma fita crepe. Ela não segura por muito tempo, outro vazamento aparece e você de novo corre para vedá-lo de modo frágil. Em instantes você tem de voltar e colocar de novo. E assim passa o tempo, tampando os buracos. Você faz tudo isso porque teme mexer na estrutura, ou melhor, na raiz do problema. Entra nesse momento a minha proposta: troque o cano. Vai fazer sujeira, vai dar trabalho, haverá barulho, dias difíceis, mas no fim estará resolvido.

Quando Suzy estava prestes a jogar a toalha, eu a acolhi, entendendo o seu desânimo e cansaço. Minha recomendação foi passar a toalha para o marido. Jogá-la no chão seria como, no meio da troca do cano, colocar de novo o antigo, cheio de buracos. Seria muito frustrante abandonar todo o esforço dela e do Rafael em terem nadado até aquele ponto e desistir antes de chegar à praia.

Alexandre assumiu o processo. Na primeira noite Rafael estranhou o pai no ritual do sono e, como previamos essa reação, já que Suzy sempre foi a responsável por colocar o filho no berço, antes de ele e papai entrarem no quarto, colocaram a mamãe para dormir na cama dela. Isso foi importante para que Rafael soubesse onde a mamãe estava e, assim, sempre que chamasse por ela, Alexandre o lembraria que ela foi dormir.

No início da noite chorou pouco, mais na despedida da mamãe, e dormiu em 15 minutos. Acordou três vezes durante a noite e, para a surpresa geral (não para mim), ele pegava rápido a chupeta e voltava a dormir em menos de dez minutos.

Na segunda noite, foi só ver o pai na porta que rapidamente pegava a chupeta e retomava o sono. Na terceira noite dormiu direto, sem despertares.

Mantivemos o pai no processo, tendo em vista que com ele estava bem mais tranquilo. E não era por acaso. Como a mamãe sempre colocava a chupeta na boca, essa expectativa promovia ainda mais choro quando Rafael era contrariado, com a recusa em fazer o que ele estava muito acostumado. Com o pai não havia expectativas, dado que ele nunca participava desse momento, pois chegava mais tarde do trabalho. Para se responsabilizar por esse processo, Alexandre se comprometeu a chegar mais cedo em uma quinta e sexta-feira e assim conseguiu manter o esquema no feriado que emendou segunda e terça. Assim, ele ficou no processo por um total de seis noites.

Os pais relataram que percebiam os despertares do filho no meio da noite, mas muitas vezes ele só se mexia ou mudava de posição. Quando realmente parecia despertar, ele se sentava e ia direto no pote da Popô, pegava a chupeta e voltava a dormir tranquilo e sem chamar por ninguém, ou seja, se resolvia sozinho. Santa Popô, que garantia para ele o que a coitada da mãe tentava garantir a noite toda. Neste caso, o *kit* sono dele não era só chupeta – era chupeta com mamãe.

Suzy voltou a colocar o filho na cama, depois do feriado, e foi um caos. Chorou tanto que até vomitou.

Ela seguiu exatamente o mesmo ritual do sono feito com o pai, no mesmo quarto, colocando-o para dormir no berço. Com o pai ele não chorava, mas com a mãe foi terrível. Ela, coitada, se sentiu muito mal. Desesperada, me ligou dizendo: "Não deu certo comigo". Respondi: "Vamos conjugar direito esse verbo: não está dando certo com você, mas vai dar quando o Rafa perceber que o seu jeito de colocar ele para dormir será como o do papai".

Neste caso ele pode ter chorado muito tanto por estranhar não ser o pai quanto por ser a mamãe e ele esperar dela outra atitude na hora de ir dormir. Naquela noite o pai assumiu de novo. Demorou um pouco até a criança se acalmar e ele dormiu mais tranquilo com o pai.

A orientação foi Suzy engatar a primeira e manter o processo várias noites seguidas, justamente para que ela não fosse colocar o filho para dormir sempre como se fosse a primeira vez. Para Rafael se acostumar com ela colocando-o para dormir, a ideia era aproximá-lo da nova realidade com a mãe, e não ela sair de cena.

Foram quatro ou cinco noites com mais choro e pelo menos um despertar noturno (o que ele já não estava mais fazendo). Suzy seguiu o plano de sono e conseguiram chegar ao ponto por que tanto ansiavam: que Rafael fosse para o berço, sem choro, tranquilo, e que, sempre que despertasse no meio da noite, pegasse a chupeta com autonomia, sem atrapalhar o próprio sono e o dos pais. Por volta da sexta noite, com a mãe, foi bem tranquilo. Ele deu apenas uma resmungada na despedida do boa-noite e dormiu rápido, tranquilo e a noite inteira.

No caso de Rafael, ficou claro para os pais que, ao darem de mão beijada o peixe, estavam impedindo o filho de pescar, e mais ainda, o faziam chorar e gritar toda vez que queria o peixe. Dando a vara, por mais difícil que tenha sido, ele conseguiu se virar sozinho a ponto de não mais chorar e gritar.

Chupetas são acessórios e precisam ser tratadas como tal. Se não são parte do corpo do bebê, ele precisa ter a consciência de que elas caem, escapam, se perdem, somem, mas que também voltam. Só sentimos falta na ausência e só sentimos a ausência no tempo que a falta nos faz.

Os pais não gostam de ficar na plateia, passivos. Em ídiche há uma palavra que define bem a sensação: *nishguit*, que significa inquietação, formiguinhas no bumbum. Mãe e pai muitas vezes não se aguentam ao ver o filho tentar, errar e se frustrar, sabendo que podem impedir a decepção com um simples gesto de já colocarem a chupeta em sua boca. Mas abduzir as chupetas é iludir o filho de que elas fazem parte dele. Não disfarcem a ausência, não preencham vazios: encarem e deixem o bebê ou a criança decidir como resolver, se virar e superar faltas pontuais e momentâneas.

10

E QUANDO SÃO DOIS OU MAIS FILHOS?

Se um é difícil, como lidar com dois? É loucura? E três? Missão impossível? Como lidar com gêmeos, trigêmeos e irmãos dormindo juntos?

Uma pergunta que não quer calar, mas que faz muitas famílias gritarem por ajuda, é: "Como fazer todo esse processo de reeducação do sono quando se têm gêmeos, trigêmeos e filhos de idades diferentes que dormem juntos no mesmo quarto?".

Até este ponto do livro, imagino que todos já entenderam que o choro não é parte do processo, mas justamente consequência do problema, e que deve ser enfrentado na sua raiz. Mas como lidar com uma sinfonia de choros ao mesmo tempo? Como manejar a confusão de um irmão acordando o outro?

Somente na prática de muitos anos de experiência, e vivenciando realmente o caos com as famílias, fui capaz de conseguir prever tudo o que pode acontecer nesse processo e definir com a família a melhor estratégia.

Em primeiro lugar, antes de alinhar as estratégias, precisamos entender as circunstâncias. Imaginem a cena de um bebê de 9 meses que está inaugurando o berço na primeira noite e, depois de uma hora de choro, enfim consegue dormir. Cinco minutos depois que ele conseguiu dormir, o irmão gêmeo, no berço ao lado, acorda e começa a chorar. No mesmo instante o outro acorda assustado (mal tinha entrado em sono profundo) e o caos está instalado.

Uma coisa é ainda não saber dormir, demorar para iniciar o sono sem ajuda, mas ser acordado depois de tanto esforço para adormecer, pelo grito do outro... essa parte é injusta. Sendo assim, em um primeiro momento oriento os pais, se possível, a separar os irmãos de quarto. É o ideal? Não, até porque os irmãos podem sentir falta um do outro e sabemos, também, que qualquer mudança de ambiente pode levar ao estranhamento por parte de bebês e crianças. No entanto, de forma geral, pesando custo e benefício, vale a pena fazer essa mudança, se a família tiver a opção de separar os irmãos provisoriamente. Aquele que for mudar de quarto vai precisar de pelo menos três noites para, antes de qualquer alteração nos seus hábitos de sono, reconhecer o novo ambiente. Depois de todo o processo resolvido em relação ao sono, esse bebê ou criança vai retornar ao seu quarto e pode ser que também precise de algumas noites para se readaptar, tanto ao ambiente quanto ao fato de voltar a dormir com o irmão.

Gêmeos e trigêmeos

Certa vez, atendi os trigêmeos Adam, Marcel e Júlio, de 1 ano de idade, que dormiam no mesmo quarto. A mãe se responsabilizou por todo o processo e optou pelo método da cadeira. Levando em conta a estrutura e todo o *staff* da família, organizamos o processo da seguinte maneira: as babás manteriam toda a rotina e os hábitos atuais de dois dos meninos, ainda sem impor nenhuma alteração. A mãe montou o berço no outro quarto e escolheu Adam para iniciar o plano de sono, pois, conhecendo o filho, achava que ele seria o mais capaz de se adaptar facilmente à nova situação. Tinha mesmo razão. Adam passou três noites em seu próprio berço, no quarto improvisado, só para se inteirar da mudança. Ele não estranhou a mudança de quarto.

Na quarta noite, Valéria iniciou o processo da cadeira. Adam chorou em torno de 20 minutos até conseguir dormir no berço. Ele alternou momentos de calmaria com agitação. Dormiu direto até 3h da manhã, e nesse horário a mãe só precisou colocar a chupeta. Às 4h houve outro despertar, que durou 15 minutos de muito choro, mas ele acabou dormindo. A segunda noite foi bem semelhante, ainda mantendo choro e despertares noturnos. Na terceira noite, ele começou a chorar já no ritual do sono, prevendo o que estava por vir, mas no berço foi bem mais tranquilo e dormiu em menos tempo. Ao todo foram dez minutos e dormiu direto até às 5h. Nesse horário, Valéria insistiu até as 5h20, mas não teve jeito: ele não quis dormir mais e assim começaram o dia. Adam realmente se adaptou rápido e logo encontrou conforto, conseguindo dormir rápido e sem choro no berço[1] nas demais noites. Uma semana depois do início do processo, Adam estava dormindo a noite toda. Na décima noite, a mãe se despediu do filho com ele acordado e para surpresa de todos ele não chorou, ou seja, não se apegou a sua companhia. Na dúvida, Valéria ainda esperou mais quatro noites para consolidar bem o processo do filho.

Após duas semanas, no "quarto curinga", chegou o dia de voltá-lo ao quarto, junto dos irmãos. Nessa noite, Valéria colocou o outro filho, Júlio, no quarto curinga, ainda sem mudar nada dos seus hábitos de sono, ou seja, ele continuou dormindo mamando e no colo nas três primeiras noites.

Após o ritual do sono, Adam foi colocado acordado em seu berço, agora no seu próprio quarto, e Valéria se despediu. Ele reclamou um pouco, Valéria voltou, entregou chupeta e naninha e não precisou mais intervir. Adam dormiu tranquilo e de volta ao seu quarto. Passados uns 15 minutos, a babá trouxe Marcel, já adormecido em seu colo, para o berço.

Nas noites que se seguiram, sempre que Marcel acordava no meio da noite, a babá corria para atendê-lo rapidamente, justamente para não acordar o Adam, que já havia aprendido a dormir sem ajuda e agora no seu próprio quarto.

Passadas mais ou menos duas semanas do início do processo do Júlio, ele também voltou para o seu quarto, trocando de lugar com Marcel. Com esse filho, a mãe estava bem preocupada, pois, segundo ela, era o mais "chorão". Realmente ele demorou mais para dormir a noite inteira. Depois de três semanas, já estava dormindo bem, mas achamos melhor dar a ele mais uma semana para consolidar mais o aprendizado no quarto curinga. Enquanto isso, Adam e Júlio estavam com a nova rotina da noite e hábitos de sono ajustados e ambos iam acordados para o berço, se despediam da mãe e ficavam um tempo se comunicando entre eles em pé no berço, como era de esperar. Não havia choro, mas tagarelices. De tempos em tempos, Valéria entrava no quarto, dava chu-

---

1 O choro ainda se manteve no ritual do sono. No começo achávamos que Adam poderia estar prevendo a ida para o berço, algo que ainda não estava confortável para ele. No entanto, assim que se deitava, logo parava de chorar e se aninhava gostoso. Orientei a mãe a antecipar a rotina, pois outra hipótese do choro é que ele estava chegando exausto ao quarto. Em vez de ir para o quarto às 19h30, passamos para as 19h10. Com isso não teve mais choro na hora do colinho com a mamãe. Valéria ficou com um certo receio de antecipar o horário e ele acabar acordando ainda mais cedo pela manhã, mas não houve alteração do horário do bom-dia. Realmente o choro era de muito cansaço.

peta, pedia para eles se deitarem e logo saía. Levou em torno de cinco noites para lidarem com a novidade da companhia um do outro.

A presença de irmãos no mesmo quarto pode ser um estímulo de dispersão e agitação. Coisa boa, diga-se de passagem. Porém, os pais precisam estabelecer os limites. Não há como obrigá-los a dormir, mas pode-se bancar a regra do silêncio quando for a hora de descansar. Valéria permitiu uns dez minutos de interação entre eles, antes de entrar no quarto. Depois disso, entrou e saiu várias vezes, o que durou uns 20 minutos até que, enfim, eles dormiram. E dormiram a noite toda.

Quando a mãe achou que Marcel estava pronto, ele também retornou para o quarto, com toda a sua rotina e os hábitos de sono redondinhos. Foi recebido pelos irmãos em clima de festa. Nem ligaram quando a mãe se despediu deles e saiu do quarto. Foi uma chuva de chupetas fora do berço, naninhas para todos os lados e várias gracinhas entre eles. Os pais se divertiam, vendo os filhos pela câmera da babá eletrônica. Valéria entrou 15 minutos depois para acabar com a festa. Levou mais uma meia hora para todos dormirem. Essa "balada" do trio, no início da noite, durou umas cinco noites até se acostumarem a dormir juntos.

Vocês devem estar se perguntando: mas, por que a novidade, se eles sempre dormiram juntos, no mesmo quarto? Negativo – eles só acordavam juntos. Sempre dormiam no colo da mãe ou das babás e chegavam adormecidos ao berço. Sempre que despertavam no meio da noite, alguém corria para fazê-los dormir novamente.

Em torno de aproximadamente dois meses do início do processo do primeiro bebê, os três passaram a dormir tranquilos, cada um no seu berço, por eles mesmos e a noite toda. Claro que houve despertares noturnos pontuais. No entanto, caso um acordasse o outro, todos já sabiam como voltar a dormir. A família só precisava lidar com a braveza de terem sido acordados. Com o tempo, a mãe me falou que, mesmo em situações de algum despertar pontual, um não acordava mais o outro. A impressão era a de que se acostumaram com os barulhos de cada um, passando a fazer parte da trilha sonora do ambiente.

Uma questão que tivemos de enfrentar, nesse caso, era o fato de que, enquanto Marcel e Adam dormiam até as 6h30 da manhã, Júlio insistia em acordar às 5h, chorando. Percebemos que ele tinha sono, mas insistir em mantê-lo no berço, dando-lhe a chance de retomar o sono, só fazia com que acordasse os irmãos, deixando todos cansados e estressados, inclusive as babás. Então combinamos que, quando Júlio despertasse, às 5h, a babá logo o tiraria do berço e começaria o dia só com ele. Assim, pouparia os irmãos de serem acordados tão cedo. Por um lado, funcionou bem para o Marcel e o Adam. No entanto, Júlio iniciava o dia cansado. Ficou alinhado que ele tomaria a mamadeira e ficaria um pouco na sala. Tão logo ficasse mais chatinho, a babá o colocaria no carrinho para fazer uma soneca. Assim, Júlio ficava em torno de uma hora acordado. Às 6h tirava uma soneca de uns 40 minutos e acabava acordando praticamente junto com os irmãos. Esse foi o meio-termo encontrado para respeitar o ritmo de Júlio sem atrapalhar o sono dos outros meninos.

Ao final de tudo, Valéria ficou supersatisfeita com todo o processo, e por isso foi possível dispensar a babá noturna. Mas ela não desmontou o quarto curinga; deixou-o em *stand-by* em situações em que um ficava doente e assim o isolava para dar conta dos sintomas e para eventualmente não acordar os irmãos em caso de tosse ou nariz entupido no meio da noite. Mas relatou que eles sentiam falta quando um se ausentava. O *kit* sono dos trigêmeos passou a ser quarto, berço, chupeta, naninha e a companhia um do outro. Mamãe e babás foram dispensadas.

Já na família de Loretta não foi possível separar os trigêmeos Laura, Lucca e Letícia. A gravidez de três pegou de surpresa a família, que passou de uma única filha de três anos para quatro em apenas duas gestações. O apartamento ficou pequeno com o quarto dos pais, da mais velha e outro para os três bebês, na época com nove meses. A mãe se responsabilizou pelo processo e optou pelo método do choro controlado. Foi orientada por mim em relação a todas as implicações do choro, tanto no início da noite quanto nos despertares noturnos. Combinamos que, se fosse muito cansativo para ela, a cada três noites o marido assumiria a posição.

As primeiras noites foram bem intensas e demoradas. Levou cerca de uma hora e meia para todos conseguirem dormir. O choro de um atrapalhava o outro, mas enfim todos dormiram. O fato era que, nas madrugadas, quando um acordava, logo os outros já estavam em pé no berço. Foram várias noites bem difíceis. Quando o pai assumiu o processo, percebemos que, com ele, os bebês ficavam mais calmos e era bem mais rápido pegarem no sono. Assim, Henrique se responsabilizou pelas noites, a mãe só pegava os bebês dormindo para a mamada dos sonhos e às 5h da manhã, horário do bom-dia dos bebês. No fim deu tudo certo: todos passaram a dormir tranquilos e a noite toda. Foram noites bem tensas, com muito choro e muito desgaste para toda a família, mas, uma vez enfrentado o problema, não precisaram mais lidar com choro. Os bebês se deitavam tranquilos, resmungavam, giravam dentro do berço e, enfim, em torno de 20 minutos depois, todos dormiam a noite toda.

Nem sempre o ideal é separar os irmãos de quarto, mesmo havendo essa possibilidade na casa. Ocorreram situações em que eu estava tão preocupada com o choro de um bebê acordar o outro que os pais me alertavam para outros fatores relevantes para suas famílias. No caso das gêmeas idênticas Bianca e Beatriz, de 14 meses, o vínculo forte entre elas foi o argumento da mãe para não as separar. Sentia que a problemática do choro seria secundária no caso das meninas. Eu sempre procuro seguir o feeling da mãe, e realmente ela estava com a razão. Já na primeira noite, se a minha preocupação era que o choro de uma atrapalhasse a outra, fui surpreendida pela situação oposta. Assim que Beatriz se acalmou e se deitou no berço, Bianca viu a irmã e fez a mesma coisa. E assim as duas dormiram. Os pais seguiram com o método da cadeira, cada um responsável por uma criança. Na noite da saída do quarto, a mãe estava bem nervosa, mas, para surpresa de todos, elas não choraram nem deram um pio. Uma olhava para a outra e nos fizeram entender que a companhia entre elas era o que bastava na hora de dormir. Realmente, ficou bem claro o quanto os pais foram dispensados do *kit* sono. Uma libertação para toda a família.

Na casa da Marli, os gêmeos de 2 anos e meio já dormiam em caminhas, o que dava a eles a liberdade de ir e vir. Foi justamente nessa transição do berço para a cama que tudo desandou na casa dessa família.

Mesmo traçando todos os combinados de sono com os personagens favoritos dos meninos, eles resistiram bravamente a respeitar todas as regras do sono, principalmente a mais importante de todas: deitar-se à noite e só se levantar e mamar de dia. Se já é difícil com um, que sai correndo, imaginem com dois ao mesmo tempo. Prevendo a reação dos meninos, combinamos que cada um dos pais ficaria responsável por um dos filhos e sustentariam os combinados, mantendo firme todo o processo. Sempre que Guilherme acordava no meio da noite, o pai ia vê-lo; se fosse o Gabriel, a mãe era a responsável. Claro que, no começo, os dois acabavam despertando e os pais "zumbis" entravam na linha de frente em mais uma batalha noturna.

As primeiras noites foram caóticas. Um agitava o outro, Guilherme incentivava o irmão a se levantar da cama. Gabriel era o que mais chorava à noite, pedindo pela mamadeira, o que fazia com que o irmão também se lembrasse do leite como opção noturna. Sinceramente, achei que os pais iam desistir, porque tudo estava realmente muito exaustivo.

O processo exige dos pais doses cavalares de persistência, resistência e paciência para bancarem as novas regras de sono. Só que isso tudo não é vendido em *kits* na farmácia. Logo, é muito fácil esgotar o pouco que ainda resta de energia, levando em conta que ninguém dorme bem há muito tempo. Ainda mais com dois filhos. Uma mamadeira e uma rápida presença no quarto, segurando-os na cama, poderia resolver em cinco minutos o perrengue do momento. Porém não resolveria o sono da família. Ceder não pode ser uma opção. Reforçar o mau comportamento, premiando os filhos com mamadeira e companhia quando choram e gritam, não seria uma possibilidade. Sendo assim, os pais seguiram em frente.

Do lado das crianças, elas precisam de tempo não só para absorver as novas atitudes dos pais, que no choro sempre cediam às suas vontades, mas também para se habituarem a dormir de uma nova forma: sem os pais no quarto e sem mamadeira como associação de sono. A luta foi brava. Após uma semana, eles já estavam mais tranquilos para iniciar o sono, porém acordavam uma vez durante a noite, um por vez ou, muitas vezes, os dois ao mesmo tempo. Quando dormiram sem resistência e a noite toda, receberam, como reconhecimento pelo esforço deles, adesivos para colar no mural de combinados. Os dois amaram e ficavam na expectativa para conseguir esse feito também na noite seguinte. No entanto, em uma das noites Guilherme conseguiu e Gabriel não, pois acordou uma vez de madrugada. Essa situação foi difícil para os pais. Tiveram dificuldade em lidar com a frustração do Gabriel. Orientei a família que a mudança nessa casa estava instalada. O reconhecimento seria pelo bom comportamento. Não se ganha nada quando se atrapalha o próprio sono e o de toda a família. Gabriel entendeu o recado.

Na noite seguinte, na hora em que o Gabriel ia se levantar da cama, Guilherme disse para o irmão: "Gabi, se você levantar não vai ganhar o adesivo". Imediatamente, ele se deitou e os pais riram baixinho atrás da porta. Pais no comando, regras internalizadas, noites de sono tranquilas.

Como disse anteriormente, aprendi com a experiência a lidar com situações de caos. Um desses casos foi o dos gêmeos Martin e Benjamin, de sete meses. Eles dormiram no quarto dos pais até o sexto mês, quando houve a mudança definitiva para o quarto ao lado. Dali para a frente, as noites, que já não eram boas, pioraram muito. O apartamento só tinha dois dormitórios e não era opção colocar um deles de volta no quarto dos pais. A família optou por fazer o processo simultaneamente.

Martin, durante o dia, já dormia sem ajuda[2], no berço. Imaginei que, por isso, com ele seria mais fácil. Realmente, na noite de implementação do processo, como previsto, ele dormiu em cinco minutos, com pouco choro. No entanto, Benjamin demorou muito para dormir. Depois de uma hora e meia aos gritos com o pai ao lado sentado na cadeira, Martin acordou, muito bravo. Dali em diante foi uma loucura. Muito choro, ninguém se acalmando, levaram horas e horas para que os dois se entregassem ao cansaço. Mãe, pai e eu também estávamos esgotados. Assim que eles dormiram, conversamos que insistir em manter os dois juntos poderia ser um processo mais tenso e difícil do que o normal, porque um ponto era o Benjamin não saber dormir no berço, mas, se pudéssemos controlar as outras variáveis, talvez o processo se tornasse um pouco menos exaustivo. Sabemos que o choro na adaptação não tem como ser evitado, mas o risco de um ser acordado pelo outro era algo de que poderíamos poupá-los. Decidimos colocar o berço do Martin de volta no quarto dos pais – havia um corredor que o mantinha fora do campo de visão da cama de casal. E seguimos em frente nas demais noites.

Foi uma decisão acertada. Mesmo parede com parede, o choro de um não atrapalhou o outro. Martin foi bem tranquilo, demorou apenas três noites de pouquíssimo choro para engatar a noite inteira de sono. Ele já sabia dormir no berço de dia, o que facilitou muito a sua adaptação no sono da noite. Benjamin levou em torno de dez noites, bem intensas, para achar o seu novo jeito de dormir, até que finalmente passou a dormir superbem.

Os pais levaram alguns meses para juntá-los de volta no mesmo quarto. Esse tempo foi uma opção deles porque, depois que os filhos passaram a dormir bem, tinham muito medo de mexer no "time que estava ganhando". Enfim, fizeram a transição sem grandes problemas. Martin se agitou um pouco no "novo" quarto, mas isso não interferiu durante a noite.

---

2 Por já estar habituado a ser colocado acordado no berço, nas sonecas, o problema do sono noturno era que Martin dormia mamando e, assim, acordava assustado no meio da noite. Uma vez que dissociamos o mamar do sono, mudando a ordem com o banho, conseguimos que ele fosse de modo consciente para o berço. Como era de esperar, ele se adaptou de modo muito rápido, fácil e quase sem choro.

Irmãos de idades diferentes

É muito mais comum que famílias com pelo menos dois filhos me procurem por ajuda. É um dado interessante porque, em princípio, se pensaria que os pais de primeira viagem seriam os mais propensos, por falta de prática, a necessitar de suporte na questão do sono dos filhos.

A partir dessa constatação, consegui estabelecer algumas particularidades das famílias com pelo menos dois filhos, nas quais, em sua grande maioria, os problemas de sono acontecem com o filho caçula. Relacionei a seguir as quatro principais:

1. Com medo de o bebê acordar o primogênito, os pais acabam atendendo mais prontamente o choro do mais novo, não dando tempo e oportunidade para esse bebê retomar o sono por ele mesmo.
2. Geralmente o mais velho está na escola, trazendo para casa vírus e bactérias, expondo mais o pequeno às doenças da infância, o que dificulta a consistência nos hábitos de sono do mais novo, que acaba tendo dificuldades para dormir quando doente.
3. Com dois filhos pequenos, os pais, de um modo geral, estão mais cansados e sobrecarregados, entregando os pontos com mais facilidade.
4. A culpa em ter de dividir atenção entre dois ou mais filhos é um fator que interfere bastante, principalmente do lado das mães. O pequeno muitas vezes fica de escanteio, aos cuidados da babá ou de outro cuidador, para que a mãe consiga atender o mais velho, que muitas vezes está com ciúmes e procura formas de chamar a sua atenção. É muito comum uma mãe associar que o bebê a solicita muito de madrugada "por carência", já que de dia tem de competir com o irmão mais velho pela sua atenção.

É interessante que, quando atendo essas famílias, a maioria descreve o filho caçula como escandaloso, bravo, genioso e muito manhoso.

"Deborah, ele não chora, ele berra."

"Se eu tivesse tido ele primeiro, nunca teria tido um segundo filho."

"Ele é intenso demais, tudo tem de ser na hora que ele quer."

Insisto com os pais que eu posso ser geniosa, brava e difícil. Tendo mais de 40 anos, entendo que o meu comportamento reflete bem quem eu sou. Mas um bebê não pode ser definido por seu modo de agir. Ele ainda está se desenvolvendo. Não temos ainda como separar a sua personalidade da sua condição de segundo ou terceiro filho. Peço sempre que os pais reflitam sobre algumas questões: Ele é escandaloso ou age desse modo porque no grito sempre é atendido? Vocês afirmam que ele quer tudo na hora. Mas o quanto ele passou por situações de espera? Lembrem-se de que, com medo de acordar o mais velho, alguém sempre correu para acabar com o choro. Qual a tolerância dele à frustração? Com receio do caos – entendo bem disso, tendo eu três filhos –, muitas vezes se atende logo ao choro para poupar o descontrole de dois chorando ao mesmo tempo.

O caso do Enrique ilustra bem essa situação. Quando ele tinha 9 meses de vida, a situação da família estava insustentável. O bebê dormia na cama dos pais, praticamente a noite toda no peito. Na casa só havia dois dormitórios e ficou inviável ele dormir com a irmã mais velha, Letícia, de 3 anos e meio. Além de acordar a cada 20 minutos para mamar (você leu corretamente: 20 minutos), ele despertava de vez às 5h, fazendo a irmã, que já havia acordado algumas vezes durante a noite com o seu choro, também começar o dia supercedo e ainda muito cansada e irritada. Assim, a família aderiu à "cama com paraquedas" e o pai se transferiu para a sala, conseguindo assim algumas horas de sono, em paz.

O primeiro atendimento durou quase duas horas, porque precisávamos encontrar uma forma de resolver os problemas de sono do Enrique sem atrapalhar a Letícia.

No quarto dos pais não cabia um berço. Pensamos em colocá-lo na sala, mas era inviável, pois o bebê dormia muito cedo e o movimento da casa, com a irmã acordada, invalidava essa opção.

De um modo geral, não mexo em time que está ganhando. Fiquei muito resistente em tirar a Letícia do quarto dela, afinal ela dormia superbem e qualquer mínima mudança poderia atrapalhar o seu sono. Os pais pensaram na possibilidade de colocá-la em um colchão no quarto deles. Fui categórica ao afirmar que isso não poderia ser, de modo algum, uma opção. Oferecer o quarto e a companhia dos pais para uma criança de 3 anos seria um risco enorme de conseguirmos resolver o sono do Enrique e criar outro problema para a família. Como, depois de todo o processo, dizer para a Letícia que ela já podia voltar a dormir no quarto dela, com o irmão e agora sem os pais? Fora de cogitação.

Pensamos juntos em criar algo provisório com a participação da Letícia. Ela seria a "ajudante do sono" do irmão. Tivemos a ideia de montar uma barraca com um colchão, na sala, e Letícia passaria a dormir lá. Demos o nome de Cabaninha da Ajudante do Sono. Assim que Enrique passasse a dormir bem, a barraca seria desmontada e Letícia voltaria a dormir no quarto com Enrique.

Os pais conversaram com a Letícia, que adorou a farra. Ajudou a montar a barraca, estava muito orgulhosa de "ajudar" o irmão e, para nossa surpresa, mais do que isso, ficou empolgada em ter, em breve, a companhia dele no quarto.

O pai assumiu o processo do sono do filho. Demorou mais do que gostaríamos, porque Enrique ficava muito doente, principalmente com doenças que afetavam a parte respiratória, o que dificultava muito o sono. Os pais sabiam que a filha sempre trazia da escola alguma doença oportunista e Enrique era bem sensível. Mas, no fim, deu tudo certo.

Letícia ainda ficou alguns meses dormindo na sala, pelo fato de que Enrique continuava acordando às 5h e ela, às 6h. Temíamos que, dormindo juntos, Letícia acabasse despertando antes do seu horário. Era um risco.

Assim, das 5 às 6h, a mãe, Patrícia, ficava no quarto brincando com Enrique até a filha acordar. Depois de alguns meses, por sorte, Enrique passou a acordar mais tarde e Letícia ficou muito feliz em desmontar a barraca e voltar para o seu quarto, agora junto do irmão.

Muito feliz com o resultado do processo, a mãe me contou que se emocionava toda vez que via o filho, pela babá eletrônica, se ajeitando, relaxando por ele mesmo, dormindo tranquilo e seguro a noite toda. Mesmo com vários dentes nascendo, ele já estava acordando mais tarde, às 6h da manhã, com a irmã. Não foi um processo fácil, mas a mãe me disse que valeu muito a pena.

Eu também me emociono quando finalmente alcançamos, juntos, o sonho de noites tranquilas. É fácil? Claro que não. Mudanças exigem que todos se movimentem de modo estratégico, muitas vezes sem saber com precisão como será o andamento do jogo. Mas, pelo menos, a partida está lançada. Se todo mundo ficar paralisado no conflito, não haverá a menor chance de vitória. Como dizem: "Insanidade é continuar fazendo sempre a mesma coisa esperando resultados diferentes".

Justamente esta era a dificuldade de Brigite: tinha muito medo de "arriscar" qualquer mudança. Admitia que se acomodou na sua "zona de des-conforto".

Estava ruim assim, mas temia mudar e ficar pior. Sentia que o caso dela era sem solução, tendo em vista que os filhos dormiam juntos. Ela passava a noite toda acudindo as crianças, Vítor, de 4 anos, e o pequeno Vinícius, de 8 meses. O desespero era ainda maior pelo fato de o marido também ter problemas de sono e ela precisar evitar, ao máximo, que ele acordasse com os choros e gritos dos filhos. Para que isso não acontecesse, ela dormia no quarto de hóspedes, que ficava ao lado do das crianças. Nos momentos de desespero, levava o bebê para a sua cama no meio da noite.

Fiquei mais de uma hora ao telefone, só para apresentar a proposta da consultoria. Ela queria garantias de sucesso, mesmo descrente. Expliquei que 80% do processo dependeria dela. Enfim, mesmo sem querer, mas no desespero da situação, aceitou colocar o plano de sono em prática. Foi resistente em separar os filhos, temendo não conseguir juntá-los de volta. Expliquei que o principal objetivo era que as crianças aprendessem a dormir com autonomia e que juntá-las depois seria mais fácil, já que, se um acordasse o outro, o importante era eles saberem retomar o sono sem precisar de ajuda. Levando em conta que Vítor era bem grandinho, iríamos estabelecer combinados do sono (Figura 1) que incluíssem a regra do silêncio, dentro do quarto, para não acordar o irmão (Figura 2).

Optamos por não tirar o Vítor do próprio quarto e passamos o Vini para o quarto ao lado. Explicamos para o Vítor que essa mudança era provisória, até que os dois, dormindo bem e a noite toda, voltariam a dormir juntos. Ele não gostou nem um pouco da proposta, mas a mãe deixou claro que o retorno do Vini ao seu quarto dependeria muito dele.

Começamos pelo bebê. Brigite escolheu o método da cadeira e dormiu na cama ao lado do filho durante o processo. Tinha pavor de choro. Optou por dar colo sempre que ele se desesperava. Logo, mudou a postura quando percebeu que o colo mais a acalmava do que propriamente o bebê. Na verdade, o deixava ainda mais nervoso porque ele logo percebeu que, do colo, voltaria para o berço. Outro desespero dela era deixar o Vítor sozinho. Por essa sua insegurança, passava a noite correndo entre os quartos para marcar presença para os dois meninos, sempre que eles despertavam. No decorrer desse processo, Brigite foi tomando consciência de suas atitudes e, se sentido mais segura, foi se tornando dispensável do *kit* sono do Vinícius. Depois de mais de 15 dias dentro do quarto, percebeu que Vini realmente trocou o colo pelo berço, se confortava de modo tranquilo para dormir, sem choro, mas procurava pela mãe e pela mão dela – isso mesmo: para tranquilizar o filho, ela passou a dar a mão para ele dormir, e assim ele a solicitava no meio da noite. Percebendo o quanto a mão e a sua presença estavam atrapalhando o sono do filho, enfim conseguiu se sentir segura para promover a ruptura. A partir daí, passou a se despedir do filho ainda acordado e ele precisou de cinco noites para dissociar a mão e a mãe dos gatilhos de sono. Vendo, pela babá eletrônica, o filho achando o seu jeitinho próprio de dormir no berço, agora sem choro, sem precisar da mamãe e a noite toda, ela se sentiu confiante para iniciar o processo de Vítor. O fato de o irmão pequeno estar dormindo sozinho e o incentivo de em breve voltarem a dormir juntos ajudaram muito o Vítor nesse processo, além, é claro, da postura segura da mãe em sustentar todos os combinados do sono. Tudo ajudou, mas não foi o suficiente para convencer o Vítor a colaborar.

Brigite adaptou o método da cadeira com o filho mais velho. Já iniciou o processo em pé na porta do quarto. Houve muitas levantadas da cama, choro e braveza, já que ele queria que ela se deitasse com ele. O combinado foi que ela se manteria deitada ao seu lado durante a leitura de dois livros, depois ainda ficaria mais um pouco fazendo carinho enquanto recitava a oração. Por último, era somente dar boa-noite, um beijinho e se direcionaria para a porta do quarto[3]. Brigite sempre teve receio de que os gritos do mais velho acordassem o Vini e, no meio da noite, também o marido. Era um risco calculado. O enfrentamento era necessário. Orientei Brigite a conversar sobre esse seu temor com o filho antes de ir para a cama. Era importante mostrar ao Vítor a parte que cabia a ele no processo. Ela abriu o jogo. Disse que estava muito cansada, que ela e o pai precisavam dormir bem para poder ter energia para trabalhar e cuidar deles. Que crianças também precisam dormir a noite toda para crescer e ir bem na escola etc. Recado dado e, mais do que isso, postura e ação da mãe coerentes com o discurso.

Em uma semana, Brigite conseguiu sair do quarto com o filho mais velho acordado e, depois de algumas noites difíceis, a paz reinou na casa.

No final, Vítor se mostrou muito orgulhoso de sua conquista (dormir de noite e acordar de dia) e estava muito feliz com o retorno do irmão ao seu quarto. Como Vini dormia mais cedo, fizemos um ajuste no ritual do sono, que passou a ser na cama dos pais: livro, oração e carinho. Depois ele seria condu-

---

3 A mãe preferiu já ficar na porta pois, para ela, o importante era ainda não deixá-lo "sozinho".

zido, em silêncio, até o quarto, recebendo um beijo e um sussurro de boa-noite da mãe. Deu tudo certo. Vini chorou muito pouco no retorno ao quarto e, quando houve despertares, nada afetou a calmaria das noites. O máximo que aconteceu foi, ao acordar de manhã, Vítor chamar alto a mãe e Vinícius acabar acordando. Foi preciso relembrá-lo várias vezes de não gritar de manhã.

É plenamente possível fazer o processo de reeducação do sono com famílias com dois ou mais filhos. Juntos, separados, um de cada vez, todos ao mesmo tempo, só com a mãe, pai e mãe juntos, babá no circuito; tudo pode, contanto que a família suporte o cansaço, que não é pouco, e sustente todo o processo sendo continente, agindo de modo coerente, consistente e constante. Ajustes podem ser necessários durante a condução do plano de sono, mas sem tirar os filhos da rota do aprendizado.

Temos de levar sempre em conta a logística da família, o jeitinho de cada filho e a disponibilidade dos pais nesse processo, incluindo a possível ajuda de cuidadores. É necessário ter o cuidado de, mesmo em se tratando de gêmeos e trigêmeos, respeitar o ritmo e o tempo de cada um. O sonho dos pais é que os filhos durmam no mesmo horário, tanto de dia quanto de noite, e acordem sempre juntos, de preferência em um horário após as 7h da manhã. Claro que isso facilita muito a vida da família. Porém, gemelares podem ser fisicamente idênticos, mas não necessariamente vão ter o mesmo ritmo e horários para dormir e acordar. Não temos como forçar a barra, apenas torcer para que seja uma fase e que, com o tempo, as variações não sejam tão gritantes.

Quanto mais filhos têm, mais os pais precisam ter o controle das noites da família. Deixar a condução do sono nas mãos dos baixinhos da casa representa o risco de os adultos passarem as noites em claro, atendendo prontamente aos itens do *kit* sono dos filhos para, em seguida, terem de acordar de novo e de novo e de novo. Como em qualquer reforma, é preciso enfrentar a bagunça e o caos da obra, colocando primeiro tudo abaixo, para, depois de finalizado, ser possível colocar cada coisa em seu devido lugar. Assim, uma vez que tudo esteja pronto e organizado, é possível que a paz volte a reinar no lar.

Combinados do sono

FIGURA 1 Combinados do sono com leitura, carinho e um boa-noite da mamãe.

FIGURA 2 Depois de dormir de noite e acordar de dia, pode levantar e chamar a mamãe, cuidando para fazer silêncio e não acordar o irmão que está dormindo.

11

QUANDO TUDO DESANDA

Bebês e crianças são muito inteligentes e adaptáveis, o que significa que aprendem rápido. Essa capacidade, com toda a certeza, é a grande vantagem quando se trata do desenvolvimento de diferentes habilidades, mas pode ser uma desvantagem quando os pais saem da rota dos bons hábitos de sono, lembrando que estão garantindo, no gerúndio mesmo (nada é para sempre no mundo infantil), noites de sono tranquilas e reparadoras para toda a família.

Os pais sempre me perguntam se, uma vez que o filho aprendeu a dormir, ele será para sempre um Belo Adormecido. Na vida não temos garantia de nada definitivo, por isso devemos fazer a nossa parte naquilo que podemos minimamente controlar.

A importância da manutenção

Comparo o processo de reeducação do sono a uma dieta. Não adianta só perder peso. Muitos dizem que, apesar de toda a dificuldade, o maior desafio é, depois, manter o controle das medidas a longo prazo, já que é preciso, ao sair da dieta, ter incorporado os bons hábitos alimentares por toda a vida.

No início de qualquer dieta, há uma certa rigidez até acertar o peso e depois o foco é mantê-lo para que a pessoa não volte a engordar. Isso não significa que ela nunca mais poderá enfiar o pé na jaca. Saiu da linha e o peso se manteve? Maravilha, está tudo sob controle. O problema é quando não se enfia só o pé na jaca, mas também todo o corpo. Quando a pessoa se dá conta de que, além dos 20 quilos eliminados na dieta, ainda engordou mais 10. Quando chega a esse ponto, ao se olhar no espelho, a pessoa não entende como aquilo aconteceu em tão pouco tempo. É difícil a disciplina de entrar na rota dos bons hábitos. Exige tempo, disposição, privações, autocontrole. Mas sair do caminho e pegar um atalho tentador é rapidinho. Ou seja, é complicado se acostumar com a salada, abobrinha e chuchu refogado, e fácil, fácil voltar a comer uma caixa de bombons por dia.

A questão do sono segue essa mesma linha de pensamento. Exige disciplina, bons hábitos e manutenção do aprendizado. Devemos levar em conta que bebês e crianças pequenas, para se apropriarem de algo novo, necessitam de um caminho em linha reta, guiado na rota dos três Cs (coerência, consistência e continuidade). A "dieta do sono" implica uma rigidez que nem sempre os pais entendem, levando em conta que crianças pequenas ainda não são capazes de compreender exceções, brechas e situações provisórias. Por volta dos 5 a 6 anos, as crianças conseguem ser mais flexíveis em relação a quebras provisórias de regras.

Isso significa que para os pequenos é preto ou branco; por enquanto ainda não existem tons de cinza. Veja bem: como se explica para um bebê que até estava dormindo por ele mesmo, no berço e a noite toda, que de uma hora para outra a mãe passou a fazê-lo dormir no colo? Em alguns casos, entendo o lado da mãe. Por exemplo, o bebê ficou gripado e, por estar todo congestionado e incomodado, além de não conseguir dormir deitado, chora pelo incômodo dos sintomas que agravaram ainda mais a formação de secreção. Assim, não teve jeito: o menino dormiu três noites praticamente o tempo todo no colo da mãe. Resultado: na quarta noite não tinha mais nenhum sintoma, porém não aceitou voltar a dormir no berço. E agora: é possível explicar a ele, um bebê, que o colo era apenas uma exceção por causa da doença? Claro que não. Ou quando se viaja para um hotel e o filho estranha o ambiente, então os pais o colocam para dormir com eles na mesma cama. Como explicar para o menino, quando retornam para casa, que ele vai ter de voltar a dormir sozinho no berço?

Quando atendo uma família, depois que tudo dá certo e os filhos passam a dormir tranquilos e a noite toda, sempre digo que espero que essa tenha sido a primeira e última consultoria do sono. Desejo muito que eles me indiquem aos amigos e conhecidos e me mandem fotos fofas das suas crianças nas festinhas, mas que nunca mais precisem dos meus atendimentos. Só assim posso considerar que é um *case* de sucesso.

Se os pais incorporaram o lema da autonomia do sono, mesmo que situações adversas ou fora do controle tirem os filhos do sono tranquilo e reparador, eles têm, ou deveriam ter, recursos para evitar o caos, ou retomar o curso normal caso ocorra alguma derrapada no meio do caminho, sem precisar de ajuda profissional. No entanto, há muitas famílias que, meses ou anos depois, me procuram novamente, desesperadas e sem entender (ou até sabendo) como tudo desandou. E, por causa desses casos, achei importantíssimo desenvolver este capítulo com base nas possíveis "desandanças". São casos em que os bebês ou as crianças dormiam superbem e, por situações adversas, como uma doença, viagem ou outra circunstância pontual, o que era até então tranquilo transformou-se em noites de terror.

Bebês e crianças estão em constante e acelerado desenvolvimento, e tudo pode acontecer de uma hora para outra. A criança que comia superbem pode passar a ser seletiva nos alimentos, o menino que adorava a escola pode, do nada, mostrar-se resistente, a menina superagitada pode estar agora calminha e concentrada. Quando os pais me falam: "Meu filho é genioso, é teimoso, é birrento", eu retruco: "Ele está assim neste momento". As crianças ainda estão definindo o seu jeito de ser. Eu posso dizer que sou teimosa, geniosa e cabeça-dura. Já passei dos 40 anos, as mudanças são bem lentas, ou seja, já sou assim e com o envelhecimento a tendência é piorar o que já se é.

Logo, nada é definitivo no mundo infantil. Alguém prometeu a vocês monotonia na maternidade e paternidade? Desafios estão por vir por toda a vida. Não desanimem: fases maravilhosas estão a caminho, mas não tem cartilha e sim aprendizado aos trancos e barrancos, acertos e erros.

Como falei antes, os bebês precisam de um caminho linear sempre coerente, consistente e constante, tanto para adquirir novos aprendizados como para manter os já adquiridos. Mas quem disse que não haverá pedras no caminho? O que fazer nessas situações? Mudar a rota? Pegar um atalho? Enfrentar a pedra?

Aprendi, nesses anos todos, que há pedras e pedras, que nem tudo são pedras, que alguns obstáculos podem parecer pedras, mas podem não ser. Tudo é relativo, ainda mais no mundo infantil.

A seguir conto determinadas situações que podem virar pedras e fazer tudo desandar, e modos de lidar com elas sem sair mudando a rota.

Na saúde e na doença: dormir é fundamental

Carlinhos, de 1 ano e 7 meses, aprendeu a dormir com autonomia por volta dos 6 meses de vida e, desde então, nunca mais teve dificuldades no sono. Sempre que despertava durante a noite, simplesmente se sentava no berço, pegava a chupeta e voltava a dormir, tranquilo e sereno.

Certa vez, pegou uma virose brava. Não comia quase nada durante o dia, estava muito indisposto e baqueado. Passou a acordar no meio da noite e, além de todos os sintomas da doença, os pais também tinham receio de que ele estivesse com fome, já que estava se alimentando muito mal durante o dia. Nesse contexto, a mãe passou a oferecer leite sempre que ele despertava. Isso se estendeu por cerca de cinco ou seis noites seguidas e foi o suficiente para Carlinhos embutir o *tetê* em seu *kit* sono. A doença foi embora, deixando de brinde o hábito de mamar para nanar.

Recuperado da virose, Carlinhos já estava se alimentando superbem de dia, porém continuou a acordar, gritar e chorar até a mamadeira aparecer no meio da noite. Como explicar para uma criança pequena que o *tetê* era provisório e sua função era resolver apenas a fome na fase da doença? Não temos como fazer o pequeno Carlos entender e aceitar o que significa exceção. Os pais, sem se darem conta, embutiram o leite no combo sono e cansaço.

A pergunta que fica no ar é: "Então, eles não deveriam alimentar o filho durante a noite, mesmo tendo dúvida de fome?". Claro que nesse caso era importante alimentá-lo, e, sem dúvida, o receio dos pais de o filho estar de barriga vazia fazia sentido, uma vez que Carlinhos não estava se alimentando bem durante os dias em que esteve doente. A questão é pensar em uma estratégia que garanta a barriga cheia ao longo da noite e ao mesmo tempo não mude o *kit* sono da criança.

Nesses casos, o meio-termo seria oferecer a mamada dos sonhos. Essa carta da manga antecipa a possível fome antes que a criança acorde com esse desconforto, e, caso desperte depois, por outros motivos, a fome terá sido descartada.

O foco é evitar que o bebê ou a criança desperte, chore com sono e provavelmente fome e outros sintomas, e o leite resolva em um efeito dominó esse combo todo.

A ideia da mamada dos sonhos é garantir a barriguinha cheia na doença para que, quando a criança estiver melhor de saúde e voltar a se alimentar bem, a mamadeira seja logo retirada, sem que faça a menor falta. Isso porque a criança, tomando o leite dormindo, de forma inconsciente, faz com que essa mamada seja considerada carta fora do baralho, fácil de ser eliminada de vez, justamente por não fazer parte do jogo da doença. Os pais sabem que ela tomou leite, mas ele nunca teve essa consciência na fase da doença.

No caso de Carlinhos, ele teve de passar novamente pelo processo de reeducação do sono desde a estaca zero, para dissociar o mamar do nanar e assim voltar a dormir a noite toda.

Porém, já tive casos em que os pais tentaram oferecer a mamada dos sonhos para o filho doente mas ele fechava a boca, ou acabava despertando. Nesse contexto, os pais acabaram desistindo por realmente não ser funcional. Mesmo sabendo dos riscos, acabaram oferecendo o leite com o filho acordado no meio da noite. Com receio de desandar tudo, alguns me ligaram preocupados e eu sempre ponderei as minhas colocações quando se trata de doença. Tudo pode acontecer, desde absolutamente nada, ou seja, passada a doença o bebê ou a criança, bem-dispostos, voltarem a dormir a noite toda ou, no outro extremo, passarem a acordar. Portanto, a minha recomendação é: desandou na doença, retomem os bons hábitos de sono na saúde. Só isso. Façam tudo para ajudar o filho de vocês a se recuperar e, se ficarem sequelas no sono, a solução é simplesmente romper hábitos adquiridos, dando tempo para a criança ou o bebê entender que aquilo de que passou a gostar para fazê-lo dormir não está fazendo bem ao sono.

Do sono perfeito ao sono caótico

Daniela sempre dormiu muito bem, com autonomia e a noite toda. Era o assunto da família. Aos 2 anos de idade, mesmo com várias visitas em casa, na hora de dormir era só a mãe e o pai levarem-na para o quarto, rezarem o Pai-Nosso e fim, Dani ficava no quarto tranquila até pegar no sono. Certa vez ela ficou gripada e a doença evoluiu para um início de pneumonia. Dani passou a acordar muito durante a noite, incomodada com os sintomas.

A recomendação médica era fazer inalação para aliviar seus desconfortos, tanto de dia quanto durante a noite, sempre que fosse necessário. Nesse contexto, Dora, a mãe, ficava ao lado da filha, aconchegando-a durante a inalação. Dani, se sentindo melhor, acabava voltando a dormir com a máscara do aparelho no rosto e com o aconchego dos carinhos da mãe enquanto a fumacinha do inalador confortava suas vias respiratórias.

Passado o quadro clínico, mesmo 100% recuperada, ela continuou a manter o padrão da fase da doença de acordar ao longo da noite, agora solicitando o "cheirinho" (inalação) e a companhia da mãe até dormir. Dani incorporou itens do *kit* doença em seus hábitos de sono, e passou a associar cansaço e sono a inalação, carinho e companhia da mamãe. Dessa forma, o raciocínio da Dani passou a ser este: "Quando estou cansada, com sono, durmo com a fumacinha, mamãe do meu lado e fazendo cafuné na minha cabeça". Ela se apegou a esse novo modo de dormir, muito pelo fato de que, na doença, tudo isso trouxe o alívio dos sintomas e o conforto a levou ao adormecer com ajuda. Dani teve uma experiência prazerosa com essa forma de dormir e se acostumou a isso, não aceitando abrir mão e voltar a dormir como antes. Como explicar para uma menina de 2 anos que tudo aquilo era provisório?

Dora estava tão exausta quando me procurou que admitiu que, sem saber mais o que fazer para a filha dormir, nas últimas noites estava mesmo fazendo o "cheirinho"[1], já que isso a acalmava, mesmo sem ela precisar. Assim, pelo menos ficava mais fácil para a filha voltar a dormir. Só quem tem filhos entende, sem julgamentos, o desespero dessa mãe, de chegar ao ponto de fazer inalação sem necessidade.

Todo o trabalho de reeducação do sono, com a Dani, foi dissociar o *kit* sono criado pela doença pelo *kit* saúde, ou seja, dormir por ela mesma, sem gatilhos externos e, consequentemente, a noite toda. Para os pais da Dani, o quadro clínico fez a filha regredir no sono, mas para a criança ela se apropriou, aprendeu uma nova maneira de dormir e se apegou a esse novo formato a ponto de o anterior passar a ser, de uma hora para outra, desconfortável para ela.

1 O cheirinho passou a ser a inalação apenas com soro, sem o remédio da época da doença.

Como retomar a regra após a brecha da exceção

Lembrei de uma situação com a minha filha. Ela adora roupas, é supervaidosa. Porém, sabe que, para ir à escola, a única opção é o uniforme. Quando ela estava com 2 anos, uma vez a escola liberou as crianças para irem de roupa de festa a um evento. Ela ficou eufórica e escolheu um vestido para usar naquela ocasião. No dia seguinte, a regra do uniforme, como de costume, voltaria a ser exigida. Pensem no show que ela deu para ir à escola, o que não ocorria antes.

Esse é o momento em que entram os pais como educadores. Devem ser compreensivos ao entenderem que muitas vezes uma única exceção pode provocar enorme frustração diante do combinado geral, mas que eles precisam ser firmes e fortes em não transformar algo pontual em definitivo pela resistência do filho a voltar ao curso natural da rota.

Como bem colocado por Içami Tiba[2], "Criar uma criança é fácil, basta satisfazer-lhe as vontades. Educar é mais trabalhoso. Trata-se de prepará-la para viver saudavelmente em sociedade".

Essa foi uma boa oportunidade para a minha filha vivenciar as exceções e se frustrar com algo que queria de novo, mas não poderia mais ter naquele momento. Quantas oportunidades em um único show de horror! Mesmo não querendo ir de uniforme (frustração), teria de esperar outra oportunidade para usar vestido (tempo de espera); com choro, sem choro ou apesar do choro, o modo de se vestir seria o mesmo (limites) e, no fim, a minha imposição prevaleceu (a autoridade está no adulto e não na criança), independentemente de ela ter gostado ou não.

Voltando ao caso da Daniela, o problema não foi a inalação ou o cafuné da mãe para acolher um momento de saúde delicado – ela precisou pontualmente dessa intervenção e incorporou isso como sua forma de dormir. O problema é sustentar os hábitos criados na doença, em razão da resistência da criança. Foi como se, a partir da doença, os pais dessem duas opções e deixassem a escolha a critério da criança: dormir no quarto, por ela mesma, ou ficar com a mamãe fazendo cafuné até dormir? Óbvio que ela escolheria a opção que mais lhe agrada. Os pais podem oferecer opções aos filhos, desde que,

2 TIBA, Içami. *Quem ama educa!* São Paulo: Integrare, 2015.

dentro de uma determinada situação, possa haver escolhas. Você quer a porta aberta ou fechada? Quer usar o pijama rosa ou o vermelho?

O que não se deve fazer é considerar as opções de acordo com as reações do filho. Por exemplo: "Se ela não chorar, eu saio do quarto, mas, se ela reagir com resistência a minha ausência, eu ficarei até ela dormir". Adivinhem qual será a forma de agir dessa criança todas as noites.

Pontos de vista

Já escuto daqui muitas críticas, principalmente por parte das mães, alegando que darão todo o amor e carinho do mundo em uma situação delicada de doença e que, se os filhos precisarem da noite toda de colo para que se sintam melhores, elas nunca se recusarão a dar esse aconchego.

Aqui entra a escolha de cada um e eu respeito quando uma mãe me diz isso. Eu falo: "Faça o que seu coração mandar quando seu filho estiver doente e depois, se e somente se as noites desandarem, prepare a sua mente para quebrar os efeitos colaterais que possam ter ficado no sono de seu filho".

Durante muito tempo acompanhei uma mãe que tinha essa forma de pensar. Sempre que ela me ligava, eu sabia que o filho tinha ficado doente, ido para a cama dela nos despertares, se habituado de novo ao leite na madrugada e se apegado à sua companhia. E novamente ela retomava o plano de sono com os ajustes de cada fase do filho e com a minha retaguarda. Ela sempre deu conta do choro na ruptura dos hábitos que ficaram da doença.

Cada um tem o seu jeito de agir em situações críticas. As relações humanas não são uma ciência exata, ainda mais se tratando de filhos. Quero muito deixar registrado que existem formas de acolher o filho na doença, dando amor, carinho e medicações prescritas pelo médico, em muitas situações, sem a necessidade de alterar os hábitos de sono. Fica à escolha dos pais e conforme a circunstância do momento.

Quando precisei ficar no hospital com meu filho doente, o coitado nem conseguia dormir direito porque a cada hora uma enfermeira entrava para fazer um procedimento. Fiquei brava com a equipe e deixei claro para eles que dormir era parte importante do tratamento do meu filho. Assim consegui que concentrassem, dentro do possível, as prescrições da madrugada, evitando ao máximo interromper o sono dele.

O sono é fundamental para a recuperação. O corpo pede o descanso para que consiga combater vírus, bactérias e outros intrusos. Fazer tudo que estiver ao nosso alcance para que o filho, que está debilitado, consiga dormir bem é muito importante no restabelecimento da imunidade, evitando até mesmo doenças futuras. O mundo ideal seria encontrar ajustes possíveis na fase de doença, que promovam todo o conforto e segurança no alívio dos sintomas, mas sem alterar o *kit* sono autônomo do bebê ou da criança.

Cris estava muito preocupada com a febre alta do seu filho Gael. Como ele estava com mais de 39 °C, ela estava muito insegura em deixá-lo no quarto durante a noite sem supervisão. Não pensou duas vezes e levou o menino de 10 meses para passar a noite com ela. Foram somente três noites, o suficiente para Gael não aceitar mais o berço. Quando a mãe me procurou, estava exausta, mas não arrependida de sua atitude. Pelo menos durante a fase crítica da doença, ela esteve perto para medicá-lo e vigiar o quadro clínico. Como, neste caso, a mãe poderia supervisionar o filho sem tirá-lo do seu lugar de dormir? Nessas situações, oriento a mãe a se mudar para o quarto do filho. Se assim tivesse feito, Cris manteria toda a rotina e ritual do sono, colocando Gael acordado no berço, já medicado, e sairia do quarto, como de costume. Assim que ele entrasse em sono profundo, Cris se deitaria em um colchão, ao lado do berço, para acompanhar Gael de perto a noite toda. Uma atitude simples, que garante a segurança do acolhimento e monitoramento na doença e, ao mesmo tempo, não altera o *kit* sono.

Dentição

A erupção dos dentes realmente pode ser um momento tenso para muitos bebês. Só que quem sofre com os dentes tem incômodos de dia e de noite. Pensem em um bebê, irritado, com a gengiva coçando o tempo todo, muitas vezes se recusando a se alimentar, até com sintomas como febre e diarreia. Nessa hora, o racional deveria falar mais alto. O bebê já dorme por ele mesmo e a noite toda – se o dente está atrapalhando o sono, foquem o alívio dos sintomas. Conversem com o pediatra sobre o que fazer na hora da crise, para que a criança possa voltar ao berço e retomar o sono mais aliviada.

Não foi o que aconteceu com a pequena Manuela, de 9 meses. No desespero do choro descontrolado da bebê, Gisela passou a niná-la e fazê-la dormir no colo, mesmo que aos gritos. Nada resolvia o desconforto. Os pais nem tinham muita certeza se era realmente só o dente, já que tudo era tão intenso. Dor, cansaço e agitação podem ser componentes explosivos em um bebê. Manu acordava chorando muito, e quando os pais me procuraram, sinceramente, tudo estava tão caótico que nem dava mais para saber se era dor ou se agora ela já estava naquela situação de dormir de um jeito (colo) e acordar de outro (berço), assustada, aos berros, a ponto de nem o colo acalmar, mesmo na insistência dos pais em tentar niná-la.

Os dentes, a essa altura do campeonato, já tinham nascido, mesmo assim seguimos as recomendações da pediatra no alívio dos sintomas. Todo o restante foi fazer a Manu voltar a reconhecer o berço como lugar de dormir. Perdeu isso quando ganhou o colo e depois os pais admitiram que não resolveu o desconforto de Manu. No desespero da filha, o colo aliviava mais a impotência da mãe em relação ao choro. Sei que é racional demais, mas é preciso entender que o pensamento do bebê é direto, em linha reta. Funciona assim: "Estou com sono, não consigo dormir porque meus dentes doem, me pegam no colo, persistem, resisto, persistem, resisto, persistem, me acostumo e depois preciso desapegar do colo, já que passei a entender que sono e cansaço são sinônimos de colo e companhia".

Como o raciocínio do bebê é concreto, eu também tenho de ser concreta com os pais. Uns gostam, outros me olham torto e alguns me condenam. Mas não deixo de repetir o que já registrei algumas vezes: colo e cama dos pais não são analgésicos.

Vejo tantos bebês chorando, gritando, mesmo no colo, e me pergunto: "Se chora tanto no colo, que supostamente era para ser acolhedor e gostoso, por que não deixar no berço e esperar passar o choro, do mesmo jeito que estão esperando passar no colo?". A diferença é que, com a insistência, existem grandes chances de, em algum momento, o bebê se acostumar com o colo, assim como na repetição se acostumar com o berço, mas pelo menos o último ficará de herança, ao passo que do primeiro haverá grandes chances de, depois que se apegar, ser obrigado a desapegar, novamente aos berros.

Os pais de Manu perceberam isso no primeiro atendimento, e dali em diante foram consistentes em relação aos sintomas. Nasceram outros dentes, mas os pais souberam lidar de maneira mais calma e assertiva no alívio dos incômodos, sem tirar Manu dos seus hábitos de sono de novo.

Com Cadu, de 10 meses, não foi muito diferente. Estava muito irritado de dia e à noite. Babava muito e se alimentava pouco nas refeições. Com quatro dentes nascendo de uma vez, estava sendo muito difícil para ele, assim como para os seus pais. Algumas noites de choro foram o suficiente para tirar de dentro do baú um hábito que havia sido deixado de lado desde que Cadu tinha 5 meses: o mamar noturno. Além dos incômodos nos dentes, os pais ficaram inseguros pensando que o filho também pudesse estar com fome. Em uma das noites de muito estresse, depois de terem feito de tudo para o filho se acalmar, apareceu um leitinho que fez com que Cadu relaxasse e, só assim, conseguisse dormir. De lá para cá, essa foi a carta na manga para resolver os despertares. Os dentes nasceram de vez, Cadu voltou a se alimentar bem, mas, com os dentinhos, ressurgiu a mamadeira, que se manteve dali para a frente. A partir dessa mudança de hábito, Cadu passou a acordar mais de três vezes durante a noite, com a boca cheia de dentes nascidos, mas só conseguindo voltar a dormir depois do leite. Será que é por isso que os dentes são chamados "dentes de leite"?

Na verdade, os dentes da infância são chamados de dentes de leite somente por sua cor bem branquinha, que se assemelha à brancura láctea, só isso. Leite não resolve dor de dente, nem colo, nem a cama dos pais. Podem ser medidas emocionais ou práticas para minimizar a exaustão. É uma escolha da família que desorganiza o sono dos filhos.

Para os pais que também querem ser acolhedores, mas sem tirar o filho da rota do aprendizado, existem outras opções. Acalmem um pouco no colo, enquanto a medicação faz efeito, e depois, com seus bebês ainda acordados, coloquem-nos no berço. Se houver qualquer dúvida sobre fome, visto que por desconforto muitos bebês podem se alimentar mal durante o dia, os pais sempre terão a cartada da mamada dos sonhos.

A melhor maneira de lidar com essa adversidade é focar os sintomas e entender que, por mais tensa e dolorida que a erupção dos dentes possa ser, o tempo resolverá e algumas noites serão ruins, mas depois, sem dor, tudo deve voltar ao normal, contanto que não se mexa nos hábitos de sono.

Viagem

Fevereiro e agosto são os meses em que costumo ter mais demanda de trabalho. São as desandanças das férias. A questão aqui não é sair da rotina, que faz parte das viagens, mas o fato de as famílias esquecerem de levar na bagagem das crianças os hábitos de sono, ou até levá-los, mas não os utilizar.

Michel, de 9 meses, já dormia a noite toda, desde que os pais fizeram, quando ele tinha 7 meses, o processo de reeducação do sono. Foram passar férias em um *resort* na Bahia e o bebê dormiu no quarto com eles por uma semana. Nas três primeiras noites, estranhou o ambiente e o berço diferente e chorou muito na hora de dormir, o que não fazia mais desde que aprendera a dormir. Os pais, aflitos com o choro inusitado e preocupados com os demais hóspedes, não conseguiram manter o filho no berço e o colocaram na cama de casal a semana toda. Esse foi o modo como se sentiram confortáveis para dar conta de evitar todo o chororô e, ao mesmo tempo, ter boas noites de sono, apesar de Michel se mexer demais ao longo da noite, e acordar os pais no susto, com tapas e pontapés, nos vários despertares noturnos.

Ao retornarem para casa, já na primeira noite, colocaram Michel no berço após a rotina de sono. Foi um estresse. Ele gritou, chorou e até vomitou. Não queria mais o berço. Não se deitava de jeito nenhum e permaneceu em pé por mais de 40 minutos. Sem saberem o que fazer, os pais o colocaram na cama de casal e, exausto e ofegante, em cinco minutos o bebê dormiu com eles e assim se manteve até buscarem uma nova ajuda três meses depois da viagem.

Como essa situação poderia ter sido evitada, mesmo em um quarto de hotel? Manter a autonomia do sono, acolhendo a reação do bebê de estranhar (normal e saudável) um ambiente diferente do da sua casa. Manter a rotina e ritual do sono, dar boa-noite e sair de seu campo de visão. Como estão em um hotel, os pais podem ir ao banheiro, escovar os dentes, lavar o rosto etc. e voltar em curtos intervalos para acolher o filho sem tirá-lo do berço. Neste caso, Michel já sabia dormir; logo, o choro, descartados dor e desconforto, era de estranhamento, e geralmente um bebê precisa de duas a três noites para se situar em relação ao novo.

Os pais não queriam o choro, mas sem querer o reforçaram. No caso de Michel, se ele não chorasse ficaria no berço, mas com o choro ganhou a opção de dormir na cama com os pais. Já em casa, passou a chorar para sair do berço e só sossegava na cama dos pais. Círculo vicioso instalado.

Quando foram me pedir ajuda, os pais do Michel estavam no limite da exaustão. A viagem foi o que disparou a mudança de hábito, e na volta os pais, não conseguindo retomar os bons hábitos, foram inserindo, no desespero da privação de sono, novas associações ao filho. Assim, Michel passou a ter um *kit* sono regado a leite, companhia, colo e cama dos pais, tudo junto, misturado e confuso para todos.

Há famílias que entendem os riscos das mudanças de hábitos nas viagens, mas, dadas as circunstâncias do momento, analisam de modo consciente os prós e contras da atitude deles em relação ao choro pontual e depois encaram as possíveis consequências. E tudo bem.

É possível facilitar um pouco, para os bebês, essa mudança de ambiente. Na hora de dormir, antes de pôr no berço, sempre se deve falar com eles o que está acontecendo e trazer de casa as referências que eles costumam ter por perto (naninha, bichinho, paninho, protetor de berço, mantinha etc.). Tudo isso pode ajudar, mas não os impede de estranhar um novo ambiente. Sem contar que o próprio traslado até o destino pode ter sido cansativo, tanto de carro quanto de avião, podendo agravar ainda mais a situação quando o bebê também precisa lidar com fuso horário.

Já as crianças a partir 1 ano, 1 ano e meio, podem, brincando, ajudar a fazer a mala, guardando as suas coisinhas. Ao chegarem ao destino, elas devem ser apresentadas ao novo lar e ajudar a arrumar o berço: elas mesmas podem colocar o bichinho, naninha, mantinha ou paninho dentro nele. É preciso que haja alguma antecipação da mudança que vai acontecer, mesmo que só tenham a real noção com o passar dos dias. Preparar o terreno antes pode ser de grande ajuda.

Recomendo, se possível, a família viajar de dia para que o filho tenha consciência de que chegou a um lugar diferente, e, desde a primeira noite, sugiro que os pais consigam manter pelo menos a ordem da rotina e ritual do sono. Se mesmo assim ele estranhar e chorar, deem todo o acolhimento, mas procurando não mudar a forma de agir.

No caso de Daniel, não foi possível dar conta do choro na casa da avó no interior porque ele estava acordando toda a família, inclusive os primos pequenos. Os pais fizeram de tudo para resolver o choro, cientes dos riscos. No entanto, assim que voltaram para casa, retomaram o processo de reeducação do sono e, em poucas noites, Daniel estava dormindo bem em casa. A mãe me ligou chateada perguntando se nunca mais poderiam viajar, se a questão do estranhamento sempre seria assim. Ela ficou muito aflita ao pensar em viajar de novo. Reiterei que, pelo contrário, quanto mais Daniel viajasse, mais teria chances de se acostumar a dormir em lugares diferentes.

Bebês e crianças pequenas também estranham voltar para casa depois de uma temporada de férias. Dias ou semanas fora podem ser suficientes para estranhar o seu quarto. Sempre que chorarem, deve-se voltar à forma habitual de acolhimento usada pela família, focando a readaptação do filho, dando todo o *kit* sono que será mantido com ele a noite toda.

Viajar sempre é bom. Conhecer novos lugares, visitar os familiares, sair da correria das grandes cidades, tudo são vivências que ficam registradas para sempre na vida da família. Muitos pais, depois do processo de reeducação do sono, temem sair um milímetro da linha com medo de voltar às noites caóticas. Eles não precisam temer, muito pelo contrário: têm mais é que aproveitar. Só se concentrem em manter os hábitos de sono em qualquer lugar do mundo, e, se porventura não for possível, relaxem, curtam o momento e, quando voltarem para casa, sintam como o filho vai reagir às mudanças; se houver qualquer derrapada, é só retomar a boa rotina.

Rejeição ao berço

Quando meu filho tinha 1 ano e 9 meses, fomos viajar para um *resort* em Fortaleza nas férias de verão. Pedimos um berço e me recordo que as três primeiras noites foram tranquilas. Ele tinha um ursinho chamado Nono; em qualquer lugar que ele estivesse, era só dar esse amigo do sono e ele embarcava em um sono profundo. O que aconteceu na quarta noite foi que ele acordou no meio da madrugada, aos berros, assustado. Imagino que tenha tido um pesadelo; mesmo depois de o acalmar, ele não quis mais dormir no berço. Como a minha cama não era uma opção, ofereci para ele dormir em um sofá no quarto do hotel e, até irmos embora, foi lá que ele dormiu tranquilo. Quando voltamos para casa, ele logo rejeitou o berço.

Na primeira noite ele dormiu em um colchão no chão, mas continuou da mesma forma que dormia antes da viagem: em seu quarto, com o Nono e sem companhia. No dia seguinte, mudei o berço de lugar, tirei a grade, transformando-o em minicama, e à noite apresentei a sua nova caminha. Assim, passamos por essa transição do berço para a cama ilesos e sem rejeição, ou seja, ele continuou a dormir a noite toda. Tive sorte que ele nem cogitou a ideia de ficar se levantando da cama.

Monique, com idade semelhante à do meu filho, teve bronquiolite e, na fase da doença, acordava sem conseguir respirar direito, chorando muito e claramente agoniada com o desconforto respiratório. Passadas algumas noites, ela não queria mais ir para o berço. Tenho como hipótese que o desconforto da doença ficou, para ela, associado ao berço, pois era lá que ela passava mal. Faz sentido quando se trata de crianças pequenas, para quem o raciocínio é linear. Mesmo depois que ela ficou bem, a rejeição se manteve. Os pais passaram a fazer a menina dormir no colo e só depois a colocavam adormecida no berço. A opção oferecida a Monique foi trocar o berço rejeitado pelo colo amado. Mas o colo, além de não ser sustentável, só potencializa o drama do berço, já que pior do que ir dormir em um lugar que está rejeitando é cair de paraquedas no meio da noite justamente nesse lugar. Imagina o susto dela ao tomar a consciência de que, além de não estar no colo da mamãe nem do papai, ela foi abduzida ao berço. O mesmo berço que tanto rejeitava. Só mesmo chorando para sair dessa.

Transição do berço para a caminha (pela idade ou queda do berço)

Catarina, de 2 anos, dormia muito bem no berço desde os 8 meses, quando fizemos o processo de reeducação do sono. Certa vez a mãe olhou pela câmera a filha tentando escalar a grade de manhã cedo e não teve dúvidas: naquela mesma noite, transformou o berço em minicama. Catarina adorou a novidade, mas logo percebeu a liberdade e adorava sair correndo para que a mãe a pegasse pela mão e a levasse de volta para a cama. Até que Catarina foi ficando cansada e começaram os gritos, choros e pitis. Sônia também se cansou e acabou se sentando ao lado da filha, impedindo-a de se levantar, e assim Catarina se entregou ao sono. Na primeira noite na caminha ela dormiu a noite toda. Já na segunda noite o show foi o mesmo para iniciar o sono. Sônia ficou até a filha pegar no sono, porém a menina acordou duas vezes e só parou de se levantar, chorar e gritar quando a mãe se deitou ao seu lado. É assim que um novo hábito se desenvolve.

Nem que leve a noite inteira, uma vez que o combinado do sono é dormir de noite e acordar de dia, os pais devem voltar a criança para a cama dela para dormir até o dia raiar. Apesar do cansaço que situações assim podem causar nos pais e nas crianças, cabe aos pais passar a mensagem aos pequenos de que há regras e os limites devem ser respeitados, com choro, sem choro ou apesar do choro. O diálogo é sempre importante, frisando que hora de dormir significa deitar-se na cama e claro que podem se levantar, mas apenas quando for dia e estiver claro. Se não consegue bancar o limite, não o estabeleça ou o delegue a outra pessoa. Só não deixe nas mãos da criança definir a situação.

A liberdade da cama pode provocar uma grande euforia, que faz com que as crianças achem que podem controlar a hora de dormir, mudando para hora de brincar. É como se, com a caminha, elas pudessem escolher entre dormir e brincar.

Se a criança dormia sem precisar de companhia e com autonomia no berço, ela tem total condição de dormir da mesma forma na caminha. Para tanto, os pais não devem se colocar no lugar da grade retirada. Essa é a situação que traz muitas famílias de volta para a consultoria de sono. Para segurar o filho na cama, o pai ou a mãe passaram a ficar ao lado até ele dormir. Retomado o hábito da companhia, o risco de desandança é gigantesco.

Vão-se as grades, mas ficam os limites. Ninguém prometeu que seria fácil, não é mesmo?

Nascimento de irmão

Os pais de Marcelo, de 2 anos e meio, associaram os despertares noturnos do filho ao nascimento da irmã, Victoria. Ele sempre foi um sonho em relação ao sono, testemunhou a mãe, Valeska. Era só colocar o menino na cama, dizer boa-noite e ele dormia 11 ou 12 horas seguidas. Ele tinha passado por uma consultora de sono aos 3 meses de vida e os pais receberam dicas valiosas em relação aos bons hábitos, assim, Marcelinho sempre foi estimulado a ir acordado para o berço e adormecer por ele mesmo, sem choro e sem drama.

Quando a irmã chegou, ele passou a demorar para dormir, chorar e se levantar da cama várias vezes, desde o momento do boa-noite. Também estava mais agressivo, birrento e apresentando episódios de chiliques homéricos durante o dia, mais sensível e manhoso, principalmente com a mãe. Por outro lado, estava muito feliz com a irmãzinha, corria para mostrar às visitas a pequena Victoria, queria pegá-la no colo e se mostrava carinhoso com ela.

Victoria nasceu no início das férias escolares. A avó materna veio do interior para passar algumas semanas ajudando a filha, que estava em licença-maternidade. Toda essa novidade deixou Marcelo mais excitado, agitado e a rotina ficou bem confusa para ele. E é assim mesmo quando nasce mais um filho. A família precisa de um tempo para se acomodar com a nova dinâmica. No início, é previsível ficar confuso mesmo. Se os adultos se atrapalham nessa acomodação, imaginem uma criança pequena.

Valeska e Hugo, ao se darem conta de toda essa reviravolta na vida do filho, procuraram ser acolhedores, ficando na cama até ele dormir. Nos despertares noturnos, a avó, que dormia no mesmo quarto, se encarregou da tarefa de esperar o neto retomar o sono, se aconchegando carinhosamente ao seu lado.

Só que o tempo foi passando e Marcelinho foi se tornando cada vez mais dependente de um familiar para adormecer. Isso não seria um problema se ele estivesse dormindo a noite toda, porém ele acordava algumas vezes ao longo da noite, só voltando a dormir com alguém ao lado dele na cama. Para piorar, a avó voltou para o interior. O que pode ter começado com uma possível carência e ciúme de irmão passou a virar hábito de sono.

Nesses casos, devemos nos concentrar em como acolher a criança com a chegada do irmão sem sair da rota dos bons hábitos. A questão não é deixar de dar carinho, aconchego e afeto, mas é dar tudo isso cercado de limites.

Quando os pais se percebem sem escolhas, fica muito claro para eles que, não dando tantas opções aos filhos, são obrigados a se adaptar ou readaptar com a única alternativa que têm em mãos. O essencial é a família estar segura de que a opção dada ao filho é do bem e para o bem, é boa e é saudável, mesmo que os baixinhos não saibam disso ou reajam como se fosse justamente o contrário.

Há situações em que podemos respeitar o tempo da criança com a chegada de um irmãozinho e fazer algumas concessões que não interfiram na qualidade do sono. Está uma guerra para ir à aula de judô? Quer ficar em casa em vez de descer para o playground do prédio? Não quer mais comer banana? Se para a família tudo bem deixar em *stand-by* o judô, o playground, a banana, realmente não vejo por que bater de frente. São situações que podem ser adiadas, e nada impede que não possam ser retomadas mais para frente.

Porém, relevar e relativizar tudo em razão da chegada de um novo bebê pode ser bem complicado. As crianças pequenas não entendem concessões. Marcelo não tinha a menor ideia de que a avó e depois o pai passariam a dormir com ele porque sentiram que ele estava precisando dessa proximidade por causa da chegada da Victoria, até mesmo como uma forma de compensação por ter perdido o posto de centro das atenções.

Atitudes sugeridas

Pensando então nessas famílias, vamos à pergunta que não se cala: "Meu filho está mostrando estar mais carente, sensível e manhoso com a chegada do irmãozinho. Como devo proceder sem colocar a perder os seus hábitos de sono?".

Em primeiro lugar, o que precisa ficar claro é que nem sempre a resposta da criança será imediata ao que se fizer agora. Respeitem o tempo de adaptação dela. Ela vai precisar de muito amor, afeto e atenção. Deem tudo isso em horário comercial. Reservem um tempo de exclusividade, mesmo que não seja o que gostariam. Uma vez eu disse para uma mãe: "Diga para o bebê, na frente da sua filha: "Filho, agora você vai ficar com a babá porque eu vou brincar com a sua irmã"". Ela me disse depois que a menina ficou toda feliz e repetia a frase para o irmãozinho.

Nós, mães, não nos multiplicamos quando nasce mais um filho. Sempre será uma para dois. Por um lado, isso pode gerar uma enorme culpa, mas por outro – o que não ameniza nada a sensação – promove uma riqueza de experiências únicas que só é possível quando se tem um irmão.

Seguindo essa linha de pensamento, quando for possível, inclua os dois filhos na mesma atividade e, quando isso não for viável, lembre-se de que você está estimulando o saber esperar, o tolerar a frustração do momento e o aprender a dividir, mesmo que a contragosto. Vejam como os irmãos mais velhos são expostos a tantos aprendizados que, mesmo não nos agradecendo por isso, serão parte importante do seu desenvolvimento.

No que se refere à hora de dormir, procurem criar um clima calmo e gostoso, incluindo livrinhos como ritual do sono. Pode-se estender um pouco mais esse momento juntos no quarto, começando um pouco mais cedo todo esse processo e, quando der boa-noite e a criança sair do quarto, deve-se levá-la de volta à sua caminha quantas vezes forem necessárias. Se ela chorar, os pais devem entrar no quarto de tempos em tempos, para reiterar que estão por perto. E mesmo tendo mais um filho, ele terá sempre o seu lugar garantido, com muito amor, carinho e cercado de limites.

Perda da naninha

Numa viagem com a família, Bruno, de 2 anos e meio, perdeu na rua o seu Dino (bichinho de pelúcia). Era o seu fiel companheiro de todas as noites e das sonecas, onde quer que estivesse. O Dino era uma bênção na vida da família. Bruninho estava com sono? Era só dar o Dino que dormia na mesma hora. Abraçava o bicho e dormia serenamente. Assim, a perda do Dino foi um luto geral. Até voltaram e percorreram os lugares onde estiveram, sem sucesso, e procuraram um igual na internet, mas não encontraram um substituto. Os pais tentaram estimular outro bichinho, mas o filho estava inconsolável. E sem o Dino as noites maravilhosas e sonecas perfeitas viraram um caos.

Bruno não conseguia dormir sem o seu amigo e passou a se levantar várias vezes da cama durante a noite, sempre chorando muito. Na linha do "tentamos de tudo" para resolver esse perrengue, até que no começo os pais o levavam de volta para a cama, mas parecia que isso não teria fim. Cansado, irritado e frustrado, Bruno passou se jogar no chão e não se deixar ser levado no colo. Pai e mãe passaram a perder a paciência e gritos e brigas se tornaram frequentes nesse horário. Uma vez o pai chegou a fechá-lo no quarto e segurar a maçaneta para ele não sair.

Em um determinado momento, Kátia percebeu que ficar ao lado da cama até Bruno conseguir dormir, impedindo-o de se levantar, foi sendo aparentemente efetivo. Assim que Bruno fazia menção de se levantar, Kátia já agia de prontidão, segurando o corpinho dele até deitá-lo novamente. Numa dessas vezes, imagino eu, eles se deram as mãos e assim Bruno não se levantou mais e dali para a frente a troca foi feita. O vazio do Dino foi preenchido com a companhia da mamãe-naninha. Só que, enquanto o Dino tinha condições de se manter fiel ao Bruno a noite toda, a mamãe-naninha ia embora quando ele adormecia e não estava com ele toda vez que despertava. Bruno passou de um sono tranquilo para um novo padrão aflitivo, assustado e inseguro. E foi assim que, para garantir a mamãe-naninha a noite toda, Kátia passou a dormir no quarto do filho num colchão no chão ao lado da sua cama, dando a mão para ele a noite toda.

Quando a família me procurou, os pais estavam muito frustrados e cansados com a situação. Mesmo dormindo ao lado do filho a noite toda, Bruno despertava procurando a mão. Apertava com tanta força que Kátia, muito incomodada, tinha dificuldade em ter um sono contínuo. O relacionamento do casal também foi afetado com o sumiço do Dino, visto que Kátia tinha de ficar no quarto com o filho até ele dormir e, depois de quase uma hora de espera, ela mesma acabava embalando no sono, tamanha a sua exaustão. Nesse contexto, não sobrava mais tempo para o casal.

Ficou clara para os pais a troca do Dino pela mão da mamãe. A forma de acolhimento pela perda virou associação de sono.

Todo o processo foi a mamãe literalmente tirar o corpo fora do *kit* sono. Desenvolvemos os combinados do Dino. Tudo foi previamente explicado pelo próprio, em uma carta que ele enviou para o Bruninho. Dino relatou que, ao se perder, foi encontrado por outros dinossauros e foi morar com eles. Estava muito feliz vivendo no Mundo Encantado dos Dinossauros, mas estava preocupado com o Bruno. O Dino, junto com a carta, enviou um novo amigo. Claro que todo esse enredo não convenceu o Bruninho, mas deu toda a segurança aos pais para estabelecerem os limites e serem, ao mesmo tempo, acolhedores. Só assim tiveram segurança para sustentar todo esse processo. No fim, Bruno não se apegou ao novo amigo, mas passou a dormir a noite toda e Kátia voltou para o seu quarto. Não foi nada fácil, mas como essa situação poderia ter sido evitada?

Em caso de perda da naninha[3], sem chance de substituição, sempre se deve acolher a criança, mas sem preencher o vazio que ficou com essa falta. Todos na família devem se mostrar empáticos e compreensíveis com a perda da criança, entender a sua frustração, oferecer opções sustentáveis e até criar histórias em cima da falta, com a participação da própria criança. Os pais podem ajudar dando o direcionamento: "Onde você acha que ele está?", "O que gostaria de dizer a ele?", e assim permitir circularem os sentimentos e trabalhar a perda, sem que ninguém de carne e osso se torne naninha da criança.

Despedida da chupeta

A falta que a sucção faz para muitas crianças pode ser sentida por elas de forma intensa. É nesses casos que os pais me procuram. Tudo pode acontecer e surpresas boas também são vivenciadas por muitas famílias. Mike sempre foi

3 Quando a criança se apegar a uma naninha, se possível, vale a pena comprar uma igual e guardar para esse tipo de eventualidade.

superapegado às chupetas. Quando completou 2 anos, os pais decidiram que era hora de cortar esse hábito por recomendação da pediatra. Assim, em uma viagem com a família, ele, com os pais, jogou todas fora no rio. Os pais estavam aflitos com a possível reação do filho e, para a surpresa de todos, ele a pediu apenas duas vezes na primeira noite e nunca mais falou no assunto.

Por outro lado, a falta das *pepês* criou o caos na casa de Gerson e Helena. Aproveitando que era Natal, os pais estimularam a filha Lívia, na época com 3 anos, a entregar todas ao bom velhinho. Em troca, ela ganhou um bicho de pelúcia. Com o passar das noites, sem as chupetas, ela pegou raiva do presente. Pedia insistentemente para o Papai Noel levar o bichinho de volta e devolver as suas tão amadas *pepês*. Passadas duas semanas sem evolução e com noites caóticas, os pais compraram novas chupetas e, quando me procuraram, Lívia ainda estava dormindo de chupeta com 5 anos. Pressionados pelo dentista e pelo pediatra, era uma questão de urgência a filha parar com esse hábito, que estava prejudicando a sua arcada dentária. Todo o processo foi sustentar a falta, criando todo um enredo lúdico da Coruja[4] (Anexo 2, adiante), mas sem a opção de os pais recuarem. Uma vez que as chupetas foram embora, mantiveram os hábitos da filha, de dormir com autonomia, dizendo para ela que era capaz de superar esse desafio, sempre contando com o apoio deles. Foram quase 20 noites difíceis, mas todos conseguiram passar pelo desafio com louvor. No fim, Lívia, toda orgulhosa, contava para todos que já era grande e não dormia mais de *pepê*.

Os famosos saltos do desenvolvimento

Este é um tema muito discutido e tratado nos grupos de mães. A pergunta que não se cala é: os saltos do desenvolvimento realmente afetam o sono dos bebês e crianças? Há anos nesta área, tenho a convicção de que as conquistas motoras, cognitivas e emocionais dos filhos podem causar mudanças de comportamento, mas a regressão no sono não está diretamente relacionada às novas

---

4 As estrelas enviaram o balde mágico que levaria as chupetas para a floresta das chupetas. Na data combinada, colocamos todas as chupetas no elevador e no lugar subiu a coruja para ser a amiga do sono da Lívia.

conquistas, e sim à forma como a família lida com as possíveis quedas livres que podem vir depois de um grande salto.

Vamos falar sobre ganhos motores. Como se explica para um bebê que ele só pode, a partir de sua grande conquista atual, rolar, virar de bruços, se sentar, engatinhar, ficar em pé ou andar entre 6 e 20h e que, depois desse horário, ele precisa encerrar o expediente motor e só se agitar e sacudir o seu corpinho novamente quando o dia clarear?

Os pais do pequeno Yan não sabiam mais o que fazer quando, entre 2 e 4h da manhã, o filho passou a despertar todas as noites e ficar em pé no berço, andando de um lado para outro, em silêncio, mas batendo palmas ao lado da babá eletrônica. Tudo começou justamente quando ele, durante o dia, passou a dar os primeiros passinhos se segurando nos móveis. Nessa hora, todos na casa bateram palmas, e uma vez foi suficiente para Yan imitar direitinho. O que era tão fofo durante o dia virou um martírio durante a noite. Sempre que ele despertava, na hora parecia lembrar de suas novas aquisições e em segundos já estava em pé ou sentado batendo palmas. Isso poderia levar mais de uma hora até ele se cansar e voltar a dormir. Não vendo uma luz no fim do túnel, Maria passou a entrar no quarto, deitar o filho nesses horários e ficar segurando o corpinho dele para que Yan não despertasse de vez. Após algumas noites agindo dessa maneira, ele não acordava mais para ficar em pé ou bater palmas, mas chorava sempre que se percebia sozinho. Não adiantava Maria ficar do lado; ela passou a ter de segurar o corpinho para ele iniciar o sono, assim como voltar a dormir após os despertares. Um bebê que sempre dormiu com autonomia passou a depender da mamãe para dormir. Ele teve de passar de novo pelo processo de reeducação do sono para conseguir voltar a dormir sem alguém segurando os seus braços. O problema não foram as palmas, mas a plateia que se juntou a ele na hora do "show". O único jeito de não desandar é não mudar hábitos de sono.

Aquisição da fala

Nina estava havia mais de seis meses dormindo lindamente a noite toda. Mamãe a colocava acordada no berço, dava boa-noite, e dizia: "Filha, mamãe está aqui", apontando para a porta. Tudo sem choro e com toda a tranquilidade tão sonhada pela família. Certa vez, recebo a ligação de Tereza, a mãe, dizendo que

Nina, com 1 ano e 4 meses, passou a falar frases curtas e, na hora de dormir, começou a chamar pela mãe: "Mamá, ati" (mamãe, aqui). Tereza achou tudo muito fofo e, toda vez que ela saia do quarto, Nina chamava a mãe de volta. Uma gracinha, segundo a mamãe coruja. Só que a graça terminou quando Nina passou a chamar toda hora e, assim, Tereza voltou a ficar dentro do quarto. Tudo bem se fosse somente às 20h, mas Nina passou a chamar pela mãe cinco, seis vezes por noite. A pergunta de Tereza para mim foi: "O que eu poderia ter feito diferente? Ignorado o seu chamado? Não a atender?". De maneira alguma. A fala é uma conquista incrível e precisa de resposta, o que não significa atender aos pedidos. Acolhimento e limites podem andar juntos. Assim, sempre que Nina chamasse pela mãe, dizendo: "Mamá, ati", Tereza poderia entrar no quarto, dizendo: "Filha, é hora de nanar, mamãe agora vai estar ALI". De manhã, quando Nina acordasse, Tereza entraria no quarto e falaria: "Bom dia! Mamãe está aqui".

Em suma, os grandes saltos podem empolgar, agitar, excitar e alterar o comportamento dos filhos não somente no sono. O bebê que adorava se sentar no cadeirão para comer gostoso passa a querer ir para o chão e se torna uma luta insana mantê-lo sentado, assim como nas viagens na cadeirinha do carro. Por isso, sempre que houver mudanças da parte dos filhos, nos saltos de desenvolvimento, a família deve apenas esperar a novidade da conquista passar. Em relação ao sono, reforço que os pais não têm como obrigar os filhos a fecharem os olhos, devendo apenas mantê-los no lugar de dormir quando for a hora do soninho. Se a agitação da conquista azedar os baixinhos durante a noite e eles passarem a chorar, sigam à risca o lema: acolham sem sair da rota do aprendizado. Como nos saltos olímpicos, depois de várias piruetas e rodopiadas, vem a aterrissada estável em terra firme... até o próximo salto. Manter os bons hábitos é sempre o melhor caminho.

Angústia de separação

Assim que nasce, o bebê ainda não se percebe diferenciado da mãe. O corpo dele e o dela se confundem em uma relação simbiótica que se estende durante os primeiros meses de vida. Esse "grude" é extremamente importante para a sobrevivência do bebê, que depende completamente dos cuidados da mãe.

Com o passar dos meses, o bebê começa a se perceber descolado da mãe. Acha até graça disso. É a fase do "achou", quando a mãe esconde o rosto e logo aparece, arrancando um sorriso ou até mesmo gargalhadas do filho. Ele só consegue se divertir com essa brincadeira por volta dos 6 meses de vida, porque agora mãe e filho estão descolados. Somente frente a frente é que se pode ter noção de ausência e presença.

Passada a fase da empolgação da descoberta, na qual as pessoas e os objetos[5] somem e aparecem, vão e voltam, por volta dos 9 meses cai a ficha e o bebê prefere as presenças às ausências. Percebe que é bem mais gostoso estar juntinho do que separado. E, no lugar daquele bebê risonho quando a mãe saía para trabalhar, surge um filho angustiado e com um choro sofrido nos momentos de despedida. Se essa fase é angustiante para o bebê, é ainda mais sofrida para os pais. Os bebês choram até soluçar. Cada despedida parece área de embarque de aeroporto e muitas vezes a mãe só foi fazer xixi no banheiro.

Assim acontecia com o pequeno Vitorio, de 9 meses. De uma hora para outra, o bebê risonho, que ia com todo mundo, passou a ficar manhoso e desconfiado, não aceitando mais o colo do pai. Se Veridiana saísse de perto do filho, mesmo que apenas por alguns segundos, começava uma choradeira, tanto de dia quanto à noite. Para não viver todo esse estresse geral, a mãe passou a evitar as situações de distanciamento e, em pouco tempo, Vitorio estava dormindo na cama dos pais.

Muitas mães e pais, na ânsia de atender à angústia do filho e acolher o choro, evitam as situações de distanciamento. Sabe aquela cena da mãe sentada na privada com o filho no colo? Provavelmente o bebê "não a deixou" ir ao banheiro porque não parava de chorar mesmo no colo do pai.

O movimento da família não deve ser no sentido de evitar despedidas e separações. O bebê se angustia justamente porque está se dando conta disso, e é muito importante que ele vivencie pequenas e breves rupturas, pois só assim, entre despedidas e reencontros, ausências e presenças, ele terá condições de amadurecer e internalizar que, quando mamãe vai, mamãe volta.

Portanto, quando a mamãe for ao banheiro, ela não deve nem sair de fininho nem levar o bebê com ela até o vaso sanitário. É importante que o bebê perceba o movimento de se ausentar. Se ele estiver no carrinho ou cadeira de

---

5 Essa também é a fase que os bebês adoram jogar, por exemplo, a colher no chão, quando estão no cadeirão, e procuram, com os olhinhos arregalados, onde ela foi parar. Ficam eufóricos esperando alguém a pegar e, assim, a brincadeira começa outra vez, regada a muitas gargalhadas.

balanço, ou seja, um lugar seguro para ficar sozinho, a mãe pode manter a porta aberta e, com sua voz, mostrar que está por perto. Se por acaso nessa hora ele está com o pai ou a babá, a mãe faz xixi e, assim que voltar, deve fazer uma "grande festa": mamãe voltou! Limpe as lágrimas do bebê e volte a brincar como se nada grave tivesse acontecido. Realmente, nada grave aconteceu.

Nas experiências de ausência e presença ao longo do dia, o bebê perceberá que os pais podem ir porque sabe que haverá a volta.

O que os pais não podem fazer é mudar sua forma de agir, dando, por exemplo, um *tablet* para distrair o filho enquanto o pai ou a mãe sai de fininho para que ele não veja a sua partida. Bebês e crianças podem mudar seus comportamentos, mas os pais devem permanecer fiéis à manutenção dos bons hábitos dos filhos em relação ao sono e outras ocasiões durante o dia.

De volta para o caminho

A situação pontual de desandança deve ser encarada como provisória, se realmente não for possível ser evitada. O que não pode acontecer, mas geralmente acontece, é se tornar uma nova opção para a criança: se ela não aceita voltar a dormir com autonomia, a mãe fica com ela até dormir ou dá o leite (desnecessário) para retomar o sono.

Atenção, pais: não precisam se justificar se saírem da rota. Só não transformem os ajustes que foram necessários, por doença, viagem, dente, saltos etc., em *kit* sono. Inalador, leite, colo e companhia foram importantes e necessários em um momento pontual, logo devem ser encarados como provisórios. Se o bebê ou a criança não entender isso (não espere que entenda), o que é compreensível, aguentem a resistência inicial e sigam em frente com o retorno aos bons hábitos de sono.

Tudo o que passa a ser gostoso, reconfortante e aconchegante em uma determinada circunstância é difícil de desapegar. Mesmo para nós, adultos, é difícil voltar aos hábitos do dia a dia depois de um feriado prolongado ou longas férias. Ter de voltar a cozinhar, trabalhar, acordar cedo, fazer exercícios não é nada fácil. No começo vamos meio desestimulados e acabamos pegando no tranco até a próxima parada. Assim é com os bebês e as crianças, com uma diferença: nós, adultos, temos maturidade para entender que feriados e férias têm começo, meio e fim e, mesmo resistindo, encaramos a realidade de que não é opção ficar de férias para sempre.

Para finalizar

Quero contar uma história pessoal. Meu filho Patrick teve convulsões aos 7 meses de vida e precisou tomar medicações com tarja preta até os 3 anos para o controle das crises, quando a médica propôs o desmame dos remédios. Para felicidade geral, as crises estavam controladas havia alguns anos e, com isso, poderíamos fazer a retirada gradual das medicações. E assim fizemos um desmame bem lento, reduzindo 1/4 dos remédios por semana. Quando só faltava meio comprimido, ele passou a apresentar insônia. Confesso que na hora não associei a falta de remédio com a resistência dele em ir para a cama. Achei que poderia ser um *terrible two* tardio[6], já que ele apresentava um atraso no desenvolvimento por causa do quadro epilético.

Antes ele ia tranquilo para a cama: eu ou a babá contávamos uma história, era só dar boa-noite e sair do quarto com ele acordado. De uma hora para outra, ele passou a se levantar mil vezes, fazer birra e claramente se mostrava exausto.

Eu já trabalhava na área de consultoria do sono, mas nunca tinha tido essa experiência de vivenciar a agonia de confrontar um toco de gente por horas a fio. Ele se mostrava aparentemente exausto, até ficava na cama por poucos minutos, mas se levantava irritado. Percebi que ele queria dormir, mas não estava conseguindo, e sua atitude inquieta também não o estava ajudando a relaxar e se acalmar.

Entrei em contato com a neurologista dele, que explicou que o corpo provavelmente estava sentindo falta da medicação, ou seja, estava passando pela síndrome de abstinência. Enquanto uns dependiam do leite, do ninar ou da

---

6 A crise dos 2 anos ou *terrible two* acontece em razão do desenvolvimento da criança, quando ela já fala e é capaz de falar o que deseja e o que não quer. A criança muitas vezes se comporta fazendo o oposto daquilo que os pais pedem. Ao ser contrariada, ela pode fazer birra, gritar, chorar e se debater. Essa fase é conhecida como "adolescência do bebê". Para mais informações, leia este artigo: VARELLA, Drauzio. Crise dos 2 anos: mito ou realidade?. Disponível em: https://drauziovarella.uol.com.br/pediatria/crise-dos-2-anos-mito-ou--realidade/. Acesso em: 15 jan. 2021.

mãe para dormir, meu filho era "dependente químico". Desde muito pequeno ele aprendeu a dormir sob o efeito, secundário, das medicações neurolépticas, e sem elas perdeu as referências. A orientação da médica foi ter paciência e esperar o corpo dele se acostumar a viver sem os remédios. E o que eu faria enquanto isso? Colocá-lo para dormir comigo? Deitar-me na cama com ele, impedindo-o assim de se levantar? Nada disso resolveria a raiz do problema, e, depois que o corpo se acostumasse a dormir sem remédio, eu previa que teríamos de passar por todo o processo de dissociar a minha companhia de seu *kit* sono. Não era opção. Ele sempre dormiu por si mesmo com total autonomia, e eu não mudaria isso por pena ou comodidade.

Sim, tive dó, porque essa insônia não era culpa dele; a cena toda de braveza não era manha, mas sim incômodo mesmo. Mas também fiquei irritada por ter de ficar levando o menino toda hora para a cama. O cansaço quase afetou o meu racional.

Em dado momento, nessas idas e vindas para a cama, meu filho fez xixi na cueca, que passou para o pijama e molhou o lençol. Não teve jeito. Tive de deixar o Patrick fora da cama para fazer toda a troca. Desse dia em diante, ele começou a segurar um pouco de xixi, mesmo já tendo feito no penico antes de ir para cama, pois entendeu que, quando ele molhava tudo, eu acabava tirando-o da cama e adiando a hora de dormir. Quando me dei conta disso, minha irritação aumentou, mas mantive a razão em funcionamento.

Eu precisava achar um jeito de eliminar esse comportamento de uma vez por todas.

Deixá-lo molhado não era uma opção, já que, além do incômodo da insônia, somado ao desconforto de estar todo molhado, ele não conseguiria dormir de jeito nenhum. Voltar para a fralda seria um retrocesso, tendo claro que ele estava fazendo isso de propósito.

Eis que tive uma brilhante e estranha ideia. Antes de ir para o quarto, peguei a cueca dele e coloquei um absorvente feminino noturno. Ele viu, achou estranho e perguntou o que era aquilo. Eu disse que era um absorvente e desconversei. Na hora pensei: espero que ele não conte para a professora...

Coloquei-o na cama e segundos depois ele disse: "Mãe, vem me trocar, fiz xixi na cama". Eu respondi: "Pode dormir xixizado porque desta vez você não está molhado". Na noite seguinte, ele nem cogitou fazer xixi de novo.

Esse perrengue todo levou um mês. Foi o tempo que o corpo do meu filho precisou para se adaptar a um modo de funcionamento sem remédio, e assim o Trick, como é carinhosamente chamado quando está bonzinho, voltou a dormir lindamente em sua cama. E fim. Imagine se, até chegar a esse ponto, em que estava "limpo da dependência química", ele estivesse na minha cama, ou comigo ao seu lado, somente por pena ou para acolher a sua insônia. O que eu faria? Diria a ele que acabou mamãe para dormir e ele, livre da síndrome de abstinência, já poderia dormir sem companhia?

Não tenho dúvida de que, conhecendo o meu filho, se eu tivesse feito diferente, teria de enfrentar todo o desgaste da associação mamãe para nanar. Foi uma escolha minha. Mantive os hábitos que ele sempre teve, aguentei firme sem criar muletas que não resolveriam um problema complexo (a falta das medicações) e, assim que o corpo se estabilizou, ele voltou a dormir tranquilamente, em seu quarto, na sua caminha, com o seu amigo do sono, o Zuzu.

Algumas famílias fariam diferente. E tudo bem. Como bem disse Pablo Neruda, somos livres para fazer escolhas, mas podemos nos tornar prisioneiros das consequências. Que nós, pais, possamos ter a liberdade de mudar os hábitos de sono dos nossos filhos por circunstâncias pontuais, mas que, se nos dermos conta de que estamos nos tornando prisioneiros, em pouco tempo encontremos um novo caminho de libertação... para o bem de todos.

Anexo 1 – Exemplo dos combinados de mudança para a cama

Fonte das imagens: acervo da autora.

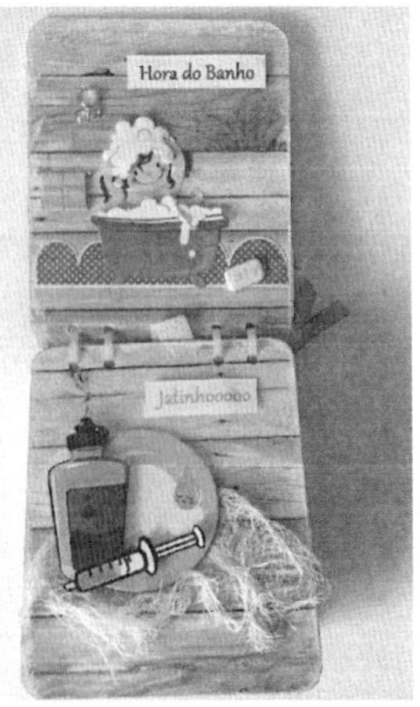

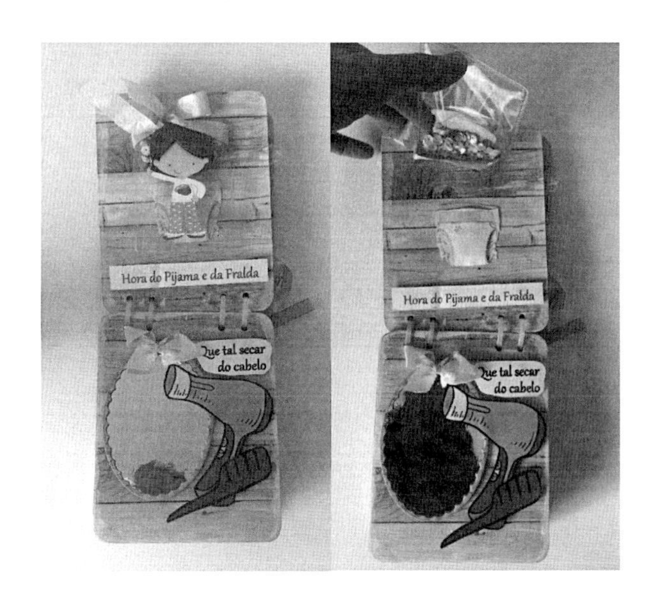
Hora do Pijama e da Fralda
Que tal secar do cabelo
Hora do Pijama e da Fralda
Que tal secar do cabelo

Ebaaaa Mamadeira...
Vamos rezar?
Hora de agradecer ao Papai do Céu
Mamãe adora seu beijinho de boa noite!!!
Hora de dormir!!!

Anexo 2 – Retirada da chupeta

Mural dos combinados da coruja

Árvore de chupetas

Fonte: acervo da autora.

Primeira etapa: retirada da chupeta

O balde trouxe estrelas para colar no mural dos combinados

Mamadeira

Escovar os dentes

História na cama com a mamãe

Segunda etapa: retirada da babá (ou do responsável pelo cuidado) do quarto: primeiras noites – breves combinados de ida e volta ao quarto

A babá/o responsável vai se arrumar para dormir:

Escovar os dentes

Vestir o pijama

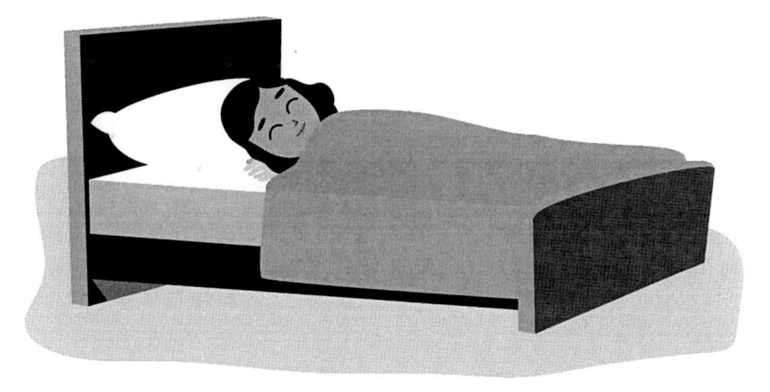

A babá/o responsável dorme no outro quarto

E Lívia dorme no seu quarto, com a coruja, quando é noite/escuro

E só acorda/se levanta quando é dia/claro

12

INVISTA NAS SONECAS

Sonecas são provisórias na vida do bebê. Infelizmente. Isso porque, como bem colocou Walker, o sono diurno é uma necessidade da natureza do ser humano[1]. Alguns países (Espanha, Portugal, Itália, Croácia, Grécia, Malta e localidades em Bangladesh, China, Índia, Vietnã, Oriente Médio e Norte da África) ainda praticam a chamada *siesta*. Mas, no restante do mundo, com toda a agitação e exigência da vida moderna, que determina que tempo é dinheiro, fomos abolindo esse hábito saudável, trocando o necessário cochilo por doses cavalares de café.

Sabe aquele sono depois do almoço, que insiste em nos constranger no meio de uma reunião? O olho fica pesado e às vezes nem é possível disfarçar. Esse sono é inerente à natureza humana, mas insistimos em reprimi-lo, considerando-o um dos sete pecados capitais: a preguiça. Ledo engano. E o pior: pagamos caro por isso.

Manter o sono do dia como parte da rotina na vida dos nossos filhos, independentemente da idade, é um investimento na saúde deles. No entanto, à medida que vão crescendo, a vida se torna bem mais divertida quando acordados, e dormir passa a ser percebido por eles como perda de tempo. Por volta dos 3 a 4 anos, as crianças conseguem deixar de dormir de dia e ficar despertas até a rotina da noite.

---

1 Por exemplo, WALKER, Matthew. *Por que nós dormimos:* a nova ciência do sono e do sonho. Tradução de Maria Luiza X. de A. Borges. Rio de Janeiro: Intrínseca, 2018.

Frequência de sonecas

Os bebês, quando bem pequenos, precisam de vários cochilos durante o dia, pois não aguentam ficar acordados por muito tempo.

A quantidade e a duração das sonecas dependem de cada um. Podem precisar de muitas, mas nem sempre conseguem cochilar com a frequência necessária. De modo geral, os bebês com até 3 meses de vida não conseguem ficar mais de uma hora acordados.

Mais do que estabelecer um número ideal de sonecas, a conta a ser feita deve estar relacionada com os intervalos entre soneca e despertar. Esse tempo em que o bebê consegue ficar acordado é chamado de janela de sono. Por exemplo: se o bebê recém-nascido dormiu por 45 minutos, é bem possível que fique esse mesmo tempo acordado. Bebês, como já vimos, têm um desenvolvimento muito acelerado, e é durante o sono que esse desenvolvimento acontece[2].

Conforme vão ficando maiorzinhos, essa janela de sono vai aumentando, o que significa que o número de sonecas vai diminuindo. Lá pelo sexto mês, por exemplo, o bebê já consegue ficar quase duas horas acordado e assim passa a fazer em média três sonecas por dia.

Vamos a um exemplo: um bebê de 6 meses acordou às 6h. Por volta das 8h, é bem possível que tenha sono de novo. Supondo que tenha despertado dessa primeira soneca às 9h30, ele deve tirar outro cochilo por volta das 11h30 até provavelmente as 13h30, se conseguir fazer uma soneca longa. Indo por esse cálculo, às 15h30 vai dormir de novo. Se ele acordar às 17h desse último sono, a hora de ir para o berço, no sono noturno, será às 19h. Esse exemplo é de um bebê super-redondinho, quase um robozinho: os sinais de cansaço coincidem com as janelas de sono, dorme fácil e faz sonecas longas durante o dia. Literalmente um sonho de bebê. Só que nem sempre é o seu filho.

Já aqueles bebês muito curiosos, que têm interesse em tudo ao seu redor, mesmo cansados não conseguem dormir. Na prática, por mais diferente que pareça, esses bebês se distraem e esquecem que estão cansados.

É preciso dizer que, embora precisem de sonecas, os bebês, principalmente os recém-nascidos, nem sempre conseguem fazê-las, e esse é o desespero das mães quando se dão conta de que seus filhos dormiram pouco ou não dormiram quase nada durante o dia. É ruim não dormir durante o dia, apesar de ser relativamente comum os bebês muitas vezes não conseguirem. Podem estar

---

2 Como explicou o Dr. Paulo Breinis no Capítulo 1 deste livro.

exaustos, mas insistem nos olhos arregalados. Eles têm incômodos, como já falamos anteriormente, que podem interferir no seu bem-estar e impedir que relaxem e durmam. São, por exemplo, cólicas, intestino preso, refluxo, ou até mesmo a dificuldade em conseguir relaxar e dormir. Bate um desespero nas mães que passam o dia tentando fazer seus bebês dormirem, sem sucesso, enquanto escutam em todos os cantos que bebês dormem muito nos primeiros meses de vida. Deixo claro uma coisa: precisar não significa que vão conseguir.

Como podemos ver, as sonecas podem variar entre 45 minutos e duas horas. Duram um ciclo de sono ou no máximo dois. Pode acontecer de o bebê cochilar apenas meia hora porque não conseguiu engatar o próximo ciclo. É bem possível que essa soneca não tenha um efeito reparador completo, mas isso não é uma regra. Há muitos bebês e até crianças mais velhas para quem meia hora é o suficiente para "recarregar as baterias" e ficar bem até a próxima soneca dentro da janela de sono ou talvez em um intervalo mais curto.

COMO OFERECER SONECAS PARA OS BEBÊS

Quando as sonecas se tornam uma saga durante o dia, tudo é permitido para fazer o bebê dormir, contanto que ele não se confunda com os hábitos noturnos e, ao mesmo tempo, durma bem de dia para não chegar exausto ao sono noturno. Fácil aconselhar, muitas vezes difícil de resolver.

Se o bebê ou criança estiverem muito agitados ou estressados, vale um banho no meio do dia, mais para relaxar e acalmar.

Se a soneca for no carrinho, passear em um lugar mais calmo e silencioso, caso se trate de um bebê mais curioso e desperto em relação aos estímulos do ambiente. Se conseguir dormir dessa maneira, há duas possibilidades: manter no carrinho ou colocar no berço/cama. Vale a opção que der certo, ou seja, que ele não acorde com a mudança de lugar e durma de modo confortável.

Se a soneca for no colo, sling ou canguru[3], vale a mesma conduta do carrinho: tentar transferir o bebê para o berço, contanto que dê certo. Há casos em que o bebê passa a soneca toda no colo. Não é o ideal, mas na minha experiência há pais e babás que acabam optando por manter no colo, pois percebem que só desse jeito conseguem pelo menos uma soneca mais longa durante o dia ou, caso o bebê/criança desperte antes da hora, já estando no colo, conseguem embalá-lo por pelo menos mais um ciclo de sono.

3 Essas opções estão diretamente associadas à pessoa que faz dormir, então indico que seja alguém diferente do sono da noite. Há muitas famílias em que as babás ou até mesmo os avós são os responsáveis pelas sonecas e, à noite, um dos pais. Quando as mães são as responsáveis pelas sonecas, os pais geralmente assumem o sono da noite. Depois que o aprendizado noturno é consolidado, muitos bebês e crianças acabam conseguindo diferenciar o modo de

Se os pais precisarem sair de carro, por exemplo em caso de viagem, pode-se aproveitar a oportunidade na hora da soneca para estimular a opção da cadeirinha do carro. Muitas vezes o trajeto todo já dá o tempo da soneca. Nem sempre funciona: ou despertam quando o carro para de balançar ou na hora de retirar da cadeirinha. Todo cuidado é pouco.

Claro que dormir no berço é uma opção, mas muitas vezes durante o dia alguns bebês choram e resistem muito no mesmo berço em que dormem tranquilos à noite. O risco na insistência é tanto de perder a soneca quanto de associarem o choro com a atitude de conseguir sair do berço e passarem a ter esse comportamento também à noite. Vale tentar poucas vezes e, se não funcionar, buscar as outras opções.

Observações:

- Um dos maiores dramas de muitas famílias são os fins de semana. Muitas vezes os filhos dormem no berçário ou com a babá sem problema algum de segunda a sexta e se agitam com os pais na quebra de rotina do fim de semana. Valem todas as opções já citadas, de preferência com o genitor mais calmo e paciente.
- Não recomendo insistir por mais de 20 minutos em qualquer uma dessas opções. Se os adultos fizeram a parte que cabe e eles e o bebê não dormir, não vale a insistência, porque, se estiver bravo e estressado, existe grande chance de não dormirem. Sigam com a rotina, mudem o foco e, depois de uns 20 minutos, tentem de novo.
- Se o bebê despertar 20/30 minutos depois que dormiu de dia, é importante que o responsável o ajude a engatar o próximo ciclo, seja empurrando o carrinho, seja ninando.

No entanto, de um modo geral, meia hora é pouco para os bebês, então em muitos casos é preciso ajudá-los caso não consigam emendar o sono por eles mesmos. E como ajudá-los? Por exemplo, o bebê está dormindo há meia hora, mas começa a se mexer, fazer uns barulhinhos, dando sinais de que vai acordar. É nessa hora que o pai ou a mãe devem estar atentos e dar uma balançadinha no carrinho ou tapinhas no bumbum caso o filho esteja dormindo no berço. Se a chupeta caiu e ele gosta de dormir com ela, coloquem-na de volta na boquinha. Façam tudo o que puderem para ele voltar a dormir, porque, se despertar de vez, a chance de retomar o sono pode ser mínima.

Os pais precisam estar atentos ao comportamento dos seus bebês e crianças em relação às sonecas. Mostro um exemplo: uma mãe percebeu que sua filha de 7 meses, quando conseguia dormir 1h30 na soneca, mantinha-se tranquila, acordada, por cerca de duas horas. Porém, se dormia apenas 45

---

dormir da noite e o do dia, mesmo sendo a mesma pessoa. Quem mostrará isso aos pais será o próprio filho. O que vale é dar certo.

minutos, ficava bem, mas somente por um período de uma hora e já precisava tirar outro cochilo. Insisto em afirmar aos pais que não temos controle do sono nem dos despertares dos nossos filhos, mas somos responsáveis por oferecer o devido descanso quando percebemos que estão cansados.

Estratégias

O ideal é respeitar as janelas de sono do bebê e perceber os sinais de cansaço. Em geral os bebês, quando ficam cansados, podem começar a coçar a orelhinha, bocejar, os olhinhos vão ficando mais baixos e começam a resmungar.

Também há aqueles que estão bem acordados e de repente o que estava indo bem, de uma hora para outra, fica muito mal. São os bebês e crianças muito curiosos que, distraídos com tantos estímulos interessantes do mundo ao seu redor, esquecem de avisar que estão ficando cansados. Quando isso acontece já é tarde demais: estão exaustos, irritados e nada os acalma. Nesses casos, cabe aos pais e/ou cuidadores se guiarem mais pelas janelas de sono e oferecerem a soneca antes de a criança azedar, visto que os filhos, como eu disse, não dão sinais de que estão ficando cansados. Nesses casos, se o bebê só consegue ficar duas horas acordado entre os cochilos, após 1h30 já se deve preparar o "clima" para oferecer a soneca.

Nem sempre é fácil acertar a hora de dormir de dia; assim, caso a criança azede, ela precisará de mais tempo para se acalmar e relaxar, e cabe aos pais buscar eliminar a agitação. Nessa hora, um banho, o colo para acalmar ou uma chupeta podem funcionar. Mamar, só se coincidir a hora da mamada e, com sono, o bebê ou a criança acabar adormecendo[4]. O esforço, então, deve ser primeiro acertar o *timing* da hora do soninho, segundo acalmar o ambiente e o bebê, para depois buscar o adormecer.

---

4 Lembrar da rotina EASY, procurando ao máximo dissociar o sono da amamentação. Mas, se o bebê demora muito para conseguir dormir na soneca, em algum momento vai ter fome e o peito vai acabar resolvendo o sono. Paciência. Enquanto as janelas forem curtas, é grande a chance de isso acontecer, mas, à medida que conseguem ficar mais tempo acordados e com a introdução alimentar, haverá menos mamadas ao longo do dia e isso será mais raro de acontecer, a não ser que a mãe force uma mamada só para dormir, o que seria a última opção.

E o que é oferecer soneca? É mostrar ao bebê que é hora de descansar. Se ele está acostumado a cochilar no carrinho, coloque-o no carrinho, dê um passeio, a chupeta ou o paninho. Se ele gosta de ser balançado, balance. Pode ser no colo, no *sling* ou no bebê conforto. O importante é que ele durma, porque, se perder esse soninho, corre-se o risco de no fim do dia ele entrar no abalo total do "efeito vulcânico"[5], em que o acúmulo de sono, por causa das sonecas maldormidas, leva o bebê ou a criança a entrar em uma erupção de irritabilidade tamanha que muitas vezes não conseguem nem jantar de tanta exaustão e, o pior, podem ficar tão estressados que demoram para dormir no sono da noite, além da grande chance de terem uma noite bem agitada.

Só é possível entender o padrão do sono diurno de um bebê quando ele dorme a noite toda. Nessa condição, ele acorda descansado e é mais fácil entender a sua necessidade real de sono durante o dia. O bebê que dorme mal à noite já acorda no negativo, ou seja, devendo sono, e assim pode tanto querer compensar a noite maldormida em longos cochilos diurnos ou, o mais comum, ficar superirritado e agitado e acabar dormindo mal ou nem conseguindo descansar de dia, pois está tão cansado que não consegue relaxar e se entregar às sonecas.

Diferentemente do sono da noite, em que há todo um esforço em relação aos hábitos para que o bebê ganhe autonomia, nas sonecas não adianta ser rígido. É preciso haver flexibilidade por parte dos pais. Recomendo, inclusive, deixar que o bebê durma onde estiver. Durante o dia, ele pode aprender a dormir no carrinho, na cadeirinha do carro, em qualquer lugar. Também é bom dormir em meio aos ruídos rotineiros da casa ou passeando na rua.

Como são sonos curtos, até nós, adultos, podemos tirar um cochilo de dia no sofá da sala, numa rede, numa viagem de carro. Lembrem-se de que, com o passar dos meses, o número de sonecas vai diminuir. Por volta dos 14 meses, bem provavelmente a criança só fará uma soneca, geralmente no meio do dia, então a família não precisa se preocupar em "acostumar mal" o bebê a dormir com ajuda de dia, porque, como as sonecas são provisórias, o apego a elas não será para sempre.

Foram os bebês e as crianças que me ensinaram essa flexibilidade. Eu mesma, no começo de carreira, fui muito rígida nos hábitos da soneca. Se tem de dormir no berço à noite, então tem de dormir também de dia. Só que acabei

---

5 Trata-se de um acúmulo de pressão homeostática, causado pela falta de sonecas ou por sonecas curtas demais ao longo do dia. Assim, a criança vai ficando exausta e incapaz de adormecer, apesar de todo o cansaço.

sendo confrontada com situações adversas, como o caso de um bebê que ficava em uma creche em que não havia berço para todos, então dormia em um colchão no chão, ou em uma cadeira de balanço. Ou um menino que ia de carrinho na hora da soneca para a casa da avó e dormia no caminho. Além disso, muitos pais, principalmente de segundo filho, me diziam que era inviável o bebê só fazer os cochilos no berço, uma vez que precisavam sair com o mais velho e o caçula acabava tendo de ir junto e dormia no carro. Fui vendo também que só estimular quarto tranquilo, berço e penumbra pode levar muitos bebês e crianças a ter dificuldade para dormir em outros ambientes, o que cria uma situação tensa em muitos momentos de família. Imaginem todos passeando no parque: o bebê no carrinho começa a ficar com sono e, por não conseguir dormir com barulho, muita claridade e no espaço do carrinho, abre o berreiro e a família tem de correr para casa, pois ele só consegue dormir no berço.

Mas o caso que realmente me fez repensar a minha postura foi o de um menino de 1 ano e meio que estava indo bem no processo noturno e eu insistia que a soneca também tinha de ser no berço, com a alegação de que, se o fizessem dormir de outro jeito, poderiam deixá-lo confuso em relação aos hábitos do sono da noite. O máximo que orientei a mãe foi para que, se ele chorasse muito, o tirasse do berço e voltasse dali a meia hora. Foi um caos: ela repetiu esse processo várias vezes, mas a criança foi azedando a tal ponto que o processo da noite também ficou insustentável, porque ele estava tão exausto que ou dormia antes do ritual do sono ou ficava muito agitado e demorava para dormir. Depois de muito tempo, reconheci que essa persistência nas sonecas tinha sido um erro e o medo de confundi-lo, uma preocupação desnecessária.

Mais uma vez os pais têm de ir percebendo o que dá certo para o seu bebê, mas não devem se apegar, porque o que funciona hoje pode não funcionar amanhã. Por exemplo, o carrinho é um bom lugar para as sonecas, pois o bebê dorme na distração, passeando, e se entrega ao cansaço. Até o dia em que ele aprende a levantar o pescoço – pronto, o carrinho pode não servir mais. Levantando o pescoço, o bebê se agita para ver o mundo lá fora e esquece de dormir.

Associação para dormir

A partir dos 6 meses, o bebê precisa dormir com autonomia à noite. Mas, durante o dia, pode ocorrer uma situação contraditória: ele continuar precisando de ajuda nas sonecas. Minha recomendação é que os pais o ajudem, para que ele consiga ter o sono diurno. Muitos pais me perguntam se o bebê, já um pouco mais esperto, não confundiria a rotina da noite, quando ele deve adormecer por si mesmo, com o sono diurno, quando é ajudado a dormir.

Com a prática, pude comprovar que bebês e crianças associam muito mais a pessoa ao hábito de sono do que ao gatilho em si. Um exemplo real: um bebê de 7 meses, que de dia a babá o colocava no berço e dava tapinhas no bumbum até ele dormir. A mãe fazia a mesma coisa e o bebê chorava sem parar. Vejam que é a mesma forma de pôr para dormir, uma situação com a qual o bebê estava familiarizado, só que com a mãe ele não dormia. Minha conclusão é que a mamãe não tem nada a ver com esse jeito de dormir. Esta é a associação do bebê: babá, quando cansado é berço, e com mamãe é colo. Bebês se apegam àquilo que cada um oferece. Teve uma família que me contou que, quando cansada, a filha de 1 ano e meio pedia colo e apontava para o celular quando era com o pai, chorava pedindo colo e peito com a mãe e dormia tranquila no berço com a babá.

Portanto, minha orientação é que, se durante o dia a mãe cuida da soneca e põe o bebê no colo para ajudar a engatar o sono, à noite é melhor que o pai o coloque no berço, para que ele não confunda o papel de cada pessoa no seu sono.

Sonecas dos maiores

A partir de 1 ano, a criança já reduz o número de sonecas para duas, porque consegue ficar acordada por cerca de quatro horas. A partir de 1 ano e 2 meses – mais ou menos, dependendo da criança –, passa para somente uma soneca. Isso porque ela já aguenta ficar por volta de seis horas acordada e esse soninho acaba sendo no meio do dia, normalmente depois do almoço. Essa única sonequinha se mantém até em torno dos 3 anos ou mais. O que é muito comum acontecer, por volta dos 2 anos, por estar em uma fase mais ativa, porque anda, corre e começa a falar, é a criança resistir a ter esse soninho, já que dormir acaba sendo perda de tempo para elas. A criança não quer parar as brincadeiras e todas as coisas interessantes que está descobrindo, por isso resiste às sonecas. É nesse momento que surge a seguinte dúvida dos pais: "Ela está resistindo ou não precisa mais da soneca?".

Percebemos que a criança está resistente, mas ainda precisa da soneca, quando não consegue chegar bem à rotina da noite caso não tenha dormido de dia. Às cinco, seis horas da tarde, ela começa a dar chilique, quer uma coisa e não quer outra, se joga no chão. Está visivelmente exausta e não consegue jantar, não quer ficar parada no cadeirão, apesar de estar quase fechando os olhinhos. Nesse caso se conclui que ela ainda precisa da soneca.

Acima dos 2 anos, a criança pode não querer dormir de dia. Se ela fica bem, ótimo. No entanto, caso ela durma no carro ou no carrinho, no caminho até a padaria, está claro que ainda precisa da soneca. Se não precisasse, mesmo na distração, não dormiria.

Para oferecer soneca à criança, a mãe pode dar o almoço, um banho e colocá-la na cama. Se a criança fica se levantando, saindo do quarto, a mãe não deve dar a opção de não dormir e ir brincar. Nesse caso, a criança só tem duas opções: dormir ou descansar, a mesma situação que ocorre na escolinha. Ela precisa deixar claro para a criança que aquela é a hora do descanso.

Eu me lembro de um caso de um menino de 2 anos e meio com problemas para fazer sonecas. Eu já o tinha atendido quando era bebê, assim ele dormia bem à noite, mas começou a resistir às sonecas. Fiz um plano de sono só de sonecas. Escolhemos com os pais um personagem do repertório da criança, que era um trenzinho, e ele estava tão resistente só de ouvir falar em dormir de dia que mudamos o foco para a hora do descanso do trenzinho. O principal combinado era que ele só poderia se levantar da cama quando o trenzinho apitasse. A mãe pôs um despertador, no celular, com o barulho do trem (Figura 1). Começamos com um tempo de descanso de apenas 20 minutos. Nessa idade, crianças não têm noção de tempo, sendo assim pensamos em um intervalo curto para que ele apenas tivesse a paciência de esperar acabar o momento do descanso. Claro que ele se levantou, a mãe o levou de volta para a cama, ele se levantou, voltou mais uma vez, chorou e gritou até que o despertador tocou. A mãe disse: "Olha, tocou o apito do trem. Acabou o descanso. Agora você pode ir brincar".

Naquele dia, o menino não dormiu, mas ficou estabelecido que não teria outra opção de atividade até o trem apitar. Naturalmente, tudo dentro de um enredo lúdico, inclusive com figuras do trenzinho na parede. E ficou acertado que, se ele respeitasse o combinado, que no caso seria ficar na cama "descansando", poderia colar um adesivo na figura do trem. Ele não era obrigado a dormir; essa parte ninguém tem como controlar, mas ele precisava descansar. Tudo isso foi feito porque a mãe tinha dúvida se ele ainda precisava da soneca, já que dormia quando iam dar uma volta de carro e chegava bem cansado na hora do jantar. Parecia que era mais resistência da parte dele do que falta de necessidade. A intenção, portanto, foi deixar o menino quietinho, porque, se ele realmente precisasse do sono, no tédio, sem nenhuma outra opção, ele acabaria dormindo.

FIGURA 1 Soneca com despertador do trenzinho.

No segundo dia, ele ainda ficou muito bravo, chorou e esperneou, com toda a razão, pois antes, sempre que fazia isso, acabava indo para a sala ver TV. Ou seja, além do cansaço e agito da resistência, ainda teve a frustração e a braveza de estar sendo contrariado. Por fim, cansou e ficou na cama, mas só ficou conversando. A mãe deu parabéns porque no final ele tinha conseguido ficar deitado descansando.

No terceiro dia, não resistiu: deitou-se e logo dormiu. Aí orientei a mãe a desligar o alarme, para que ele tivesse um tempo razoável de soneca. Ele acordou uma hora depois e reclamou que o trenzinho não tinha apitado. A mãe teve de manter o acordo e disse que ia ver se havia acontecido alguma coisa com o apito do trem. Acionou rapidinho no celular e o alarme tocou. "Pronto! Acabou o descanso!". A partir daí, nem precisou mais do celular. Ele passou a engatar o sono tranquilamente e até esqueceu do enredo. Tinha incorporado a soneca. Sinal de que ainda precisava dela.

Esse foi um caso bem tranquilo, porque a resistência só durou dois dias. Mas poderia ter demorado mais tempo. Porém, até que a criança se mantivesse deitada, nem que fosse por 15 minutos, não seria possível saber se ela tinha sono nesse horário. É preciso que os pais sejam pacientes na fase de braveza para depois poderem avaliar com mais consistência o padrão de sono do filho.

Foi o que aconteceu com Matias, de 3 anos. Ele não queria, de jeito nenhum, dormir na soneca. Era um escândalo, mas ele aparentemente ficava bem até o sono da noite. Só que no caminho para casa, depois da natação, Matias acabava dormindo e ficava muito bravo por ser acordado e, além disso, quando isso acontecia, demorava para dormir à noite. Junto com a família, decidimos instituir a "hora do relax". O tema eram super-heróis. Eles mandaram uma carta para ele, explicando que na terra dos heróis as crianças relaxavam de tarde e ele também precisava disso para ser forte e ter muita energia. Ele adorou tudo, mas, claro, não queria ficar na cama. O combinado era que, quando acabasse o tempo do *relax*, a capa do super-herói iria aparecer na porta. Cronometramos no máximo 15 minutos. Caos nos primeiros quatro dias. Levantou-se várias e várias vezes, até que, em um momento em que ficou dois minutos sentado na cama, a capa apareceu para informá-lo de que estava autorizado a se levantar. Santa babá, que teve a maior paciência do mundo. No quinto dia, Matias conseguiu ficar na cama sem se levantar por 15 minutos, mas sem dormir. E assim foi durante mais cinco dias. Sem mais resistência, mas também sem pegar no sono. Ficava "relaxando" conversando com ele mesmo e só. Percebemos, então, que ele não precisava mesmo dessa soneca. O que acertamos é que ele não poderia dormir na volta da natação, no fim da tarde. Pensamos em atividades dentro do carro para distraí-lo, como procurar no caminho carros azuis e depois verdes ou disputar quem acharia uma moto primeiro. Assim, a mãe conseguiu segurar esse soninho. Para avisá-lo de que não haveria mais a hora do relax, ele recebeu uma carta dos super-heróis explicando que ele tinha crescido e que agora não precisava mais ficar na cama de dia, só à noite.

Só foi possível a essas famílias entender a necessidade dos seus filhos quando estabeleceram o limite da hora da soneca, qualquer que fosse o apelido dado a esse soninho diurno. Uma vez que as crianças foram cercadas de regras, foi possível perceber que, no primeiro caso, o filho ainda precisava desse soninho e, no segundo, não tinha mais essa necessidade.

O enredo lúdico não convence ninguém. Essa parte é apenas informativa, muito importante para que a criança saiba claramente o que vai acontecer dali para a frente e o que se espera dela. O principal ponto é definir o limite, no caso, a hora do descanso. E a criança só pode ter duas opções: dormir ou apenas relaxar.

O limite da soneca deve ser sagrado e muito claro para a criança. Que seja um despertador, o aviso da babá ou outra coisa. De novo, não temos como obrigar os nossos filhos a dormir, mas temos o dever de mantê-los no lugar onde se dorme quando estão cansados. Como mencionado anteriormente, não precisa ser sempre no berço ou na cama, mas, uma vez que se estabelece onde será a hora do descanso, o filho só sai de lá quando autorizado. Se ele realmente precisa desse soninho, no tédio vai acabar se entregando ao sono, mas, se os pais perceberem depois de vários dias que ele só conversa e fica bem até a noite, não precisam mais insistir com a hora do descanso.

Deixar dormir quanto quiser?

Vou responder a essa pergunta dando o exemplo do meu filho. Ele foi para a escolinha, na esquina de casa, com 1 ano e 5 meses. Acordava às seis da manhã e ao meio-dia estava com sono. Mas esse era justamente o horário de saída da escola. A babá ia buscá-lo e o trazia de carrinho, mas ele chegava dormindo e cheio de areia. Mesmo assim, eu decidi que não o acordaria[6]. Na hora em que ele despertasse, tomaria o banho e almoçaria. Claro que os horários ficaram confusos. Em casos assim, há famílias que se desorganizam, mães que ficam aflitas com horários variados. Eu não tive problemas. Meu filho dormia do meio-dia às duas, acordava, almoçava e, em vez de eu dar uma fruta no meio da tarde, já dava a fruta após o almoço, como sobremesa. Assim não ficava com um intervalo muito curto entre a fruta e o jantar. E às 18h ele jantava. Quando foi ficando maiorzinho e mais acostumado ao agito da escola, começou a chegar acordado em casa. Aí dava tempo de dar banho, almoço e colocá-lo para dormir. E ele dormia duas, até três horas nas sonecas.

Os pais têm dúvida sobre deixar dormir o quanto a criança quiser. A resposta vale para todas as idades: se a criança dorme bem à noite, deve-se deixar dormir no ritmo dela durante o dia. A única preocupação é com as janelas de sono.

---

6 Sou contra acordar uma criança se ela está com sono, exceto se for avaliado que realmente está atrapalhando o sono noturno – o que não era o caso do meu filho.

Voltando ao caso do meu filho, depois que ele passou a chegar em casa acordado, só ia dormir às 13h e acordava por volta das 15h30. Como ele conseguia ficar acordado, em média (janela de sono), por cinco horas, não havia nenhum problema de ir para o berço às 20h30.

No caso dos bebês para quem a janela de sono é mais curta, a única preocupação dos pais deve ser com a última soneca, para não avançar na rotina da noite.

Tudo bem se o seu bebê acordar às 18h30 da última soneca, tendo uma janela de sono de duas horas. Nessa noite ele vai para o berço às 20h30. Entre 18h30 e a hora de dormir será o tempo de fazer a rotina da noite, como jantar, ficar um pouco com papai e mamãe no tapetinho, mamar, tomar banho e ir para o ritual do sono.

Minha dica é que o despertar da última soneca ocorra enquanto ainda é dia e está claro lá fora. Afinal, estamos falando de sono diurno. Porém, há casos em que os pais chegam muito tarde em casa e gostariam de ter um tempo com o bebê ainda desperto. Já aconteceu de eu atender famílias para as quais estipulamos que o bebê poderia acordar da última soneca no máximo por volta das 19h e dormir às 21h30 no sono noturno, assim ele poderia aproveitar os pais nesse intervalo. Mas só foi possível conseguir isso porque esse bebê conseguia fazer uma última soneca bem reparadora das 17h30 às 19h e, por ter apenas 8 meses, a sua janela de sono ainda era de 2h30. Essa mesma situação não seria possível com uma criança de 1 ano. Nesse caso, se ela acordasse da soneca às 19h, só teria sono provavelmente lá pelas 23h, porque a sua janela de sono é de pelo menos quatro horas, o que seria muito tarde para uma criança.

Certa vez um pai ficou muito bravo comigo, pois eu disse que o horário de seu filho de 1 ano e meio dormir teria de ser por volta das 20h e ele, bem possivelmente, teria dificuldade em pegar o filho acordado por causa de seu horário de trabalho. Não fui eu que estabeleci essa dinâmica, mas a própria criança, que acordava às 14h do cochilo e só aguentava ficar seis horas acordada. Tentamos jogar a soneca para mais tarde – em vez de dormir às 12h30, tentamos segurar até as 13h30. Foi um fiasco. A criança ficou superagitada e dormiu menos tempo que o normal. A ideia era que acordasse às 15h e assim, à noite, teria condições de ir para o berço às 21h. Não funcionou.

O pai não desistiu e quis fazer o teste de segurar o filho até as 21h, mesmo ele tendo acordado da soneca às 14h. Caos geral. Essa horinha, entre 20 e 21h, que era para ser gostosa com o pai, foi horrível. O menino só chorava e mostrava estar visivelmente irritado, ou seja, com sono. Se qualquer um desses ajustes tivesse dado certo, seria ótimo esse menino reencontrar o pai à noite. Eu estava torcendo por isso. Entendo perfeitamente a frustração, mas há situações e fases das crianças em que elas ainda não acompanham o ritmo dos pais.

Concessões muitas vezes são necessárias. Tentar chegar uma ou duas vezes por semana mais cedo em casa, se possível. Se for inviável, o pai pode aproveitar a hora do café da manhã como um momento prazeroso, com todos despertos e descansados. Lembro de um pai que passou a acordar às 5h30 para ficar com o filho até a hora de ir para o trabalho. A mãe participava da rotina da noite e o pai pela manhã, até a babá chegar.

Cabe dizer também que as sonecas não vão acontecer sempre no mesmo horário, porque vão depender da hora em que a criança despertou pela manhã, de quanto tempo ela aguentou ficar acordada e da hora em que ela fez a(s) soneca(s) no dia.

Vamos ao exemplo de um bebê de um ano que faz duas sonecas ao longo do dia e, assim, tem uma janela de sono de, em média, quatro horas:

- Segunda-feira: acordou às 6h. Por volta das 10h, dormiu por 1h30. Às 15h30, tirou um cochilo e acordou às 16h30. Nessa noite ele vai dormir em torno das 20h30.
- Terça-feira: acordou às 6h30. Às 9h30, deu sinal de sono e dormiu até as 11h30. Só foi dormir na segunda soneca às 16h e acordou às 17h30. Nessa noite ele provavelmente terá sono depois das 21h.

Sonecas não podem ser regidas pelo relógio. Horários podem variar. E as janelas de sono nem sempre são super-redondinhas e estáveis, principalmente nas fases de transição de janelas de sono. Quando passam de duas para uma, por exemplo, ou seja, de intervalo de quatro horas acordados para seis horas, nem sempre esse salto é em uma reta só. Ora conseguem ficar cinco horas, ora só quatro. Há fases em que as sonecas viram uma bagunça, principalmente para mães certinhas com horários.

Gabriela dormia sempre das 9h até as 10h30 e depois das 14h30 até no máximo as 16h. Tudo supercertinho até por volta dos 14 meses. Nessa fase, ela começou a resistir a dormir no horário habitual da manhã. Orientei a mãe que ela poderia estar mudando de padrão próprio da idade. Sugeri ir ajustando os horários, por tentativa e erro. A babá deveria oferecer a soneca e avaliar a resposta da Gabriela. E, claro, os horários ficaram bagunçados. A mãe vinha almoçar com a filha ao meio-dia, mas às vezes ela ainda estava dormindo ou morrendo de sono e não queria comer. Isso gerou uma ansiedade tremenda na mãe. A falta de controle na rotina da filha abalou muito o seu emocional. A mãe queria que ao meio-dia a filha estivesse descansada e pronta para comer com ela. Mas a mudança de padrão estava exigindo da menina um tempo de acomodação. Eu tinha claro que ela estava passando para uma janela maior, só que não de uma vez. Há crianças que um belo dia acordam e ficam bem a manhã toda e dali em diante passam a dormir depois do almoço. Pronto, maravilha, janela de sono atualizada. Para aflição de Ruth, a filha não estabeleceu um padrão de imediato. A mãe, ansiosa, também deixava a babá muito aflita, tentando levar essa menina para dormir a manhã inteira. Ora no berço, ora no carrinho, no colo. Tudo para, ao meio-dia, ela estar acordada.

Fui trabalhando essa questão com a mãe, de deixar a babá avaliar os sinais de sono e a nova janela, sem a pressão do relógio. No começo podia ser que o almoço dela acontecesse em horários diferentes em cada dia, mas seguiríamos a ordem das atividades como critério de rotina. A variação seria almoçar entre 11h30 e 13h, para que ela almoçasse antes da soneca ou depois, evitando que o cansaço atrapalhasse a alimentação. Por fim, Ruth, em tom de desabafo, me falou: "Entendi que minha filha não é um robô e que não vou conseguir controlar os horários dela. Preciso respeitar as suas necessidades". Assim, demorou um pouco mais que o habitual, mas Gabriela passou a fazer uma janela de cinco horas e, quando estabilizou esse padrão, os horários do almoço ficaram mais estáveis e Ruth pôde organizar a sua agenda para estar com a filha nesse momento.

Muitas vezes, de manhã, o intervalo acordado é mais curto que à tarde. Dependendo do agito do dia, bebês e crianças podem precisar dormir mais cedo que o habitual. Quando aprendem a engatinhar ou andar, ficam supercansados e alguns passam a dormir em curtos intervalos e/ou por mais tempo. Ou, no outro extremo, ficam tão animados com as conquistas que esquecem de dormir, ou seja, têm dificuldade para relaxar. Digo sempre às mães: "Não se apeguem ao ritmo do momento dos filhos, pois logo eles mudam".

Costumo enfatizar muito que não se tira a soneca de filho; eles é que deixam de precisar. São os bebês e as crianças que vão mostrando aos pais e cuidadores que são capazes de aguentar ficar mais tempo acordados, bem dispostos e tranquilos até o próximo soninho.

Quero deixar aqui registrado um ponto importante aos pais: façam a parte que cabe a vocês, oferecendo a soneca no tempo certo. No entanto, não temos como garantir que vocês vão acertar esse tempo, que os bebês ou as crianças vão adormecer facilmente, que eles vão dormir o tempo necessário. Para muitos pais, a soneca pode ser uma tomada de consciência da dura realidade de que não temos controle das reações e respostas dos nossos filhos; podemos dominar somente as nossas atitudes. E nessa fase a nossa alegria ou desespero pode mudar em um abrir e fechar de olhos, literalmente.

13

CUIDADOS PARA OS PAIS

Uma vez encontrei uma prima que não encontrava havia algum tempo. Ela tem seis filhos, e achei que estava tão bem, serena e motivada que, movida pela curiosidade, perguntei a ela se dormia bem. Ela disse: "Eu tenho que dormir bem. Pensa comigo: eu nasci antes dos meus filhos, depois veio o meu casamento e só depois vieram as crianças. Por isso tenho claro para mim que preciso primeiro me cuidar, depois preciso cuidar da minha relação com meu marido, e aí sim terei condições de cuidar dos meus filhos".

Gostei muito da posição dela. Vai contra tudo o que tenho visto nas redes sociais, de que os filhos têm de ser colocados acima de tudo. E para mim foi surpreendente ouvir dela essa frase, ainda nos dias atuais, em que o pensamento geral é de que a prioridade absoluta é o bebê. Escuto muito das mães exaustas: "Faço tudo por ele e não é suficiente", "Dou tudo o que ele quer e mesmo assim acorda a noite toda". É realmente desesperador dar tudo e no fim não sobrar nada.

Para mim foi inspirador ouvir essa mãe de seis filhos mostrar que uma mulher não tem condições de ser uma boa mãe se não cuidar dela e da relação do casal – para que, eles estando bem com eles mesmos, possam cuidar bem de tantas crianças.

Ao ouvir essa fala, imediatamente veio à minha mente a instrução que sempre ouvimos nos aviões: "Em caso de despressurização da cabine, máscaras de oxigênio cairão automaticamente. Puxe as máscaras, coloque-as sobre o nariz e a boca ajustando o elástico em volta da cabeça e respire normalmente, depois auxilie a criança ao seu lado". Nessa comparação, pode-se ver como é importante que os pais estejam inteiros e saudáveis, física e mentalmente, para só assim cuidar dos filhos.

As pressões do dia a dia, as exigências das múltiplas jornadas de pais e mães que precisam se dedicar ao trabalho, à carreira, aos filhos, à família como um todo (muitas vezes precisam cuidar dos próprios pais que estão envelhecendo), além de se preocuparem com a própria saúde, podem causar "despressurizações" diárias. Então, pelo bem dos filhos e por amor a eles, os pais precisam se priorizar.

Uma questão de equilíbrio

Quando vou às casas das pessoas para prestar meus serviços de consultoria do sono, costumo ver o caos. O estresse impera, está todo mundo esgotado, em um acúmulo de cansaço de meses e até anos sem noites completas de sono. Os pais estão acabados e os bebês, exaustos. Assim, quando entro na casa, no fim do dia, momento que deveria ser um reencontro gostoso de qualidade entre pais e filhos, testemunho cenas de filmes de terror.

As mães confessam sentir uma extrema ansiedade quando a noite se aproxima, porque não sabem a que horas vão conseguir dormir nem como vai ser a sua noite, e vão ficando nervosas e muito aflitas. O clima tenso entre o casal também costuma ser visível para quem está de fora do olho do furacão. Olhares condenatórios entre os cônjuges, alfinetadas, um tentando me provar que está mais cansado que o outro. Quando, ao final do atendimento, vou para casa, sinto que eu mesma estou esgotada. As minhas energias são literalmente sugadas.

No mundo ideal, os pais, depois que os filhos dormem, precisam ter o seu momento de paz. Ou seja, o momento de cada um e o do casal. Mas o que vejo é quase um toque de recolher – sai todo mundo correndo para a cama, assim que o filho dorme, para tentar conseguir pelo menos um pouco de sono. E o descanso não é de qualidade, pois estão muito tensos e pressionados a adormecer o mais rápido possível porque em breve o filho vai despertar. A própria pressão em ter de dormir logo faz com que muitos pais não consigam relaxar, demorem para dormir e, quando conseguem, acabam tendo um sono aflitivo e nada reparador. E, sacrificando-se, consideram que estão sendo bons pais, naquela linha de raciocínio "estou dando tudo de mim", neste caso, literalmente.

Ao mesmo tempo que vão acumulando um desgaste físico, vão desgastando também a relação do casal. E tudo isso repercute no equilíbrio da família.

Sempre recomendo aos pais que, assim que conseguirem ajudar os filhos a superarem as dificuldades do sono, reservem um horário para si e para o casal. Mas já ouvi réplicas assim: "Ah, mas se a criança perceber o movimento da casa ou que estamos vendo TV? Ela vai querer ver TV também..."1.

Este é um ponto importante. As regras dos adultos não são as mesmas das crianças. É uma questão de hierarquia. Eu tomo vinho na frente dos meus filhos. Eles perguntam se aquilo é bebida de adulto. Quando eu respondo que sim, ninguém mais pergunta se podem tomar, porque sabem que existe uma regra clara de que bebida de adulto não é para ser consumida por crianças.

Há uma regra para o sono. Existe hora de criança dormir e hora de cuidarmos da gente. É fundamental haver a prioridade de investir no casal. Isso não é egoísmo, mas necessidade. Vários pais sentem culpa ao colocar a criança para dormir às 20h; prefeririam esticar um pouco o horário para ficar mais tempo com o filho. Mas postergar o horário do sono da criança nem sempre é bom para ela ou para os pais. Ouço, com frequência, esta indagação: "Mas o que vou dizer para o meu filho?". Ora, o que se deve dizer para o filho é que agora é hora de cuidar de você. Vejo o quanto é difícil, principalmente para as mães, estar disponível e indisponível ao mesmo tempo. Porque se fosse a hora de sair para trabalhar não haveria opção; haveria mesmo um motivo de se ausentar. Mas estar em casa e marcar o limite da indisponibilidade é quase a mesma coisa que visualizar a mensagem do WhatsApp e não responder. Como assim você está online e não responde? Admite que está por aqui, mas de modo indisponível, como assim? Assim mesmo: estou por aqui, mas no momento ocupada, não com o trabalho, mas com as minhas necessidades.

---

1 Para os bebês, é bom que percebam o movimento da casa, para entenderem com o tempo que, quando for hora de dormir, os pais não vão embora, estão sempre por perto. O "boa-noite" será diferente do "tchau" quando, por exemplo, os pais saem de casa para trabalhar. Parece apenas um detalhe, mas faz toda a diferença. Lembro do meu filho pequeno – se eu dizia a frase "daqui a pouco" para qualquer coisa que tinha de esperar, ele ficava bem, mas se eu dizia "mais tarde", ele dava show!

Tem mãe que se assusta ao ouvir tudo isso. Mas a realidade precisa ser ensinada à criança: os pais estão por perto, mas, para o bem geral de todos, estão indisponíveis a partir daquele horário, em que crianças e bebês precisam estar dormindo e os pais precisam relaxar.

Trabalho em equipe

Quando uma criança não dorme, o mais importante é que os pais se apoiem e se ajudem para resolver o problema. E só um casal em sintonia vai conseguir encontrar maneiras tranquilas de resolver a situação. Nada é fácil quando todos estão exaustos. É preciso calma nessa hora. Concentrem-se na parceria do casal e sem procurar um culpado pela situação.

Pais e mães não erram, tentam acertar. Cada atitude que os pais tomam está baseada na premissa e na melhor das intenções de dar o melhor de si. Sem receitas, até porque o que funciona com um filho pode não servir para outro.

Acontece que, na tentativa de acertar, às vezes nós, adultos, não captamos claramente as mensagens do filho. Seria ótimo se as crianças nascessem com a tecla SAP. Seria só apertar e ter a tradução simultânea da sua necessidade. Mas nem sempre compreendemos o que o bebê ou a criança precisam. Eles vão reagir, reclamar, chorar, e assim vão nos ensinando o que é o certo para eles, em cada momento. E o jogo da tentativa de acerto funciona melhor em parceria, disso eu tenho certeza. Mas um pai pode dizer: "Foi a mãe que decidiu trazer o bebê pra nossa cama!". Ora, o filho só chegou lá com a autorização dele, velada ou não. Sem julgamentos, mas em meio ao cansaço geral é muito comum esse jogo de buscar os culpados pelo caos. Muitos pais, sem saber como agir, "lavam as mãos", deixando as noites em claro para as mães. É preciso que se responsabilizem por essa omissão. Todos são responsáveis pela situação. E tirar o corpo fora é justamente o contrário de formar um time. Meu marido, como vocês já leram, é pediatra, e nunca deixou que eu levasse nossos filhos para a nossa cama. Eu mesma muitas vezes já fiquei tentada a trazer filho bebê para a cama, mas isso era uma alternativa inexistente e inquestionável. Nossa cama é o lugar de nós dois, parceiros na empreitada de cuidar dos filhos. Nossa cama é o lugar onde dormimos, de intimidade, onde conversarmos e cuidamos um do outro. Nossa cama é do casal.

Quero frisar que o casal que enfrenta um período em que o filho não dorme bem precisa reconhecer que há um problema, que esse problema é da família, e não apenas da mãe ou apenas do pai. Um precisa apoiar o outro. Claro que, antes de buscarmos uma solução, é importante que cada um assuma as suas responsabilidades pela situação.

Mães, em geral, costumam ser mais superprotetoras. Isso se potencializa ainda mais nas noites em claro. Junta cansaço, culpa, estresse e muito amor e raiva envolvidos, e a tendência é cada vez querer mais proteger o filho de toda essa avalanche de sentimentos. Mesmo desgastadas, acabam não aceitando ajuda dos maridos, pois acham que eles não conseguem fazer as coisas do jeito delas. Não conseguem mesmo. O jeito de cada um é único, mas não é o único jeito de cuidar. É importante para os nossos filhos que eles possam ser cuidados de várias maneiras. Existem jeitos diferentes e saudáveis de lidar com diferentes situações dos filhos.

Parceria

Certa vez, atendi um casal cujo combinado foi que o pai assumiria o processo de reeducação do sono do filho de seis meses, já que os hábitos do bebê estavam muito associados ao peito e a mãe estava esgotada. Ele se mostrou disposto, mas ficou perdido na hora do ritual do sono. A hora de dormir sempre foi delegada à mãe e ele nunca tinha ficado a sós com o filho. Eu o tranquilizei, mostrando que, juntos, eles iriam construir essa rotina e, mais do que isso, era uma oportunidade de fortalecer o vínculo entre pai e filho. Eu lhe disse que fizesse o que ele se sentisse mais confortável no momento do colinho. Pensamos juntos e ele combinou que levaria o bebê para dar boa-noite para todos os bichinhos do quarto. E o ritual acabou ficando bom para o bebê, tanto que a mãe passou a repeti-lo também, quando era a vez dela de fazer o bebê dormir.

O depoimento de outro casal me mostrou outra parceria que deu muito certo. A mãe precisava de pelo menos oito horas de sono para ficar descansada. O casal passou a se alternar no despertar do bebê, às cinco da manhã. Um dia era a mãe, no outro dia o pai. A mãe conseguiu descansar e a vida dela e do casal melhorou muito. E ela conseguiu cuidar do bebê com mais qualidade.

Há casais que combinam que, nos fins de semana, uma tarde ou uma manhã, o pai fica com o bebê e a mãe vai fazer o que bem entender – e vice-versa. Essa parceria costuma funcionar bem para os dois.

Cuidados vitais

Vocês devem reservar um tempo, na rotina, tanto para cada um como para o casal. Isso não significa que o dia precisa ter mais que 24 horas. O foco aqui são as prioridades. Pensem assim: se não encontrarem tempo para cuidar da saúde, vão ser obrigados a encontrar tempo para cuidar da doença. Vocês são o alicerce da família no sentido de que devem estar bem, saudáveis e descansados para poderem cuidar dos filhos como eles precisam.

O cuidado consigo mesmo pode ser a terapia, a ginástica, um momento com os amigos, ou seja, aquilo que faz bem a você. De novo: isso não é egoísmo. Você não está tirando o tempo que estaria com seu filho para cuidar de você. Ao contrário, você está se preparando para dar ao seu filho um tempo de qualidade, se estiver bem cuidado(a). Uma mulher cheia de olheiras, cansada, maltrapilha porque não tem energia para cuidar dela mesma, às vezes até ansiosa e deprimida, pode cuidar bem de um bebê? A maior parte desses problemas é causada por privação de sono. Se alguém cuidar dessa mulher, deixá-la descansar, com certeza recuperará as condições de se autocuidar. E a vida de todos, na casa, certamente vai melhorar. Essa é a parceria de que tratamos aqui.

O cuidado com o casal pode ser uma saída para jantar fora, só os dois. A criança pode ficar com a babá, a avó, uma amiga ou amigo. Os pais fazem o ritual do sono, com a babá ou quem quer que vá ficar com a criança, para que ela saiba que vocês estão saindo, mas que voltarão. Ouço mães questionando: "Mas vou dizer à minha filha que vou sair?". Claro que sim. Qual o problema de explicar para a criança que ela vai ficar algumas horas com a babá, a vovó ou a titia, para que o papai e a mamãe saiam? Minha recomendação é que os pais preservem minimamente a sua vida social.

Numa noite, meu marido e eu resolvemos ir ao cinema. Minha filha, na época com três anos, deu um chilique, chorou, disse que não queria que a gente saísse. Expliquei a ela que eu e o papai iríamos ao cinema de qualquer jeito, com choro ou sem choro, mas que seria melhor sem choro, para que eu saísse de casa tranquila. No dia seguinte retomei o assunto com ela. Disse que não tinha gostado do que ela havia feito, e perguntei se ela acharia certo se eu chorasse cada vez que ela fosse brincar com as amiguinhas e pedisse para ela não ir. O que fiz? Fiz com que ela experimentasse estar no meu lugar. E falei dos meus sentimentos. Contei que gostei do filme, mas que eu e o papai ficamos tristes porque ela chorou quando nós queríamos nos divertir. Ela ouviu tudo e não disse nada. Mas, uma outra vez que meu marido e eu saímos, ela se despediu assim: "Tchau, mamãe. Se diverte!". Frase pronta, sim, mas dessa vez sem escândalos ou chiliques.

Entretanto, muitas mães vão sentir culpa de ir ao cinema e deixar a filha chorando, e desistem de sair. Isso vai quebrando a relação com o marido, porque a mulher vai priorizando ser mãe e deixa em stand-by o ser mulher e esposa. Há crianças que perguntam para os pais: "Por que a mamãe pode dormir com o papai e eu não posso dormir com a mamãe?". Essas mães se desestabilizam com esse tipo de pergunta e não sabem como responder ao filho. Mas a resposta é simples: "Porque a mamãe é adulta e casou-se com o papai. Crianças são pequenas e ainda não são casadas. Mas podem dormir, se quiserem, com um amiguinho do sono, como o seu ursinho. O amiguinho do sono da mamãe é o papai. Vamos escolher um de criança para você". Só que não esperem que essa sugestão será razoável para o menino que quer dormir com a mamãe. Conheço a história de uma criança que argumentou: "Mas isso é uma pelúcia, eu preciso dormir com uma pessoa de verdade". A resposta foi clara e categórica: "Sempre haverá pessoas de verdade bem pertinho de você. Papai e mamãe estão no quarto ao lado. Você nunca estará dormindo sozinho na casa".

Como alguém com seis filhos dorme bem e casais com apenas um vivem noites caóticas? Essa pergunta ficou latejando na minha cabeça por dias depois do encontro com a minha prima, que relatei no início deste capítulo. E o insight veio bem mais tarde, quando me dei conta de que, quanto mais filhos se tem, mais se requer parceria entre o casal e, mais do que isso, o estabelecimento claro dos limites entre pais e filhos. Impossível colocar seis na cama de casal, ou ninar seis crianças durante a noite. A sensação que me ocorre é que, tendo um filho (ou dois, no máximo), tem-se a ilusão de que é possível fazer tudo por ele(s), dar tudo a ele(s) e viver exclusivamente para ele(s). Com seis, nem se sonha com essa utopia.

Dar todo o oxigênio, com todo o amor do mundo envolvido, sufoca a criança e a impede de respirar por ela mesma. Em contrapartida, o outro, sem ar, sufocado e agonizante, não tem como seguir cuidando da sua própria vida, muito menos do seu grande amor. Ao dar tudo de si, corre-se o risco de não sobrar nada. Dê ao seu filho o melhor de você.

CONCLUSÃO

A verdadeira educação é aquela que vai ao encontro da criança para realizar a sua libertação.
Maria Montessori

Meu filho Ariel tinha 7 anos quando iniciei os primeiros atendimentos da consultoria do sono. Como sempre trabalhei em home office, ele estava constantemente por perto e muito curioso em saber mais sobre o que acontecia nos atendimentos. Atualmente com 17 anos, certo dia ele me questionou: "Mãe, você percebeu que o seu trabalho é basicamente explicar aos pais que os bebês dormem em berços?".

Na hora fui tomada por uma grande surpresa. Como meu filho poderia ser tão simplista? Entendi que na realidade ele ainda não é pai e tampouco um dia será uma mãe. Na sua imaturidade, ele não tem ideia do abismo que pode existir entre o colo e o berço. Um vácuo enorme, no qual existem sentimentos tão intensos que seria impossível para um adolescente sentir, muito menos entender tamanha intensidade. É preciso muita segurança e confiança para fazer esse movimento, aparentemente tão simples, do colo para berço, mas que para muitas famílias pode ser sentido como o momento inaugural de desgrude.

Essa sensação de desprendimento será sentida pelos pais por toda a vida. Afinal, assim que nascem, os bebês começam o processo de ir embora.

Sinto no meu dia a dia que, sem querer generalizar, as mães sofrem mais para soltar do colo os seus bebês, até mesmo quando já são maiores. Essa parece ser uma das sensações de maior desamparo na maternidade. Já na hora do parto, começamos a sentir o corte do cordão umbilical e vamos vivendo as rupturas até a tão conhecida síndrome do ninho vazio[1]. Não temos como escapar: é parte saudável do crescimento e não podemos impedir os desprendimentos necessários para que nossos filhos possam crescer e aprender.

Para uma criança andar, a mãe precisa soltar o filho do colo. Então, ela segura a sua mão. Mas precisa soltar. Então ela agarra apenas o dedinho. Mas precisa soltar. E assim o filho parte, ainda inseguro, para alcançar essa conquista. A mãe está chorando. Os seus braços estão vazios. A sensação de desamparo e sentimentos de ternura e felicidade acompanham esse momento. O bebê está partindo. Mas ele não deixa de olhar para trás. Quer ter certeza de que a mãe continua lá. E ele corre de volta, com um forte abraço. Só que agora ele não para mais. Sai correndo novamente. Logo à frente ele cai de joelhos e olha para trás. Sua mãe está assustada. Ele chora. Volta para o colo e ambos se acalmam. Mas ele não para mais. Sai correndo e, de novo, cai de joelhos e olha para trás. A mãe sorri. Ele se levanta e sorri de volta. Ganha um beijo no joelho. As dores da mãe e do filho passam. Quanta magia nesse lindo movimento de distanciamento e envolvimento.

Não há como crescer se permanecer grudado. Aqui entra o chamado incrível processo de des-envolver. A própria palavra implica um desprender, distanciar, descolar, ligado sempre ao fio do envolvimento. Como o vai e volta do ioiô.

Voltemos à passagem do colo para o berço. Para permitir que o bebê desenvolva a habilidade de dormir, a mãe e, claro, também o pai vão precisar soltar e autorizar o filho a literalmente se virar. Como pode ser difícil esse processo! Até hoje escuto tantas frases duras em relação a esse "simples" movimento. "Vou ter que largar ele no berço?", "Ele vai ficar sozinho?", "E se isso ficar marcado para o resto da vida dele?", "Não vou ajudar meu filho a dormir?"

Não se pode impedir um aprendizado. É natural do desenvolvimento dormir com autonomia. Como vimos ao longo dos capítulos, no intuito de ajudar, muitas vezes os pais podem segurar esse processo ao fazer pelos filhos aquilo que eles estão aptos a fazer por conta própria.

---

1 A síndrome do ninho vazio foi definida por algumas culturas como o sofrimento relacionado à perda que os pais sentem quando os filhos saem de casa pela primeira vez, seja para morar sozinhos, seja para fazer faculdade em outra cidade ou se casar.

Reforço que ninguém ensina um filho a dormir, assim como não se ensina a andar. Nós não damos os passos pelas crianças. A mesma coisa em relação ao sono. É preciso apenas tempo, espaço e oportunidade para que o bebê e a criança possam, eles próprios, encontrar o seu modo de se confortar, acalmar e dormir com autonomia. Ninguém me contou isso: eu mesma vi, nestes mais de dez anos de trabalho, inúmeras vezes. Como são incríveis esses pequenos gigantes. No entanto, para alcançarem esse aprendizado, é preciso apostar na capacidade deles e, só assim, deixá-los se movimentar, cair, se levantar e recomeçar. E onde ficam os pais? No entorno. Torcendo, apoiando, dando o direcionamento, acolhendo, encorajando e, sim, sofrendo por eles. Talvez seja o primeiro de muitos desafios que eles terão pela frente. O aprendizado é individual, cada um no seu tempo e do seu jeito. Podemos ajudar as nossas crianças estando com elas, mas sem fazer por elas. Em outra fase da vida, os pais talvez precisem estudar para a prova com o filho, mas fazer a prova por ele não só não ajuda como também impede o seu aprendizado.

Gosto de comparar o aprendizado de dormir com autonomia com o jogo "Resta um" (Figura 1).

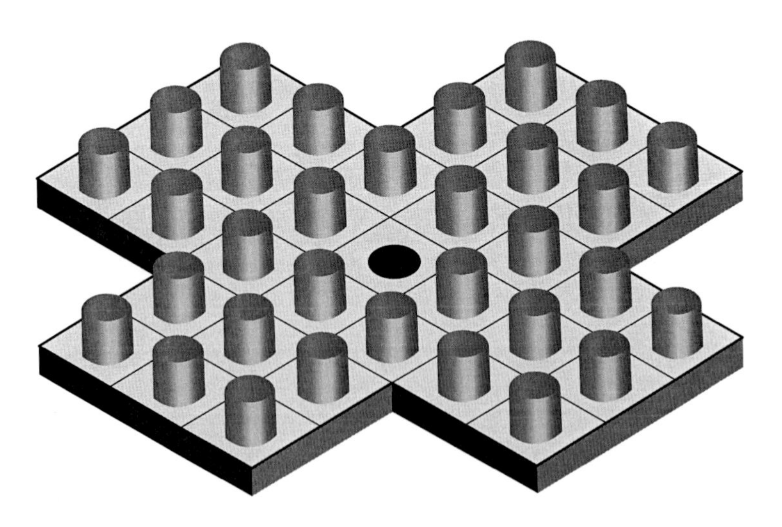

FIGURA 1 Jogo "Resta um".
Fonte: HiDesign Estúdio.

Esse jogo só é possível porque falta uma peça. Se o tabuleiro estiver completo, o impasse está criado, porque não há como jogar. O buraco vazio do tabuleiro permite que haja movimento. Uma vez que se tira um hábito que está atrapalhando o sono do bebê ou da criança, eles terão de lidar com o vazio da falta. Não estamos falando de falta de amor, de carinho ou de afeto. Estamos falando da falta do que os filhos foram acostumados a associar toda vez que estavam cansados. Leite, colo, companhia, eles vão continuar tendo durante o dia, na hora certa e, principalmente, nos momentos em que estiverem acordados e descansados.

Seu filho não precisa de leite a noite toda, ele precisa dormir.

Seu filho não precisa de colo a noite toda, ele precisa dormir.

Seu filho não precisa da sua companhia a noite toda, ele precisa dormir e ter vocês, pais, descansados.

Muitas mães me questionam: "Mas como? Eu quero sempre fazer tudo pelo meu filho!". Essa é uma frase que muito me assusta. Se a mãe (ou pai) fizer tudo pelo filho, o que sobra para ele? E a parte dele? Se preencher todo o tabuleiro, não haverá jogo. Tabuleiro completo, partida paralisada. Assim acontece quando os pais fazem pelos filhos o ato de dormir: bebês e crianças ficam completamente passivos, esperando que algo externo venha resolver o seu cansaço. Uma expectativa inibe completamente uma iniciativa.

Esqueça a ideia utópica de fazer tudo pelo seu filho; além de não ser viável, também não é saudável. Uma mãe precisa ser, como bem colocou Donald Winnicott[2], "suficientemente boa".

Quando desafiados, o bebê e a criança se esforçam para se adaptar e buscar novas formas de dormir. Deixar um espaço vazio permite que eles circulem, se agitem, criem estratégias e treinem os novos movimentos. Só que, no começo da partida, eles choram. Ficam perdidos, passivos e sem iniciativa. Uns choram quase nada e a maioria chora intensamente, com choros que podem durar muitos minutos ou horas. A tendência natural dos pais é atender ao choro; e, realmente, os adultos são plenamente capazes de abafá-lo, mas sem que isso resolva o sono. Sabe por quê? Porque essa parte da partida pertence

2 WINNICOTT, Donald. *Talking to parents.* Massachusetts: Perseus, 1993.

ao filho. Muitos pais passam a noite resolvendo o choro e o dia amanhece com uma família exausta.

Permita que seu filho seja ativo nesse espaço vazio da falta do hábito, pois somente assim ele poderá se arriscar e ser ativo nesse jogo, sendo ele com ele mesmo. E onde você fica? Na plateia, na arquibancada, incentivando, apoiando, apostando e aplaudindo. A forma de lidar com o vazio é de cada um, e, quando o seu bebê ou criança vence, é uma linda conquista. Sem choro, seguro, confortável, ele simplesmente se deita e dorme com tranquilidade.

Choro

Quero agora deixar uma mensagem final sobre o choro. Na hora do nascimento de seu filho, o que você mais esperou por todos os meses de gestação foi pelo choro do bebê no momento do parto. Em alto e bom som. Quanto mais forte, maior o seu sinal de vida. E depois? Ele não poderá mais chorar?

Se os pais não aguentam mais o choro, deixem os filhos, eles próprios, resolverem o sono. Sejam adultos continentes, coerentes e consistentes nesse contínuo aprendizado.

O medo de traumatizar os filhos faz com que muitos pais virem reféns do choro. Conto nos dedos as famílias que me questionaram sobre o impacto da privação do sono em um bebê ou criança, em termos neurológicos e emocionais. O choro é sempre a maior preocupação; o resto passa a ser secundário. Uma vez que o filho aprende a dormir, acredite, o choro passa. Durante o seu processo de aprendizado para dormir com autonomia no berço ou na caminha, haverá noites de choro por cansaço, braveza, estranheza e frustração, mas isso passará assim que ele encontrar o seu próprio jeitinho de dormir. Muitas vezes, as coisas pioram antes de melhorar[3].

Lembre-se sempre: os bebês e as crianças estão em casa, no lindo berço ou cama escolhidos a dedo no enxoval, limpos, alimentados e com os pais sempre por perto os acolhendo, mas não fazendo por eles o ato de dormir. Só isso.

Os relatos das famílias, após passarem por um processo de reeducação do sono, revelam que hoje os seus filhos não acordam mais assustados e o quanto se tornaram “amigos” do berço ou da cama e dormem tranquilos a noite toda.

---

3 NELSEN, Jane. *Disciplina positiva.* 3. ed. Barueri: Manole, 2015.

Como mostrei ao longo do livro, vale muito a pena as crianças desenvolverem a sua autonomia no sono, pois meses e anos sem dormir são irrecuperáveis e irreparáveis, tanto na vida dos pequenos como na de seus pais. Um corpo e uma mente que não descansam não têm como ser saudáveis.

Incentivando a autonomia

A professora Maria Montessori[4], uma das primeiras educadoras da linha do construtivismo, dizia: "Nunca ajude uma criança numa tarefa que ela sente que pode desempenhar sozinha". Uma criança só vai identificar essa condição de sentir que é capaz nos desafios que a vida oferece.

Há crianças que já pedem para comer sozinhas ou para dormir no quarto delas. Há crianças que decidem sozinhas que não querem mais usar chupeta e outras pedem para não usar mais fraldas. No entanto, há aquelas que precisam de uma força para crescer. Marcar a data da partida da chupeta, arriscar ficar sem fralda em casa para que a criança se incomode em ficar molhada. No começo, temos de dar a comida na boca, mas, à medida que vão crescendo, temos de incentivar dando na mão a colher e deixando boa parte da comida cair no chão e fazer a maior sujeira. Só treinando para se desenvolver e consolidar o aprendizado. Sorrindo ou chorando, em algum momento vão ter de comer e dormir sozinhos. Você, pai ou mãe, pode começar a estimular a autonomia de seu filho desde cedo.

Vamos ajudar os nossos filhos, mas somente naquilo que eles ainda não são capazes. No que eles já têm condições, mas não estão conseguindo, vamos direcionar, incentivar e encorajar. O aprendizado é deles. Vamos prometer apenas o que somos plenamente capazes de cumprir a noite toda. Colo, leite e companhia somem a cada despertar. Vamos trocar o susto do sumiço pela braveza da despedida do boa-noite.

A cada fase do desenvolvimento, é necessário incentivar autonomia, para que, com o passar dos anos, nos tornemos dispensáveis de funções que nossos filhos são capazes de fazer por eles mesmos. Seremos sempre um porto seguro,

---

4 Médica e pedagoga italiana que viveu entre 1870 e 1952. Criou um método educativo, ainda bastante utilizado em escolas, que enfatiza autonomia e liberdade para o desenvolvimento físico e mental das crianças.

mas é preciso deixá-los voar, em uma altura proporcional ao seu tamanho e plano de voo.

Acho o texto a seguir muito inspirador:

Filho é pipa.

Precisa de vento, precisa de linha, precisa de embate também.

Cada um com a sua rota, seu voo, seu aprendizado. Voltam rasgadas, tronchas, sem um pedaço da rabiola?

A gente dá colo, passa remédio, sopra e manda voar de novo.

É no voo que se aprende a voar.

Pipa bonita é a que dança no ar[5].

Só que esse processo de permitir autonomia pode ser bem trabalhoso e cansativo. Para arrumar a bagunça no quarto da minha filha de quase 10 anos, eu poderia fazer por ela em dez minutos, mas é muito mais valioso e importante ensiná-la a organizar seus pertences, roupas, material escolar e brinquedos, nem que esse incentivo de arrumação diária leve um tempão e requeira paciência imensurável, pois é muito importante para o bem-estar e evolução dela aprender a autonomia, naquilo que é capaz de fazer, desde cedo. Uma lição que aprendemos quando temos filhos é que não controlamos tudo, mas somos capazes de controlar as nossas atitudes para com eles.

O processo de reeducação do sono é para muitos pais e mães a primeira experiência de se tornarem dispensáveis da tarefa de "fazer dormir". Muitos pais acham que se trata de uma missão impossível, mesmo para crianças já maiores, de 3 a 4 anos. Parece ainda mais complicado olhar para um bebê tão pequeno e achar que, se está difícil ajudando-o a dormir, imagine deixá-lo se virar "sozinho" no berço. E todos se surpreendem. Só que, para dar certo, é preciso equilíbrio entre razão e emoção por parte dos adultos. Entendo que é um processo racional demais para uma relação afetiva e emocional demais. Lembre que os bebês e as crianças pequenas não pensam nem interpretam as vivências como os adultos. Eles estão com sono e só querem dormir. Apenas isso. O leite, o colo e a companhia estão para eles assim como o *tablet* ou a TV para muitos que foram acostumados a comer com esses dispositivos ligados. Se o hábito, qualquer que seja, está mais atrapalhando do que ajudando, é hora

---

5 Autor desconhecido.

de mudar, e a resposta será o choro a qualquer mudança que cause estranhamento ou braveza. O que, diga-se de passagem, é uma comunicação saudável e precisa, sim, ser acolhido, mas não abafado a qualquer custo. Limites e acolhimento não só podem como devem andar juntos. Uma lição para toda a vida. Vida que só está começando. E que venham outros desafios e aprendizados.

ANEXO

MITOS E VERDADES DO SONO

Mitos

Soneca reduzida – segurar o bebê mais tempo acordado durante o dia ou acordá-lo antes da hora fará com que ele durma melhor à noite, uma vez que dormiu pouco durante o dia. ***Mito.*** Ele precisa do sono diurno, na quantidade adequada para ele, conforme seu estágio de desenvolvimento. Lembrando que pode variar o tempo de bebê para bebê. Assim, ele chegará à noite com sono, mas não exausto. A exaustão, geralmente, agita o bebê, fazendo com que não consiga relaxar para dormir à noite.

Soneca eliminada – tirar uma ou mais sonecas do dia, com a esperança de que o bebê fique mais cansado e durma bem à noite. ***Mito.*** O efeito é o mesmo de reduzir a soneca, porque o bebê pode chegar exausto ao fim do dia e dormir mal à noite.

Rotina de soneca tem a ver com horário – o bebê não tem noção de tempo do relógio. Ele precisa dormir na hora em que tem sono, não na hora programada pelos pais. O importante é levar em conta as janelas de sono, ou seja, o intervalo no qual o bebê consegue ficar acordado, que varia a cada fase do desenvolvimento. Portanto, é ***mito.***

Soneca curta é compensada pelo bebê – os pais acham que a criança compensa uma soneca curta na soneca seguinte. É ***mito,*** porque não funciona exatamente assim. O mais comum é, quando a criança dorme pouco na soneca, ficar mais agitada e prejudicar a soneca seguinte. Bebês não são pré-programados.

Dormir mais tarde à noite para prolongar o sono da manhã – o exemplo clássico é o caso da criança que dorme às sete da noite e acorda às cinco da manhã. As mães acham que, dormindo mais tarde, a criança acordará proporcionalmente mais tarde. Quase sempre ***mito***. Na maioria dos casos, não adianta mudar o horário da noite, porque o relógio biológico do bebê determina o despertar na mesma hora.

Luz acesa no quarto é bom – a melatonina, que é o hormônio do sono, é liberada na escuridão. Portanto, achar que deixar a luz acesa no quarto do bebê à noite facilita o sono é ***mito***.

O bebê para de chorar porque desiste de chorar – quem critica o processo de reeducação do sono afirma que o bebê dorme porque desiste de chorar. Mito. Enquanto o bebê estranhar o novo jeito de dormir, ele vai chorar. Mas, à medida que consegue dormir sozinho, do seu jeitinho próprio, para de chorar porque encontrou conforto para iniciar e retomar o sono. Se fosse apenas desistir de chorar, ele ficaria de olhos abertos a noite toda sem chamar os pais. Isso não acontece e, mais do que isso, mesmo quando aprende a dormir, se houver qualquer desconforto que não possa resolver sozinho, como fralda vazada, frio, calor etc., chora para ser atendido e com toda a razão.

Todo bebê aprende a dormir sozinho – só 10% dos bebês desenvolvem a capacidade de dormir sozinhos. Portanto, é ***mito***. Bebês precisam de tempo, oportunidade, direcionamento e acolhimento dos pais para eles próprios aprenderem a dormir.

Música ajuda o bebê a dormir – tudo o que se coloca para o bebê dormir no início da noite é estímulo que pode gerar dependência nos despertares noturnos. Na preparação do sono, a música clássica tranquila pode ser usada para relaxar, mas deve ser desligada assim que o bebê for para o berço. Portanto, é ***mito***. A música é um tipo de som, com variações e modulações, que pode ser perturbador para o sono e atrapalhar o efeito da melatonina. Esse hormônio é liberado tanto na escuridão como em um ambiente tranquilo. Nas sonecas, que são cochilos curtos, a música pode ser um recurso para abafar os sons externos, mas, neste caso, o ruído branco é mais indicado.

Bebê não sonha – mito. Todos os sonhos acontecem no sono REM, e, como o sono dos bebês apresenta esse estágio em boa parte do ciclo de sono, desde o nascimento, eles sonham sim.

Doença não afeta o sono – mito. Há muitas enfermidades que podem interferir no descanso do bebê, como epilepsia e problemas respiratórios crônicos (asma, bronquite, rinite etc.). Além disso, as doenças pontuais, típicas da infância, e, muitas vezes, os seus próprios sintomas, fazem com que os bebês e as crianças despertem incomodadas.

O cérebro descansa ao dormir à noite – mito. O cérebro continua, no sono noturno, tão ativo como quando o bebê está acordado. O sono noturno é para descansar o corpo, porque o cérebro continua consolidando o aprendizado do dia, além de cuidar de muitas outras funções, como produzir o hormônio do crescimento.

Verdades

Celular,* tablet *e TV são prejudiciais ao sono – verdade. O ideal é que duas horas antes da rotina do sono esses aparelhos não sejam oferecidos ao bebê, porque trazem estímulos de luminosidade, visual e sonoro, que provocam má qualidade do sono e outros prejuízos. Isso vale para todas as idades[1]. Lembrando que a OMS (Organização Mundial da Saúde)[2] recomenda aparelhos eletrônicos somente a partir dos 2 anos, com moderação.

Ruído branco ajuda a dormir – verdade. Antes dos 6 meses de vida, o ruído branco tem a função de reproduzir os sons que o bebê estava acostumado a ouvir dentro da barriga da mãe. Depois dessa fase pode ser necessário para abafar os barulhos da rua, para quem mora em local com muito ruído externo.

Para dormir bem, o bebê precisa de rotina – falamos disso ao longo de todo o livro. ***Verdade.*** Mas é preciso lembrar que a previsibilidade das condições de sono é mais importante do que o horário do relógio.

Quando dormir fora de casa ou for viajar, o bebê precisa repetir a rotina de casa – praticar sempre a mesma rotina do fim do dia é importante para que o bebê consiga prever que está chegando a hora de dormir, mesmo em um ambiente diferente. ***Verdade.*** Lembrar que fora de casa já é um lugar estranho para ele. É preciso que ele tenha uma rotina habitual para não se desorganizar.

---

1 KING'S COLLEGE LONDON. Bedtime use media devices risk of poor sleep in children, Oct. 2016.

2 Para mais informações, leia: World Health Organization. Guidelines on physical activity, sedentary behaviour and sleep: for children under 5 years of age. 2019. Disponível em: https://apps.who.int/iris/bitstream/handle/10665/311664/9789241550536-eng.pdf?sequence=1&isAllowed=y. Acesso em: 8 jan. 2021.

O bebê pode fazer a soneca fora de casa – sim, é ***verdade***. Ele pode cochilar em qualquer lugar, durante o dia, contanto que durma bem.

Passear com o bebê, ao ar livre, de dia, faz melhorar o sono da noite – os estímulos do que ele vai ver, sentir e aos quais vai prestar atenção o farão gastar energia e chegar cansado à hora de dormir. E a luz natural também é muito importante para a regulação do ciclo circadiano. ***Verdade***. Se não for possível sair de casa, os pais devem abrir as janelas e deixar a criança em um tapetinho próximo a eles.

Dar bastante atividade ao bebê durante o dia é bom para o sono da noite – com moderação, é ***verdade***. Devemos ter cuidado com excessos. Deixar a criança no colo o dia inteiro, sem estímulo algum, é ruim. Mas a hiperestimulação, com uma agenda cheia de atividades direcionadas, também não é o recomendado.

A criança pode ter insônia – o problema é mais raro do que em adultos, mas pode ocorrer. ***Verdade***. A maioria dos casos de insônia em bebês e crianças tem origem comportamental.

É comum o recém-nascido trocar o dia pela noite – nos três primeiros meses de vida, essa confusão é comum para os bebês, que não percebem a diferença entre dia e noite. ***Verdade***. Aos 6 meses, o sono já deve estar mais concentrado no período noturno.

Alguns alimentos atrapalham o sono – sim, é ***verdade***. Principalmente alimentos como chocolates, além de refrigerantes e chás que contêm cafeína.

Bebê que não dorme o suficiente fica agitado – os adultos, quando ficam cansados, diminuem o ritmo e ficam mais lentos. Os bebês reagem à exaustão com excitação e agitação. Até confundem os pais, que acham que o bebê perdeu o sono, mas na realidade ele perdeu o *timing* do cansaço. ***Verdade***.

Criança que não dorme o suficiente tem mais dificuldade na escola – ***verdade***. A falta de sono interfere na memória e na concentração. O cansaço prejudica a atenção e o foco.

REFERÊNCIAS

1. DRUCKERMAN, Pamela. *Crianças francesas não fazem manha*. Tradução de Regiane Winarski. São Paulo: Editora Fontanar, 2013.
2. ESTIVILL, Eduard. *Nana, nenê*: o verdadeiro método Estivill para ensinar seu filho a dormir bem. São Paulo: WMF Martins Fontes, 2013.
3. FERBER, Richard. *Bom sono*. São Paulo: Rideel, 2008.
4. FERREIRA, Flávio Vellini. *Ortodontia*: diagnóstico e planejamento clínico. 4. ed. São Paulo: Artes Médicas, 2001.
5. HOGG, Tracy. *Os segredos de uma encantadora de bebês*: como ter uma relação tranquila e saudável com seu bebê. Barueri: Manole, 2002.
6. KARP, Harvey. *O bebê mais feliz do pedaço*. São Paulo: Editora Planeta do Brasil, 2014.
7. KING'S COLLEGE LONDON. Bedtime use media devices risk of poor sleep in children, Oct. 2016.
8. MINDELL, J. A.; OWENS, J. *A clinical guide to pediatric sleep*: diagnosis and management of sleep problems. Philadelphia: Lippincott Williams & Wilkins, 2003.
9. NELSEN, Jane. *Disciplina positiva*. Tradução de Bernadette Pereira Rodrigues. Barueri: Manole, 2018.
10. PIAGET, Jean. *O nascimento da inteligência da criança*. 4. ed. São Paulo: Gen/LTC, 1987.
11. SANTOS, Elisama. *Educação não violenta*. São Paulo: Paz & Terra, 2019.
12. TIBA, Içami. *Quem ama educa!*. São Paulo: Integrare, 2015.
13. VAN DER LINDEN. *Desenvolvimento da dentição*. 1. ed. em português. Quintessence Editora.
14. VARELLA, Drauzio. Crise dos 2 anos: mito ou realidade?. Disponível em: https://drauziovarella.uol.com.br/pediatria/crise-dos-2-anos-mito-ou-realidade/. Acesso em: 15 jan. 2021.
15. WALKER, Matthew. *Por que nós dormimos*: a nova ciência do sono e do sonho. Tradução de Maria Luiza X. de A. Borges. Rio de Janeiro: Intrínseca, 2018.
16. WEST, Kim. *The Sleep Lady's good night, sleep tight*: gentle proven solutions to help your child sleep well and wake up happy. New York City: Vanguard Press, 2009.
17. WINNICOTT, Donald. *Talking to parents*. Massachusetts: Perseus, 1993.
18. WORLD HEALTH ORGANIZATION. *Guidelines on physical activity, sedentary behaviour and sleep*: for children under 5 years of age. 2019. Disponível em: https://apps.who.int/iris/bitstream/handle/10665/311664/9789241550536-eng.pdf?sequence=1&isAllowed=y. Acesso em: 8 jan. 2021.

ÍNDICE REMISSIVO

C

D

F

I

L